KB160688

2nd · 김영삼원장의 노트정리
NEW
김영삼 원장의
치과건강보험 필수아이템
치과상병명
김영삼 Young Sam Kim, DDS, MS, PhD 지음
공저 박인희, 조은주
군자출판사

김영삼 원장의

치과건강보험 필수아이템

치과상병명 2판

둘 째 판 1쇄 인쇄 | 2020년 04월 01일
둘 째 판 1쇄 발행 | 2020년 04월 08일

지 은 이 김영삼
발 행 인 장주연
출 판 기 획 한수인
책 임 편 집 이경은
표지디자인 군자출판사 표지부
편집디자인 양란희
일 러 스 트 유학영
발 행 처 군자출판사
등록 제4-139호(1991.6.24)
(10881) 파주출판단지 경기도 파주시 회동길 338(서패동 474-1)
전화 (031)943-1888 팩스 (031)955-9545
www.koonja.co.kr

© 2020년, 치과상병명 2판 / 군자출판사
본서는 저자와의 계약에 의해 군자출판사에서 발행합니다.
본서의 내용 일부 혹은 전부를 무단으로 복제하는 것은 법으로 금지되어 있습니다.

* 파본은 교환하여 드립니다.
* 검인은 저자와의 합의 하에 생략합니다.

ISBN 979-11-5955-561-9

정가 30,000원

글쓴이 소개

| 김 영 삼

전주고등학교 졸업
전북대학교 치과대학 졸업
전북대학교 치과대학 치의학박사
토론토 치과대학 치주임플란트과 CE 과정
UCLA 치과대학 치주과 preceptorship
UCLA 치과대학 구강외과 preceptorship
강남 사람사랑치과 원장

現
전북대학교 치과대학 외래교수
연세대학교 치과대학 외래교수
부산대학교 치과대학 외래교수
오스템 임플란트 패컬티
덴티스 임플란트 디렉터
강남사랑니 발치연구회(GAWE) 운영
강남임플란트연구회(GIAI) 운영
강남레옹치과 원장

오랜 시간 준비한 『치과 상병명』 초판이 나오고, 2년이 흘렀습니다. 이전에 상병명 파트는 『김영삼 원장의 치과건강보험 달인되기 5판(2013)』 안에 작은 챕터로 있었습니다. 건강보험 달인되기 책이 개정됨에 따라 두꺼워지면서 우선 순위에 밀려 6판부터는 책 내용에서 완전히 빠졌습니다. 그렇게 몇 년이 흐르니 다시 한 번 상병명에 대한 정리를 요청하시는 분들이 계셔서 간단히 정리해 출간했던 것입니다. 그런데 의외로 반응이 좋아서 개정판까지 내게 되었네요. 건강보험내용이 다 그렇듯이 "제가 알고 있는 바가 이렇다. 이렇게 정리를 해 보았다."이런 식으로 이 책을 봐주시기 바랍니다. 건강보험에는 정답이 없어서 사람들에 따라 다르게 받아들일 수 있고, 언제든 변할 수도 있으니까요.

신인순 강사님께서 가까이에서 도와주셔서 김현진 강사님과 함께 오랫동안 미루고 있던 책을 완성하여 초판을 냈었습니다. 개정판에서는 크게 변한 건 없지만, 초판에서 부족했던 부분을 보완하고 2년 동안 변화한 내용들을 추가했습니다. 기존에 책을 가지고 계신 분들뿐만 아니라 한 번도 상병명에 대해서 생각해보지 않은 분들까지 심심풀이로 한 번 훑어볼만하다고 생각합니다.

작년 말부터 제 책을 제작해 주시는 군자출판사 한수인 팀장님과 오랫동안 부족한 제가 책을 낼 수 있도록 도와주시는 군자출판사 장주연 사장님께 진심으로 감사드립니다.

2020년 4월

Los Angeles에서 코로나 19 사태가 진정되기를 기원하며…

김 영 삼

목차

치과 상병명

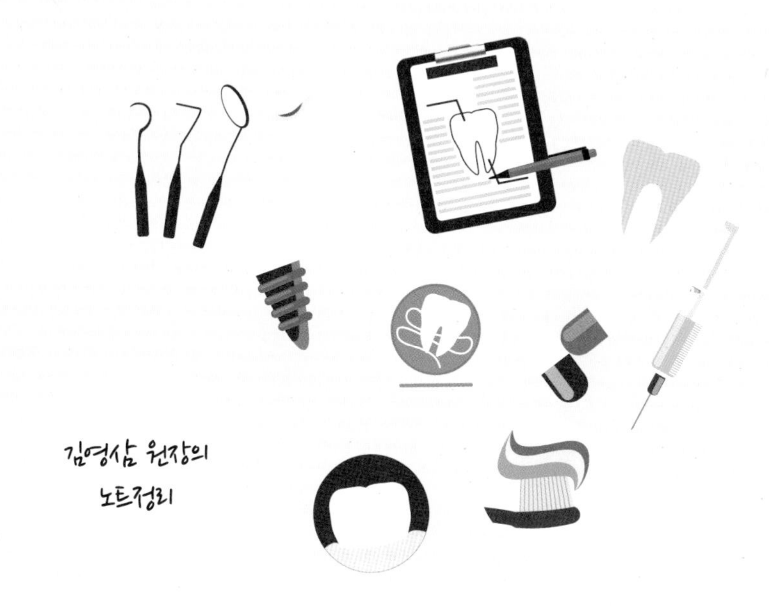

상병명의 중요성

치과건강보험청구를 하려면 치료내용에 적절한 상병명을 명시할 필요가 있다. 하지만 대부분의 치과의사가 진료에만 열중하고, 건강보험청구에 무관심한 탓에 적절한 상병명 또는 진단명을 진료기록부에 적지 못하고 있다. 현실이 그렇다보니 상병명은 보험청구 담당자에 의해 대부분이 임의적으로 판단되는 경우가 많다. 이로 인해 건강보험청구시에 적절한 상병명을 사용하지 못하거나, 특정한 진료가 특정한 상병명에만 몰리게 되는 현상(보험프로그램에 초기 설정된 상병명만을 사용하기 때문)이 발생하여 청구금액의 조정 또는 삭감의 원인이 되기도 한다.

〈병·의원 절반이상 질병코드 허위·왜곡 기재 - 이기우 의원〉

"진료비 삭감 우려해 질병코드 인위 조작"

상당수 의료기관들이 진료비 삭감을 우려, 질병코드를 허위·왜곡 기재하고 있다는 주장이 제기됐다. 열린우리당 이기우 의원은 심평원 국감에 앞서 발표한 질의서에서 "의료기관들이 진료비용 청구서에 기재하는 질병코드와 의무기록에 기재하는 진단명이 상당수 불일치하는 것으로 드러났다" 며 "질병코드 허위·왜곡 기재를 통한 부당청구가 우려된다" 고 24일 밝혔다. 이 의원에 따르면 심평원의 실태조사 결과, 의원급 의료기관의 경우 청구코드와 의무기록 불일치율(주진단명)이 24%, 종합전문요양기관은 24.4%, 병원은 32.8%, 종병은 37.5%에 달했다. 특히 외래환자의 경우, 불일치율이 전 종별에서 50%를 넘어서는 상황. 종병의 경우 외래환자의 63.5%, 병원은 58.1%, 종합전문요양기관은 55.1%에서 청구코드와 외무기록이 다르게 기재된 것으로 드러났다.

이는 의료기관들이 정확한 질병코드 기재의 중요성을 인식하지 못하고 있거나, 심평원의 진료비 심사삭감을 우려해 질병코드를 인위로 조작하기 때문이라는 것이 이 의원의 주장. 이기우 의원은 "의료기관들이 진료비 삭감을 의식해 질병코드를 추가로 기재하거나 좀더 중한 질환으로 코드를 변경하는 등 인위적·고의적 조작이 있는 것으로 판단된다" 고 밝혔다. 이 의원은 이 같은 질병코드 불일치가 국가 보건의료정책 판단·수립 과정이나 정책효과 모니터링 시 왜곡된 결과를 초래할 수 있다고 지적하고 "진료비청구 상병코드와 의무기록 질병코드가 다른 경우, 허위청구로 간주해 벌금을 부과하는 등 패널티 방안을 검토해야 할 것" 이라고 강조했다. 또한 위 기사와 같이 질병코드 즉 상병명을 허위, 왜곡 기재하여 불필요한 명예훼손을 당하지 않으려면 제대로 질병코드에 대해 알아야 한다.

위 기사와 같이 질병코드, 즉 상병명을 허위, 왜곡 기재하여 불필요한 명예훼손을 당하지 않으려면 제대로 질병코드에 대해 알아야 한다.

메모

치과건강보험청구를 하려면 치료내용에 적절한 상병명을 명시할 필요가 있다. 하지만 대부분의 치과의사가 진료에만 열중하고, 건강보험청구에 무관심한 탓에 적절한 상병명 또는 진단명을 진료기록부에 적지 못하고 있다. 현실이 그렇다보니 상병명은 보험청구 담당자에 의해 대부분이 임의적으로 판단되는 경우가 많다. 이로 인해 건강보험청구 시에 적절한 상병명을 사용하지 못하거나, 특정한 진료가 특정한 상병명에만 몰리게 되는 현상(보험프로그램에 초기 설정된 상병명만을 사용하기 때문)이 발생하여 청구금액의 조정 또는 삭감의 원인이 되기도 한다.

치과관련 상병명이란?

치과건강보험청구를 하기 위해서는 어떠한 질환을 어떠한 치료로 시술하였다는 진료기록이 필요하다. 여기서 말하는 어떠한 질환이 바로 상병명으로 진료행위의 타당성을 증명하는 내용이라고 볼 수 있다. 그래서 건강보험 청구 시 반드시 청구하는 진료행위에 알맞은 상병명을 입력하여야 한다.

우리나라에서 질병·사인분류가 사용되기 시작한 것은 제4차 개정 국제사인표(1929년)를 채택하여 인구동태조사를 시작한 1938년부터이며, 제7차 개정에서는 WHO에서 권고한 국제질병분류(ICD-10) 업데이트 내용을 반영하고 우리나라 다빈도 질병에 대한 세분화 분류를 정비하였으며, 한의분류를 재정비하고, 분류 가능한 희귀질환을 반영하였으며 의학계의 의견을 반영하여 질병용어를 정비하는 등의 작업을 수행하였다. 이는 2015년 9월 24일 개정 고시(통계청 고시 제2015-309호)하였으며, 2016년 1월 1일부터 적용되고 있다. 현재 치과건강보험청구에서 주로 사용하는 상병명은 XI. 소화계통의 질환 (K00-K93) 중 (K00-K14)로 분류되어 있으며, 「Q38.1 혀유착증」과 「Q.36 입술갈림증」처럼 XVII. 선천 기형, 변형 및 염색체 이상 「Q00-Q99」 등의 다른 분류에 속하는 상병명도 있다.

넋두리

근관치료에 적용 가능한 상병명을 대략 정리해도 다음 페이지와 같이 많다. 그런데 대부분의 치과에서 청구프로그램 상에 초기 설정된 「K04.01 비가역적 치수염」 하나만을 사용하는 경우가 아주 많다.

(*NOS : Not Otherwise Specified, 달리 명시되지 않은, 상세불명의, 한정되지 않은)

K02.2 시멘트질(백악질)의 우식
K02.5 치수노출이 있는 우식
K02.8 기타 치아우식
K02.9 상세불명의 치아우식
S02.53 치수침범이 없는 치관파절
S02.54 치수침범이 있는 치관파절
S02.56 치근을 포함한 치관의 파절
S03.20 치아의 아탈구
S03.21 치아의 함입 또는 탈출(정출)
S03.22 치아의 박리(완전탈구)
S03.29 상세불명의 치아의 탈구
K03.00 교합면의 마모
K03.01 인접면의 마모
K03.08 치아의 기타 명시된 생리적 마모
K03.09 치아의 상세불명의 생리적 마모
K03.10 치아의 치약 마모
K03.11 치아의 습관성 마모
K03.12 치아의 직업성 마모
K03.13 치아의 전통성 마모
K03.18 치아의 기타 명시된 마모
K03.19 치아의 상세불명 마모
K03.30 치아의 외부흡수
K03.31 치아의 내부흡수(내부육아종)(분홍반점)
K03.39 상세불명의 치아의 병적흡수
K04.00 가역적 치수염
K04.01 비가역적 치수염
K04.09 상세불명의 치수염
K04.1 치수의 괴사
K04.2 치수의 변성
K04.3 치수내의 이상 경조직 형성
K04.4 치수기원의 급성 근단치주염
K04.5 만성 근단치주염
K04.60 상악동으로 연결된 동이 있는 근단주위농양
K04.61 비강으로 연결된 동이 있는 근단주위농양
K04.62 구강으로 연결된 동이 있는 근단주위농양
K04.63 피부로 연결된 동이 있는 근단주위농양
K04.69 상세불명의 동이 있는 근단주위농양
K04.7 동이 없는 근단주위농양
K04.80 근단 및 외측의 치근낭
K04.81 잔류성 치근낭
K04.82 염증성 치주의 치근낭
K04.89 상세불명의 치근낭
K04.9 치수 및 치근단주위조직의 기타 및 상세불명의 질환

진단명과 상병명은 다르다.

치수염이라는 상병명에도 아래와 같이 많은 진단명이 있을 수 있다. 우리가 차팅을 반드시 건강보험청구만을 위해서 하는 것이 아니므로, 진단명을 적는 습관을 들이도록 하자.

▶ 치수염에 해당되는 진단명

– 가역적 치수염 (K04.00)
- 치수 충혈

– 비가역적 치수염 (K04.01)
- 급성 치수염
- 급성 화농성 치수염
- 만성 치수염
- 만성 증식성 치수염
- 만성 궤양성 치수염

참고

– 가 역 적 : 자극이 있을 때만 통증을 느끼며, 원래의 상태로 돌아올 수 있는 상태
– 비가역적 : 자극과 무관하게 지속적인 통증을 느끼며, 원래의 상태로 돌아올 수 없는 상태

상병명을 입력할 때 무엇을 보고 판단할 것인가?

아래의 많은 변수들이 상병명을 입력하는데 작용을 할 것이다. 그러나 너무 어렵게 생각하지 말자. 생각보다 아주 단순하게 해도 크게 문제되지 않는다. 우선 상병명 때문에 삭감되지 않도록 하기 위한 정도만 하면 된다. 나중에 발전하면 그때 그 이상을 고민해도 좋다.

(1) 임상적인 판단

- 충치의 부위와 진행 정도
- 부종 및 발적
- 누공의 존재
- 치아의 변색
- 환자의 통증

(2) 방사선학적 판단

- 방사선상 투과상의 유무
- 방사선상 투과상의 크기 및 모양

(3) 치료의 형태에 따라

- 마취를 했는가
- 항생제를 처방할 것인가
- 몇 회 정도로 치료할 것인가

치수염 상병으로 5번 이상 근관세척이 필요하다면 중간에 상병명 변경이 가능하다. 치료 과정에 있어 꼭 처음 선택한 상병으로 마지막까지 청구를 해야 한다는 원칙은 없다. 종종 치료 중간에 상병명을 바꿔도 되냐는 질문을 받는데, 근관치료 중 근관세척이 5번 이상으로 더 필요하다면 중간에 근단농양 상병으로 변경 가능하다. 또한 치수염 상병으로 근관치료 중 항생제 처방이 필요하다면 치수염 상병으로는 항생제 처방이 적절치 않으므로 근단농양 상병으로 변경 후 처방할 수 있다.

의무기록의 중요성

▶ 진단명의 기록은 건강보험을 떠나서 필수이자 의무이다.

대부분의 치과에 종사하는 사람들은 병리학적인 진단명은 잘 알지만, 치과건강보험적인 내용면에서의 상병명은 잘 모르는 경우가 많다. 그러므로 치과건강보험에서 주로 사용되는 상병명을 일반 병리학적 진단명과 연결하여, 치료내용에 따라 적용 가능한 상병명을 알아 둘 필요가 있다. 일부러 상병명을 여러 가지로 적용할 필요는 없다. 치료내용에 적절한 상병명을 진단명과 관련지어 있는 그대로 적용한다면 상병명은 적절하게 분포될 것이다. 그렇게 되면 동일 치료에 동일 상병명을 일률적으로 적용해서 발생하는 불이익을 피할 수 있을 것이다. 또한 아래 기사와 같은 불필요한 명예훼손을 당하지 않을 수 있다고 본다.

진료기록부 세부 기재사항

- 보건복지부는 진료기록부 세부 기재사항을 명확히 정하고, 요양병원 안전시설 기준을 강화하기 위한 의료법 시행규칙 개정령을 공포한다고 밝혔다.

〈주요 내용〉

① 진료기록부 기재사항 명확화 (시행일: '13.10.6)

- 의료인의 작성실태 등을 고려하여 진료기록부 세부 기재사항을 일부 조정·보완함

* 진료기록부의 세부 기재사항을 시행규칙에 위임하도록 의료법이 개정('13.4.5 공포, '13.10.6 시행)

진료기록부	가. 진료를 받은 사람의 주소 · 성명 · 연락처 · 주민등록번호 등 인적사항 나. 주된 증상. 이 경우 의사가 필요하다고 인정하면 주된 증상과 관련한 병력(病歷) · 가족력(家族歷)을 추가로 기록할 수 있다. 다. 진단결과 또는 진단명 라. 진료경과(외래환자는 재진환자로서 증상 · 상태, 치료내용이 변동되어 의사가 그 변동을 기록할 필요가 있다고 인정하는 환자만 해당한다) 마. 치료 내용(주사 · 투약 · 처치 등) 바. 진료 일시(日時)

의료관계행정처분규칙 [별표] 행정처분기준

위반사항	근거법령	행정처분기준
13) 법 제22조 제1항을 위반하여 진료기록부 등을 기록하지 아니한 경우	법 제66조 제1항 제10호	자격정지 15일
14) 법 제22조 제1항을 위반하여 진료기록부 등에 서명하지 아니한 경우	법 제66조 제1항 제10호	경고
15) 법 제22조를 위반하여 진료기록부 등을 거짓으로 작성하거나 고의로 사실과 다르게 추가기재 · 수정한 경우 또는 진료기록부 등을 보존하지 아니한 경우	법 제66조 제1항 제3호 및 제10호	자격정지 1개월

환자 진료와 청구가 따로 따로?… 질병코드 불일치 심각

연구결과 종합병원 60%·의원 15%만 일치… 의원, 청구대행업체 의존도 높아… 삭감방지 위한 코딩변경·업코딩 등이 문제…일치도 높일 수 있는 방법 찾아야…

[청년의사 2018.01.20]

의료기관이 진료비를 청구할 때 실제 의무기록과 다른 질병코드를 청구시 입력하는 사례가 적지 않은 것으로 나타났다. 특히 의원급의 경우 주상병 및 부상병의 코드 일치율이 5~15% 수준에 그치는 것으로 조사됐다.

청구코드가 일치하지 않는다는 것은 실제 진료한 내역과 적정성 평가 등에 반영된 내용이 다르다는 것을 의미하는 것으로 결과 값의 오류 또한 발생할 수밖에 없다. 이에 심사기준도 바꾸고 체계적인 질병코드 모니터링을 하는 등 제도개선이 시급하다는 지적이 나왔다.

건강보험심사평가원은 최근 이같은 내용의 '건강보험 청구질병코드와 의무기록 일치도 평가 및 제고방안(연구책임자 연세의대 박은철 교수)' 연구보고서를 공개했다.

이번 연구는 적정성평가와 각종 보건의료 통계 기초자료로 활용되는 청구 질병코드가 의무기록의 질병코드와 일치하지 않는 문제에 대한 해결책을 모색하기 위해 진행됐다.

청구코드는 7개 질병군 포괄수가제 도입 이후 신포괄수가제 도입 등으로 그 중요성이 높아지고 있으며, 의료서비스의 질적 수준을 높이기 위한 근거로서 정확성이 요구되고 있다.

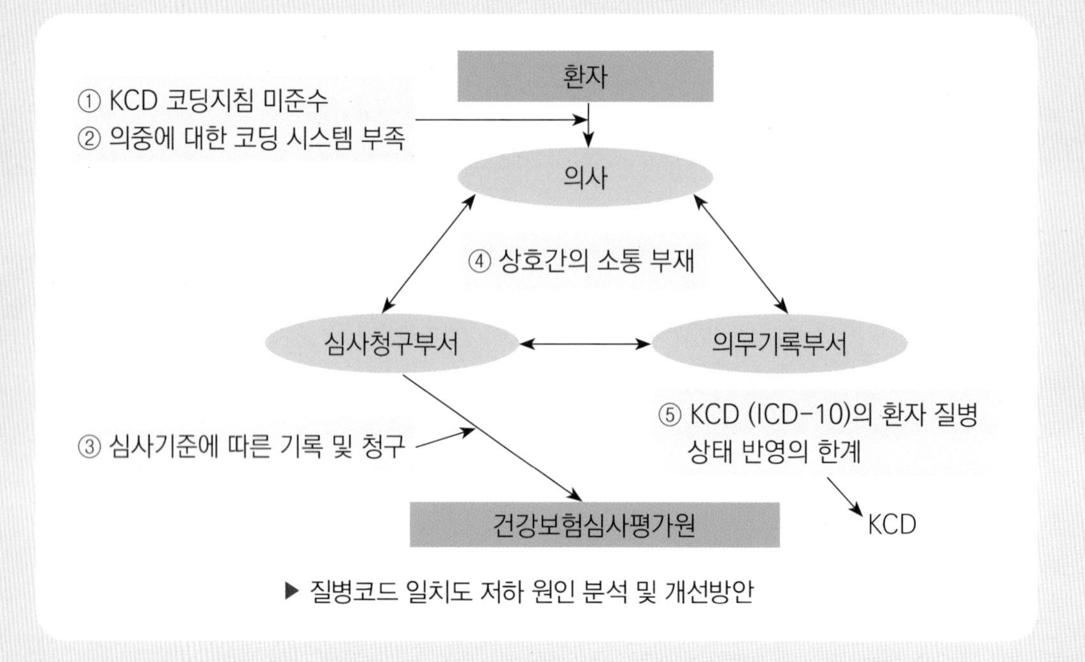

▶ 질병코드 일치도 저하 원인 분석 및 개선방안

이에 연구진은 상급종합병원 8개소를 포함한 27개 병원의 데이터를 토대로 청구코드와 의무기록의 일치율을 분석했다.
그 결과, 전체 대상기관의 주상병과 부상병의 3자리 일치율은 각각 82%와 54.6%, 4자리의 경우 주상병 73.9%, 부상병 53.2%, 5자리는 주상병 70%, 부상병 49.7%로 나타났다.
이같은 결과는 원내 의무기록실이 있는 경우 코딩관리를 하기 때문에 주상병 일치율이 더 높았고 의무기록실이 없는 경우는 부상병의 일치율이 높았다. 또 의무기록DB를 사용하는 경우 전반적인 일치율도 높았는데, 이 또한 청구 시 의문이 생기면 의무기록상의 코드를 사용해 진행하기 때문으로 풀이됐다. 하지만 진단명마다 '의심/확진' 구분을 사용하지 않을 경우 높은 일치율을 보여 의심/확진 시스템을 사용하는 병원이 더 정확성을 위해 노력하지만 심평원 청구시스템상 의심/확진을 구분할 수 없어서 의무기록과 청구코드 사이에 차이가 발생한 것으로 풀이됐다.

▶ 병원 종별에 따른 3자리 일치율(외래)

	3자리 일치율															
	종합병원				합계	병원				합계	의원				합계	유의수준
	일치		불일치			일치		불일치			일치		불일치			
	N	(%)	N	(%)		N	(%)	N	(%)		N	(%)	N	(%)		
주상병	2164	60.4	1420	39.62	3.584	303	49.03	315	50.97	618	157	9.24	1542	90.76	1,699	<.0001
부상병	886	41.5	1249	58.5	2.135	143	37.24	241	62.76	384	143	14.64	834	85.36	977	<.0001

특히 의료기관 종별 로지스틱 회귀분석 결과, 주상병과 부상병의 3자리, 4자리, 5자리 일치율의 격차가 컸다. 종합병원의 경우 주상병 3자리 일치율이 60.4%인데 비해 병원은 49%, 의원은 9.2%였으며, 4자리도 각각 46.7%, 42.9%, 5.6%, 5자리 일치율도 42.4%, 41.8%, 5% 순으로 나타나 종합병원이 가장 높고 의원은 10%에도 못미쳤다.
부상병의 경우도 3자리 일치율이 종합병원 41.5%, 병원 37.2%, 의원 14.6% 등으로 자리수가 많아질수록 종별 구분 없이 더 낮아지는 경향을 보였다. 이에 대해 연구진은 "의원의 진단명 관리가 제대로 이뤄지지 않고 있다는 것을 방증한다" 며 "의원의 경우 진단명 작성 및 청구 등을 소프트웨어 및 대행업체에 의존하는 경우가 있기 때문" 이라고 해석했다.

삭감 방지목적 코드 변경 문제... 심사 시스템 개편 등 개선점 많아...

이처럼 질병코드 일치도가 낮은 이유는 한국표준질병·사인분류(Korean standard classification of diseases, KCD)코딩 지침 미준수, 의증에 대한 코딩 시스템 부족, 심사기준에 따른 기록 및 청구, 상호간의 소통부재, KCD (ICD-10)의 환자 질병 상태 반영의 한계 때문으로 풀이됐다. 이에 연구진은 해당 이유별 개선책을 마련해야 한다며, KCD코딩 지침은 의과대학, 간호대학, 보건대학의 교육, 보수교육 등을 통해 교육해야 한다고 했다.
또 의증에 대한 코딩 시스템을 개선해 진단명 각각에 의심과 확진을 체크할 수 있도록 해, 의증으로 인한 진단명 일치도를 높이고, 현행 건별 심사를 의료기관별 심사, 자치기반 평가 등으로 바꿔야 한다고 강조했다.

▶ 병원 종별에 따른 3자리 일치율(외래)

진료 영역에서 발생할 수 있는 오류
- 질환 자체가 full-blown되고 있지 않은 경우 - Rule/out 진단 상태: 위중한 질환을 일단 의심하고 배제해야 하는 경우 예) Cancer, Ischemic Heart Disease - 감별진단이 필요한 경우(감별진단해야 할 질환이 많은 경우) 예) Rheumatoid Arthritis VS Osteoarthritis - 일부의 오진 및 진단불가능 포함(오진의 가능성이 높은 질환군) 예) 내분비계질환, 신경계 질환, 자가면역성 질환 등
* 출처: 서울대학교 의과대학, 2002

▶ 보험청구 과정에서 발생하는 오류

보험청구업무 과정에서 발생할 수 있는 오류
- 약물처방에 따른 진단명 부여 - 검사 및 처치에 따른 진단명 부여 - 보험심사과정의 삭감방지를 위한 기타 코딩의 변경 - 코딩원칙에 대한 이해 부족에서 발생하는 오류들 (군소 병원 등) - 진료비의 과다 청구를 위한 up-coding - 관리 부족으로 인한 비고의성 오류

의료기관 내에서는 의사와 청구부서, 의무기록부서 등 관련 부서간 의견교류가 필요하며, 무엇보다 심평원의 질병코드 모니터링제도를 확대 시행해야 한다고 했다.

현재의 질병코드 모니터링 중에서 한정화된 지표에 대한 계도를 강화하고 규제를 해야 하며, 질병코드 기록 오류를 전산으로 확인할 수 있는 시스템을 만들어 주기적으로 코드 일치도를 평가 및 관리해야 한다는 것이다. 또한 국가별 정밀의료 코호트를 구축하고 있는 세계 흐름에 따라 DUR 시스템과 유사한 진단명의 정보교류 시스템 Disease Cording Review (DCR) 시스템을 도입하자고 제안했다.

이 시스템은 DUR처럼 진단명 정보 역시 컴퓨터시스템으로 의료기관 간 교류가 가능하도록 한다는 것으로 청구 정확도가 올라갈 것으로 기대했다. 하지만 이 시스템 도입을 위해서는 많은 시간과 인프라 구축이 필요한 만큼 현재는 DUR 시스템을 통해 제공되는 약제정보에 한해 진료의 주진단을 함께 제공하는 방법을 적용할 수 있다고 제안했다.

그러나 연구진은 "이번 연구에서 전체 자료수집을 요청한 기관 192개소 중에 단 32개소(16.7%)만 응답하는 등 인력부족 및 시간부족, 강화된 개인정보보호법으로 인한 환자 정보제공에 대한 민감함을 보여 참여가 저조한 한계가 있다" 고 밝혔다. 이어 "의무기록과 청구자료간 일치도를 높이는 것을 목표로 평가체계를 정형화시키고 수월하게 진행하기 위한 정책을 진행할 수 있다" 면서도 "일부 집단에 많은 불이익이 가는 것을 방지하기 위해 많은 연구가 필요하다" 고 말했다.

치과 관련 상병명 훑어보기

상병명을 보기 전에 기본적으로 상병기호에 대해 알아두자. 건강보험청구 프로그램에서 대부분 단어로 검색하면 상병명이 나오지만, 간혹 상병기호를 외워서 차팅하는 사람들도 있다. 필자는 상병기호는 기호일 뿐 진료기록부에는 진단명을 기록해야 한다고 생각하지만, 어쨌든 상병명 앞에 늘 붙어 있는 것이므로 기본적인 내용은 알아두는 것도 좋을 듯하다.

상병명은 건강보험공단이나 심평원에서 정하는 것이 아니라, 통계청에서 WHO의 국제질병분류를 반영하여 의학용어집에 의거하여 정하는 것이다. 그러므로 종종 자세한 내용은 심평원 직원도 잘 모르는 경우가 많다.

한국표준질병사인분류는 앞에서도 언급했듯 1952년부터 시작하여 여섯번 개정되었으며, 지금 쓰고 있는 상병명은 제7차 한국표준질병사인분류에 해당된다.

2016년 1월 1일부터 사용 중이나 아직 치과에서 사용하고 있는 프로그램에서는 6차 개정된 상병명으로 적용되고 있는 프로그램들이 많은데, 상병코드는 6차 개정과 거의 동일하고 명칭만 다소 변경된 부분이 있어 청구하는 데에는 아직 큰 문제가 있지는 않다. 본 책에서는 7차 개정된 상병명으로 진행될 것이다.

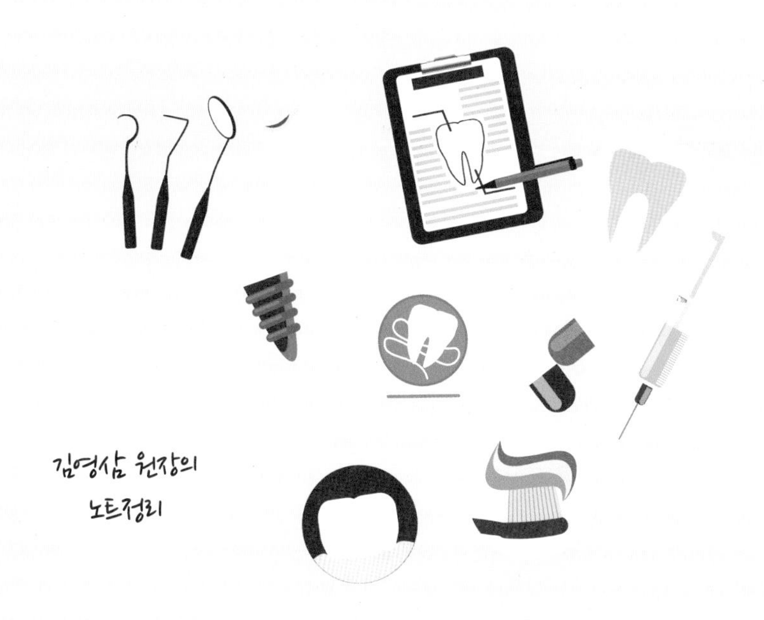

[상병기호의 해설]

K02.1 - 상아질의 우식
K05.31 - 만성 복합치주염
K01.173 - 하악 3대구치의 매복

K – 상병명의 대분류로 K는 소화기 계통의 질환을 뜻한다. 참고로 J는 호흡기계통의 질환이며, L은 피부 및 피부밑 조직의 질환이다. 치과에서 사용하는 상병명의 영문분류에서 K를 제외한 것들로는 Q (선천 기형, 변형 및 염색체 이상), S (손상, 중독 및 외인에 의한 특정 기타 결과), Z (건강상태 및 보건서비스 접촉에 영향을 주는 요인) 등이 있다.

02, 05, 01

K00으로 시작하여, K14가 혀의 질환으로 대부분의 치과영역이 이 안에 속한다. K93까지 존재하며, 예를 들면 「K55-K63 창자의 질환」와 같이 소화기별로 순서가 정해져 있다. 치과영역에서는 「K02 치아우식」, 「K05 치은염 및 치주질환」 등이 대표적이며, 여기서 K01은 「매몰치 및 매복치 분류」에 속한다.

소수 첫째자리 1, 3, 1

구체적인 상병명이 이에 속한다. 여기서 K02.1은 「상아질우식증」, K05.3은 「만성 치주염」 등등... 이하 모두, K01.1은 「매복」이라는 상병명이다. 더 이상의 분류 없이 소수점 한자리에서 청구 가능한 상병도 있으나, 더 작은 분류로 구분되는지도 확인해 봐야 한다. 치아우식 치료에 가장 흔히 사용되는 「K02.1 상아질 우식증」 등이 여기서 끝나는 상병명이다.

소수 둘째자리 1, 7

좀 더 구체적인 상병으로 매복치 상병이 치아의 종류별로 구분되어 K01.17은 「하악 대구치의 매복」이다. 최근에 세분화되어서 생소하게 생각하는 사람들이 많다. 예를 들면 치주치료에 가장 많이 사용되는 「K05.3 만성치주염」도 「K05.30 만성 단순치주염」과 「K05.31 만성 복합치주염」 등으로 소수점 2자리까지 세분화되었다.

소수 셋째자리 3

하악 대구치의 매복 중 「하악 제3대구치의 매복」으로 분류되는 상병이다. 현재 매복치 발치를 청구할 때는 이렇게 소수점 3자리까지 입력해야 한다. 아직은 소수점 세 자리는 매복치 등 매우 드문 경우에만 사용된다.

참고

소수점부터 8은 기타 명시된 질환, 9는 상세불명의 질환을 주로 가리킨다. 말 그대로 '상세불명'이란 무슨 질환인지 모르겠다는 의미이고, '기타 명시된'이라는 말은 구분은 되어 있지만 굳이 모두 구분하여 쓰지 않는다는 뜻이다. 그러나 이번 개정에서 소수점 첫째자리 8이 둘째자리까지 구분되며 좀 더 구체화된 것들이 몇 개 존재한다.

치과의사라면 『한국 표준질병사인분류 전체표』를 한 번 정도는 쭉 읽어볼 것을 권한다.
어쨌든 상병명을 한 번 정도는 정리해볼 필요는 있을 듯하다. 그래서 가장 좋은 방법은 상병명을 잘 공부하고, 있는 그대로 올바르게 기록하면 된다.

코드	분류	코드	분류
A	특정 감염성 및 기생충성 질환 (A00~B99)	N	비뇨생식계통의 질환 (N00~N99)
B		O	임신, 출산 및 산후기 (O00~O99)
C	신생물 (C00~D48)	P	출생전후기에 기원한 특정 병태 (P00~P96)
D	혈액 및 조혈기관의 질환과 면역메커니즘을 침범하는 특정장애(D50~D89)	Q	선천성 기형 변형 및 염색체 이상 (Q00~Q99)
E	내분비 ,영양 및 대사질환 (E00~ E90)	R	달리 분류되지 않은 증상 징후와 임상 및 검사의 이상소견 (R00~R99)
F	정신 및 행동장애 (F00~F99)	S	손상, 중독 및 외인에 의한 특정 기타 결과 (S00~ T98)
G	신경계통의 질환 (G00~G99)	T	손상, 중독 및 외인에 의한 특정 기타 결과 (S00~ T98)
H	눈 및 눈 부속기의 질환 (H00~H59) 귀 및 유양돌기의 질환 (H60~H95)	U	불확실한 병인의 신종질환의 잠정적 지정 (U00~U19) 한의병명 (U20~U33) 한의병증 (U50~ U79) 항생제에 내성이 있는 세균감염체 (U80~U89) 사상체질병증 (U95~U98) 재발한 악성신생물 (U99)
I	순환계통의 질환 (I00~I99)	V	질병이환 및 사망의 외인 (V01~Y98)
J	호흡계통의 질환 (J00~K99)	W	질병이환 및 사망의 외인 (V01~Y98)
K	소화계통의 질환 (K00~K93)	X	질병이환 및 사망의 외인 (V01~Y98)
L	피부 및 피하조직의 질환 (L00~L99)	Y	질병이환 및 사망의 외인 (V01~Y98)
M	근골격계통 및 결합조직의 질환 (M00~M99)	Z	건강상태 및 보건서비스 접촉에 영향을 주는 요인 (Z00~Z99)

1 특정 감염성 및 기생충성 질환 (A00-B99)

Certain infectious and parasitic diseases (A00-B99)

기타 세균성 질환 (A30-A49)

[A35] 기타 파상풍 (Other tetanus)

*파상풍(破傷風, 영어: tetanus)은 파상풍균이 만드는 독소 때문에 생기는 급성 감염성 질환이다. 턱의 근육이 심한 경련을 일으켜 입을 벌리기조차 어려워진다. 파상풍균은 먼지나 흙 속에서 증식하며, 공기가 필요하지 않은 세균이다. 상처가 난 피부를 통해 몸속으로 들어가며, 상처에 공기가 통하지 않으면 더욱 빨리 증식한다. 파상풍의 증상은 대개 감염된 뒤 며칠 또는 몇 주 안에 시작된다. 파상풍 환자는 기운이 없고, 두통, 열, 통증이 생기며, 입을 벌리거나 음식물을 삼키기 힘들어진다. 얼마 뒤 몸의 모든 근육이 경직되고 경련 때문에 호흡이 곤란해지기도 한다.

[A50] 선천매독 (Congenital syphilis)

A50.5 기타 증상성 만기선천매독 (Other late congenital syphilis, symptomatic)

출생 후 2년 이상이 확실하거나 만기라고 명시된 모든 선천매독성 병태.

클러톤관절+(M03.1*) Clutton's joints

허친슨치아 Hutchinson's teeth

허친슨세증후 Hutchinson's triad

만기 선천성 심혈관매독+(I98.0*) Late congenital cardiovascular syphilis

만기 선천매독성 관절병증+(M03.1*) Late congenital syphilitic arthropathy

만기 선천매독성 골연골병증+(M90.2*) Late congenital syphilitic osteochondropathy

매독성 안장코 Syphilitic saddle nose

기타 스피로헤타질환 (A65-A69)

[A69] 기타 스피로헤타감염 (Other spirochaetal infections)

A69.0 괴사궤양성 구내염 (Necrotizing ulcerative stomatitis)
- 구강궤양 Cancrum oris
- 방추스피로헤타괴저 Fusospirochaetal gangrene
- 노마 Noma
- 괴저구내염(Stomatitis gangrenosa)

A69.1 기타 뱅상감염 (Other Vincent's infections)
- 방추스피로헤타인두염 Fusospirochaetal pharyngitis
- 괴사궤양성(급성) 치은염 Necrotizing ulcerative(acute) gingivitis
- 괴사궤양성(급성) 치은구내염 Necrotizing ulcerative(acute) gingivostomatitis
- 스피로헤타구내염 Spirochaetal stomatitis
- 참호입 Trench mouth
- 뱅상안지나 Vincent's angina
- 뱅상치은염 Vincent's gingivitis

급성 괴사성 궤양성 치은염

원인은 확실히 밝혀져 있지는 않지만, 잇몸 질환을 일으키는 세균 중에서도 방추균 스피로헤타 박테리아 복합체에 의한 감염으로 추측되어지며, 일명 "빈센트씨 감염"이라고 불리어진다. 보통 갑작스럽게 진행되며, 심하게 불 붙는 듯한 동통, 치아 사이의 잇몸에 분화구 모양 궤양, 입냄새가 심하고 타액분비의 증가, 특별한 금속맛, 특발성 치은출혈 등이 특징이다. 작은 자극에도 궤양 부위에서 출혈이 생기며 심한 통증을 유발한다.

치료는 다행히 어렵지 않다. 세균을 없애는 소독약으로 입을 헹구고 항생제를 사용하면 비교적 약물에 잘 치유가 되는 질환이다. 궤양이 어느 정도 줄어들게 되면 잇몸 주변에 있는 치태와 염증을 제거하는 치료를 진행한다.

피부 및 점막병변이 특징인 바이러스감염 (B00-B09)

[B00] 헤르페스바이러스[단순헤르페스] 감염 (Herpesviral [herpes simplex] infections)

제외 항문생식기 헤르페스바이러스감염(A60.-), 선천성 헤르페스바이러스감염(P35.2), 감마헤르페스바이러스단 핵구증(B27.0), 헤르프앙기나(B08.5)

B00.0 헤르페스습진 (Eczema herpeticum)
카포시수두모양발진 Kaposi's varicelliform eruption

B00.1 헤르페스바이러스 소수포피부염 (Herpesviral vesicular dermatitis)
얼굴단순헤르페스 Facialis herpes simplex
입술단순헤르페스 Labialis herpes simplex
인체(알파)헤르페스바이러스2에 의한 귀의 소수포성 피부염
Vesicular dermatitis of ear due to human(alpha) herpesvirus 2
인체(알파)헤르페스바이러스2에 의한 입술의 소수포성 피부염
Vesicular dermatitis of lip due to human(alpha) herpesvirus 2
: **구강주변 피부**에 헤르페스바이러스 감염이 있는 경우 적용 가능하다.

항바이러스제 처방

- 예전에는 삭감됐지만 지금은 치과에서도 처방을 많이 한다. 이비인후과나 주변 치과에서 확인한 바로는 아시클로버정과 연고를 많이 처방한다. 하지만, 필자는 발트렉스를 권장한 다. 미리 처방 후 생기면 바로 바를 수 있게... 핵심은 전구증상이 있을 때 미리 바르는 게 좋다.

처방할 때 주의할 점

- 약국에 물어봐야 한다. 약이 없다면 무슨 약을 처방할지. 주변 피부과나 산부인과가 있다면 구비되어 있는 경우가 많지만 없다면, 미리 약사와 얘기를 하는 것이 좋다. 또한, 오래 보관해야 하기 때문에 한 통으로 처방 받을 수 있게 하는 것이 좋다.

B00.2 헤르페스바이러스 치은(잇몸)구내염 및 인두편도염
(Herpesviral gingivostomatitis and pharyngotonsillitis)
헤르페스바이러스인두염 Herpesviral pharyngitis
: **구강내** 헤르페스바이러스 감염이 있는 경우 적용 가능하다.

약이름/이미지	효능	용법 · 용량
팜시버 Famciclovir 250mg	1. 대상포진 바이러스 감염증 2. 생식기포진 감염증의 치료 및 재발성 생식기포진의 억제	1. 대상포진 감염증의 치료 성인 : 팜시클로비르로서 1회 250 mg씩 1일 3회 7일간 경구투여한다. 감염 후 증상이 나타나는 즉시 치료를 시작하는 것이 바람직하다. 2. 초발성 생식기포진 감염증의 치료 성인 : 이 약으로서 1회 250 mg씩 1일 3회 5일간 경구투여한다. 감염 후 증상이 나타나는 즉시 치료를 시작하는 것이 바람직하다. 3. 급성 재발성 생식기포진 감염증의 치료 성인 : 이 약으로서 1회 125 mg씩 1일 2회 5일간 경구투여한다. 전구시기 또는 감염 후 증상이 나타나는 즉시 치료를 시작하는 것이 바람직하다.
팜비어 Famciclovir 250 mg	1. 대상포진 바이러스 감염증 2. 생식기포진 감염증의 치료 및 재발성 생식기포진의 억제	1. 대상포진 감염증의 치료 성인 : 팜시클로비르로서 1회 250 mg씩 1일 3회 7일간 경구투여한다. 감염 후 증상이 나타나는 즉시 치료를 시작하는 것이 바람직하다. 2. 초발성 생식기포진 감염증의 치료 성인 : 이 약으로서 1회 250 mg씩 1일 3회 5일간 경구투여한다. 감염 후 증상이 나타나는 즉시 치료를 시작하는 것이 바람직하다. 3. 급성 재발성 생식기포진 감염증의 치료 성인 : 이 약으로서 1회 125 mg씩 1일 2회 5일간 경구투여한다. 전구시기 또는 감염 후 증상이 나타나는 즉시 치료를 시작하는 것이 바람직하다.
조비락스정 아시클로버 200 mg	1. 초발성 및 재발성 생식기포진을 포함한 피부 및 점막조직의 단순포진 바이러스 감염증의 치료 및 예방 2. 대상포진 바이러스 감염증의 치료, 특히 급성시의 통증에 효과가 있다. 반면 포진후 신경통에 대한 효과는 아직 증명되지 않았다. 3. 2세 이상 소아의 수두 치료	○ 성인 1. 단순포진바이러스 감염증의 치료 1) 아시클로버로서 1일 5회, 1회 200 mg씩 4시간 간격으로 5일간 투여하며, 중증 초발성 감염증인 경우, 치료를 연장할 수 있다. 2) 중증 면역기능저하 환자(골수이식후 등) 또는 소화관 흡수장애 환자는 1회 투여량을 400 mg까지 증량하거나 정맥주사로 투여경로를 바꿀 수 있다. 3) 감염 후 최대한 빨리 투여하는 것이 좋으며, 재발성인 경우 전조증상이나 병변이 처음 나타날 때 투여하는 것이 바람직하다. 2. 면역기능이 정상인 환자의 단순포진 감염증의 예방 1) 이 약으로서 1일 4회, 1회 200 mg을 약 6시간 간격으로 투여한다. 또는 1일 2회, 1회 400 mg씩 12시간 간격으로 투여할 수도 있다. 2) 그 후 1회 200 mg씩 1일 2~3회로 감량하여 그 유효성을 확인한 후 감량할 수도 있다.

이미지	효능	용법 · 용량
		3) 질환의 자연적인 변화과정을 확인하기 위해서는, 장기치료 환자는 매 6~12개월마다 주기적으로 치료를 중단하여 확인해 보아야 한다. 3. 면역기능이 저하된 환자의 단순포진 감염증의 예방 1) 이 약으로서 1일 4회, 1회 200 mg씩 약 6시간 간격으로 투여한다. 2) 중증 면역기능저하 환자(골수이식 후 등) 또는 소화기관 흡수장애 환자에는 1회 투여량을 400 mg까지 증량하거나 정맥주사로 투여경로를 바꿀 수 있다. 3) 감염위험 기간 동안 투여한다. 4. 대상포진 감염증의 치료 1) 이 약으로서 1일 5회, 1회 800 mg씩 취침시간을 제외하고 약 4시간 간격으로 투여하며, 총 7일간 투여한다. 2) 중증 면역기능저하 환자 또는 소화기관 흡수장애 환자는 정맥주사로 투여하는 것을 고려해야 한다. 3) 감염 후 최대한 빨리 투여하는 것이 좋으며, 빨리 치료할수록 더 좋은 효과가 나타난다.
조비락스연고 acyclovir 50mg	초발성 및 재발성 생식기포진과 구순포진을 포함한 피부에서의 단순포진바이러스 감염증의 치료.	1. 본제를 약 4시간 간격으로 1일 5회 환부에 도포한다. 2. 치료는 5일간 계속하여야 하며, 5일간 투여 후에도 치료되지 않을 경우에는 5일간 더 투여한다. 3. 투여는 발병 후 가능한 빨리 시작하고 재발성인 경우에는 전구증상 또는 병소가 처음 나타날 때 투여하는 것이 바람직하다.
발트렉스 Valaciclovir 500mg	1. 대상포진 및 이로 인한 통증의 치료. 2. 초발 및 재발성 성기포진감염증의 치료. 3. 성기포진감염증의 재발 억제	1. 대상포진 치료 : 1회 1000 mg 1일 3회, 7일간 투여 2. 생식기포진 치료 : 1회 500 mg 1일 2회 투여 (초발 : 5~10일간, 재발 : 5일간) 3. 생식기포진감염증의 재발억제 : 1회 250 mg (1일 2회) 또는 1회 500 mg(1일 1회) 경구투여
아시클러버 acyclovir 200mg	1. 초발성 및 재발성 생식기 포진을 포함한 피부 및 점막조직의 단순포진 바이러스 감염증의 치료 및 예방 2. 대상포진 감염증의 치료, 특히 급성시의 통증에 효과가 있습니다. 반면 포진후 신경통에 대한 효과는 아직 증명되지 않았습니다.	○ 성인 1. 단순 포진 바이러스 감염증의 치료 1) 1일 5회, 1회 아시클로버로서 200 mg씩 취침시간을 제외하고 약 4시간 간격으로 복용합니다. 2) 투여는 5일간 계속하며 중증 초발성 감염증의 경우, 치료를 연장해야 합니다. 3) 중증 면역기능 저하환자(골수이식 후 등) 또는 소화관 흡수장애 환자에는 1회 아시클로버로서 400 mg까지 증량하거나 정주요법으로 바꿀 수 있습니다.

이미지	효능	용법 · 용량
	3. 2세 이상 소아의 수두치료	4) 투여는 감염후 빠를수록 좋으며, 재발성인 경우 전구증상이나 병변이 처음 나타날 때 투여하는 것이 좋습니다. 2. 면역 기능이 정상인 환자의 단순포진 감염증의 예방 1) 1일 4회, 1회 아시클로버로서 200 mg씩 약 6시간 간격으로 복용합니다. 2) 1일 2회, 1회 아시클로버로서 400 mg씩 약 12시간 간격으로 복용할 수도 있습니다. 3) 용량추정은 1회 아시클로버로서 200 mg씩을 1일 2~3회 투여해 봄으로써 유효성을 더 정확히 알아낼 수 있습니다. 4) 장기치료 환자에게 계속적 억제기능의 유무를 재평가하기 위해서는 매 6~12개월 간격으로 주기적으로 치료를 중단해야 합니다. 3. 면역기능이 저하된 환자의 단순포진 감염 등의 예방 1) 1일 4회, 1회 아시클로버로서 200 mg씩 약 6시간 간격으로 복용해야 합니다. 2) 중증 면역기능 저하환자(골수이식 후 등) 또는 소화기관 흡수장애 환자에는 1회 아시클로버로서 400 mg까지 증량하거나 정주요법으로 바꿀 수 있습니다. 4. 대상포진 감염증의 치료 1) 1일 5회, 1회 아시클로버로서 800 mg씩 취침시간으로 제외하고 약 4시간 간격으로 복용하며, 투여는 7일간 계속합니다. 2) 중증 면역기능 저하환자 또는 소화관으로 부터 흡수가 잘 안 되는 환자의 경우 정맥주사가 좋습니다. 3) 투여는 감염 후 빠를수록 좋으며 발적이 나타난 후 빨리 치료하면 할수록 더 좋은 효과가 나타납니다.

▶ 적용 가능한 상병명

상병코드	상병명	표제어	검별	최하위코드
A60	항문생식기의 헤르페스바이러스[단순헤르페스] 감염	1		0
A60.0	생식기 및 비뇨생식관의 헤르페스바이러스 감염	1		0
A60.1	항문주위 피부 및 직장의 헤르페스바이러스 감염	1		1
A60.9	상세불명의 항문생식기의 헤르페스바이러스 감염	1		1
B00	헤르페스바이러스[단순헤르페스] 감염	1		0
B00.0	헤르페스 습진	1		1
B00.1	헤르페스바이러스 소수포피부염	1		1
B00.2	헤르페스바이러스 치은구내염 및 인두편도염	1		1
B00.3	헤르페스바이러스 수막염 (G02.0*)	1	+	1
B00.4	헤르페스바이러스 뇌염 (G05.1*)	1	+	1
B00.5	헤르페스바이러스 눈병	1		0
B00.7	파종성헤르페스바이러스병	1		1
B00.8	기타 형태의 헤르페스바이러스 감염	1		0
B00.9	상세불명의 헤르페스바이러스 감염	1		1
B01	수두	1		0

발트렉스 정 500mg 동아ST
VALTREX TAB 500mg
인쇄 공유

구분	전문
제조사	GlaxoSmithKline plc.
판매사	글락소 스미스클라인
수입사	글락소 스미스클라인
생산발매현황	생산/유통 중
포장정보	10's | 42's
보험정보	650000400(보)₩1,382/1정 급여(2017-02-01) 약가이력정보 >
복지부 분류	629 - 기타의 화학요법제
KIMS 분류	8p - 항바이러스제
ATC 코드	J05AB11 - valaciclovir 코드정보 상세
주성분코드 i	246701ATB 대체가능의약품 >
성분 및 함량	valaciclovir hydrochloride 556㎎ (500㎎ as valaciclovir)

흰색의 양면이 볼록한 장방형 필름코팅정

식별정보 상세 이전 식별사진

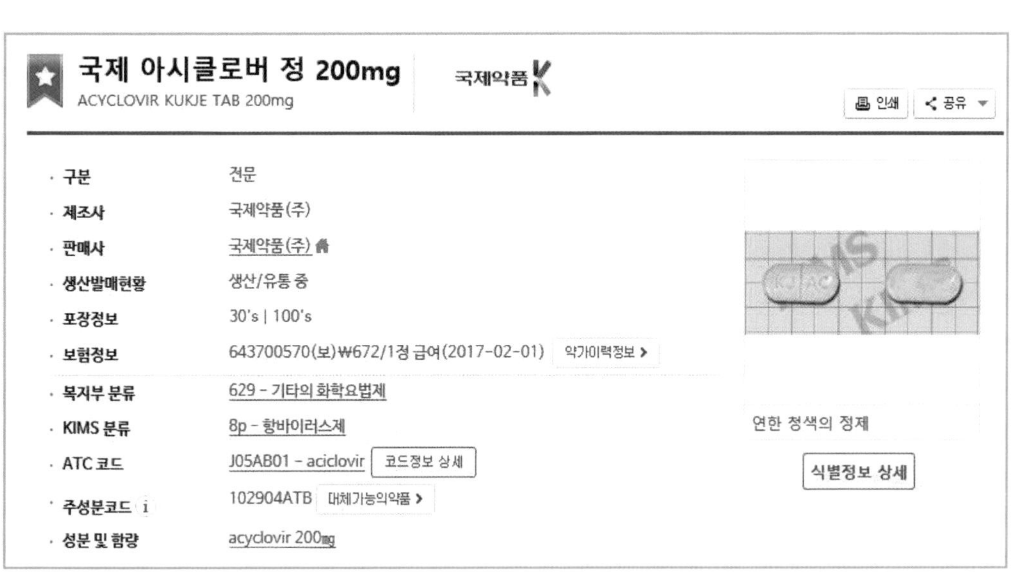

국제 아시클로버 정 200mg 국제약품
ACYCLOVIR KUKJE TAB 200mg
인쇄 공유

구분	전문
제조사	국제약품(주)
판매사	국제약품(주)
생산발매현황	생산/유통 중
포장정보	30's | 100's
보험정보	643700570(보)₩672/1정 급여(2017-02-01) 약가이력정보 >
복지부 분류	629 - 기타의 화학요법제
KIMS 분류	8p - 항바이러스제
ATC 코드	J05AB01 - aciclovir 코드정보 상세
주성분코드 i	102904ATB 대체가능의약품 >
성분 및 함량	acyclovir 200㎎

연한 청색의 정제

식별정보 상세

[B02] 대상포진 (Zoster [herpes zoster])

포함 대상포진, 띠헤르페스

B02.0+ 대상포진 뇌염 (G05.1*)

대상포진수막뇌염 Zoster meningoencephalitis

B02.1+ 대상포진 수막염 (G02.0*)

B02.2+ 기타 신경계통 침범을 동반한 대상포진

포진 후 : 슬신경절염(G53.0*) Geniculate ganglionitis

다발신경병증(G63.0*) Polyneuropathy

삼차신경통(G53.0*) Trigeminal neuralgia

B02.3 대상포진 눈병

B02.7 파종성 대상포진

B02.8 기타 합병증을 동반한 대상포진

B02.9 합병증이 없는 대상포진

대상포진 NOS

진균증 (B34-B49) (Mycoses)

[B37] 칸디다증 (Candidiasis)

포함 칸디다증, 모닐리아증

제외 신생아칸디다증(P37.5)

B37.0 칸디다구내염 (Candidal stomatitis)

구강아구창 Oral thrush

B37.8 기타 부위의 칸디다증 (Candidiasis of other sites)

●B37.8 칸디다구순염 (Candidal cheilitis)

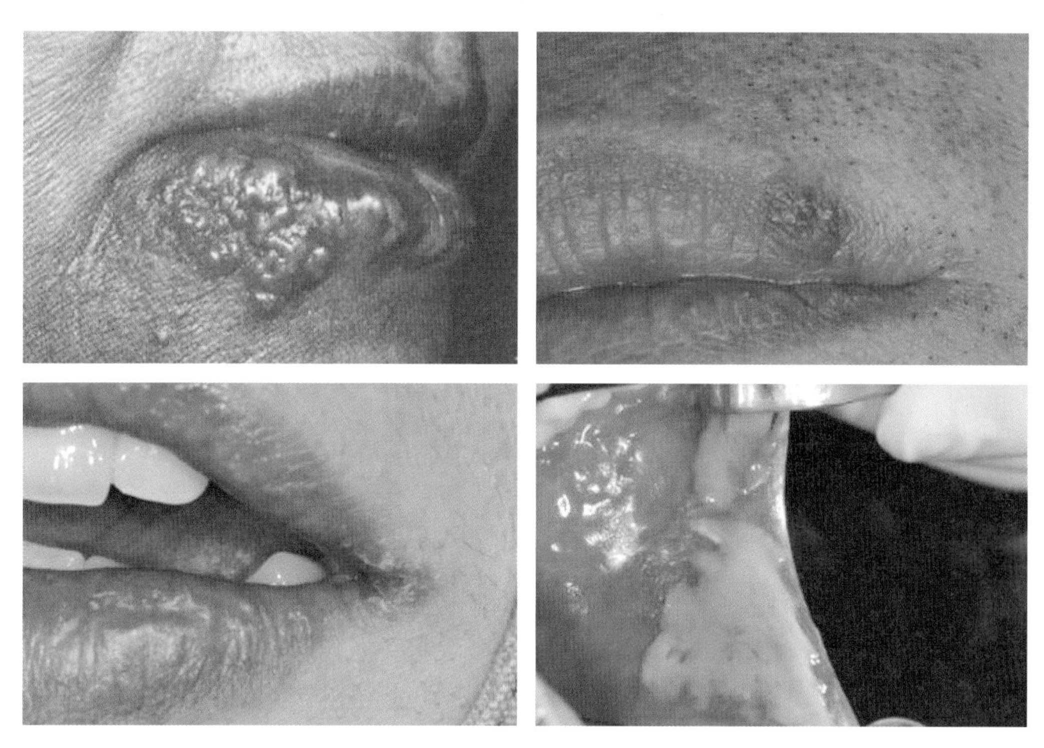

▶ 허피스의 치료

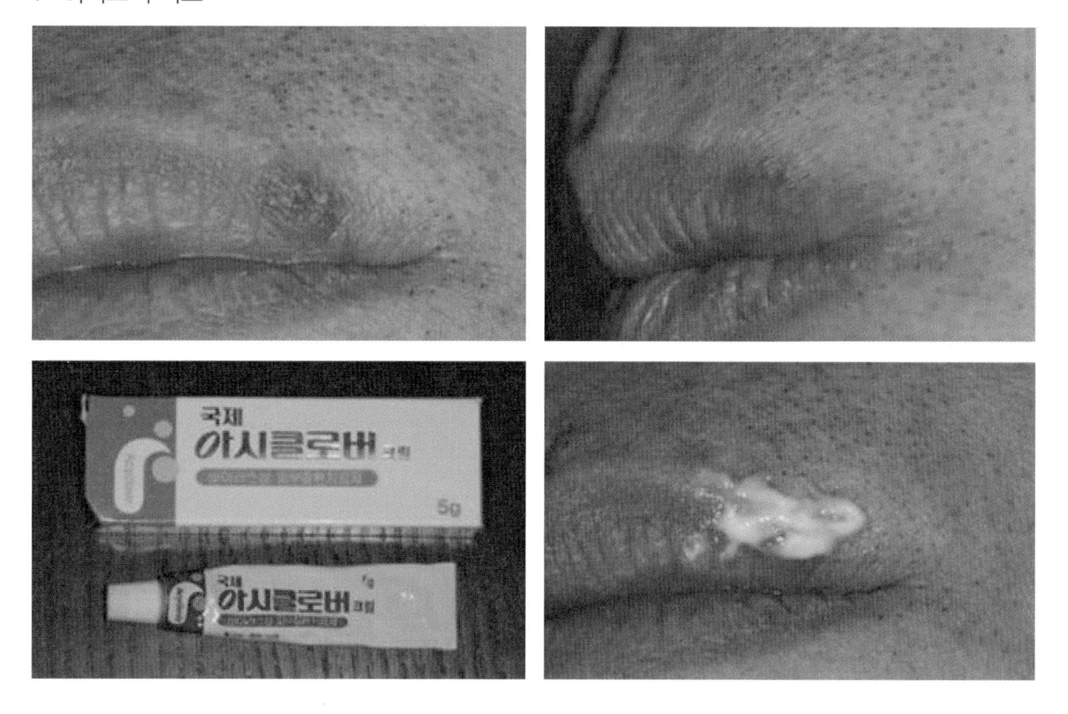

▶ 아시클로버정 처방전

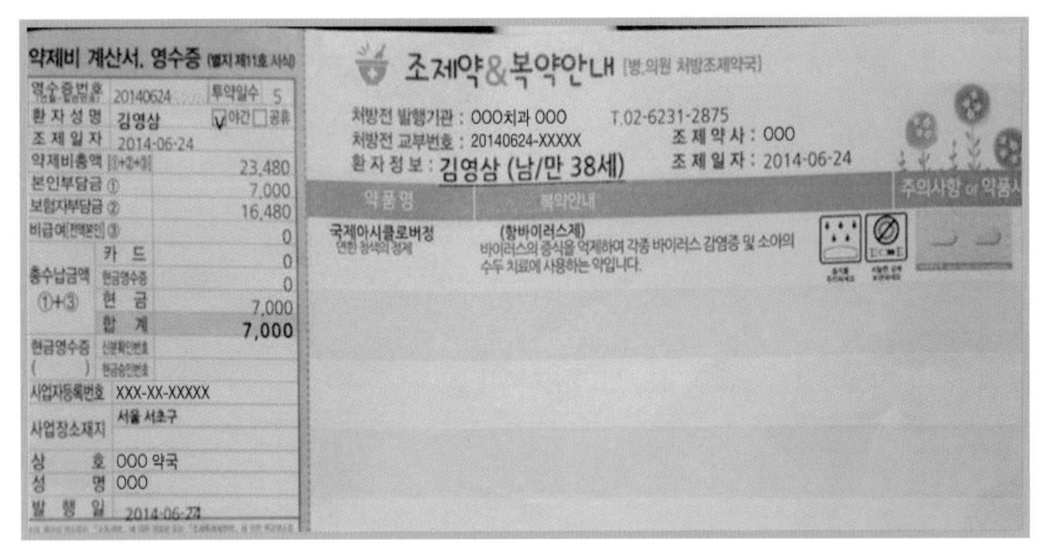

약제비 계산서. 영수증 (별지 제11호 서식)

영수증번호	20140624	투약일수	5
환 자 성 명	김영삼	☑야간 □공휴	
조 제 일 자	2014-06-24		
약제비총액 (①+②+③)			23,480
본인부담금 ①			7,000
보험자부담금 ②			16,480
비급여(전액본인) ③			0
총수납금액 ①+③	카 드		0
	현금영수증		0
	현 금		7,000
	합 계		7,000
현금영수증 ( )	신분확인번호		
	현금승인번호		
사업자등록번호	XXX-XX-XXXXX		
사업장소재지	서울 서초구		
상 호	OOO 약국		
성 명	OOO		
발 행 일	2014-06-24		

조제약&복약안내 [병.의원 처방조제약국]

처방전 발행기관 : OOO치과 OOO T.02-6231-2875

처방전 교부번호 : 20140624-XXXXX 조 제 약 사 : OOO

환 자 정 보 : 김영삼 (남/만 38세) 조 제 일 자 : 2014-06-24

약품명	복약안내	주의사항 or 약품사진
국제아시클로버정 (연한 청색의 정제)	(항바이러스제) 바이러스의 증식을 억제하여 각종 바이러스 감염증 및 소아의 수두 치료에 사용하는 약입니다.	

▶ 팜비어 처방전

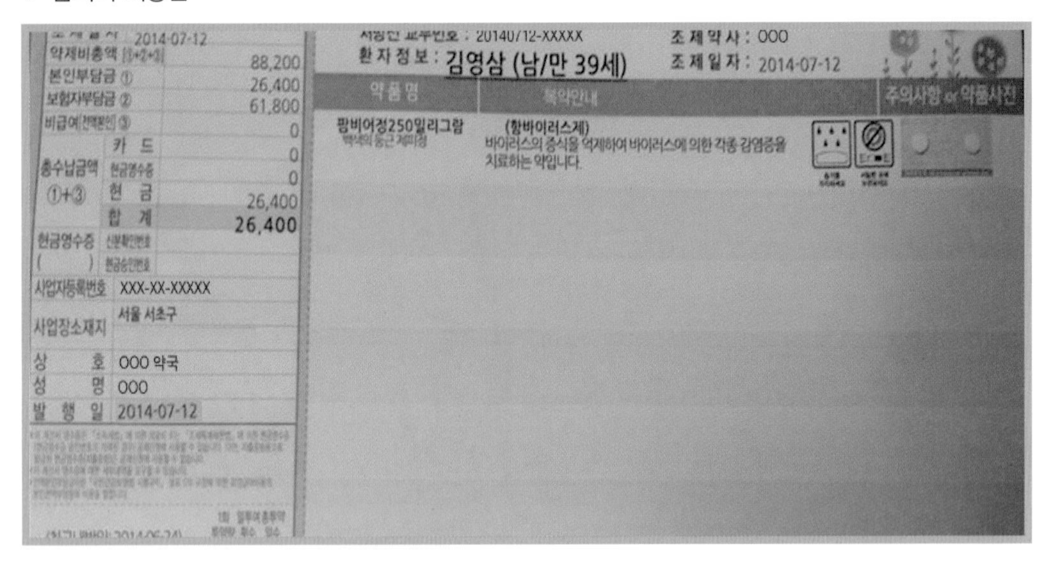

조 제 일 자	2014-07-12
약제비총액 (①+②+③)	88,200
본인부담금 ①	26,400
보험자부담금 ②	61,800
비급여(전액본인) ③	0
총수납금액 ①+③ 카 드	0
현금영수증	0
현 금	26,400
합 계	26,400
현금영수증 ( ) 신분확인번호	
현금승인번호	
사업자등록번호	XXX-XX-XXXXX
사업장소재지	서울 서초구
상 호	OOO 약국
성 명	OOO
발 행 일	2014-07-12

처방전 교부번호 : 20140712-XXXXX 조 제 약 사 : OOO

환 자 정 보 : 김영삼 (남/만 39세) 조 제 일 자 : 2014-07-12

약품명	복약안내	주의사항 or 약품사진
팜비어정250밀리그람 (백색의 필름코팅정)	(항바이러스제) 바이러스의 증식을 억제하여 바이러스에 의한 각종 감염증을 치료하는 약입니다.	

신생물 (C00-D48)

Neoplasms (C00-D48)

2

양성 신생물 (D10-D36)

[D10] 입 및 인두의 양성 신생물 (Benign neoplasm of mouth pharynx Lip)

D10.0 입술

입술(주름띠,내측,점막,홍순경계) (frenulum, inner aspect, mucosa, vermilion border)

제외 입술의 피부(D22.0, D23.0)

D10.1 혀 (Tongue)

혀편도 Lingual tonsil

D10.2 입바닥 (Floor of mouth)

D10.3 기타 및 상세불명 입 부분 (Other and unspecified parts of mouth)

작은침샘NOS Minor salivary gland NOS

[신체부위] 구강 / 혀 / 잇몸 / 턱

: 섬유증과 굳이 구별하자면 구별이 모호하지만 어차피 조직 검사해야 알 수 있음.

제외 양성 치성 신생물 (D16.4-D16.5)

입술의 점막 (D10.0)

연구개의 비인두면 (D10.6)

[D16] 골 및 관절연골의 양성 신생물 (Benign neoplasm of bone and articular cartilage)

제외 ~의 결합조직

귀(D12.0), 눈꺼풀(D21.0), 후두(D14.1), 코(D14.0), 윤활액(D12.-)

●D16.40 기타 두 개안면골 (Other craniofacial bones)

사골, 전두골, 후두골, 두정골, 접형골, 측두골

●D16.41 상악안면골 (Maxillofacial bones)

D16.5 아래턱뼈 (Lower jaw bone)

☆ 관련 보험진료 행위

자-220 구강내종양적출술(Intraoral Excision of Benign Tumor)

구강 내에 병적으로 증식된 조직이나 양성종양(Papilloma) 등을 제거하는 간단한 수술이다. 통상의 경우 mess를 사용하나, 요즘은 레이저를 사용하여 수술하기도 한다. 하지만 레이저를 사용해도 추가로 환자에게 비용을 부담하여서는 안 된다. 원래는 치과마취료를 주었는데 외과에서 의과적은 마취는 필수이니, 마취 포함 수가로 측정되었다. 최근에는 마취 행위료는 삭감된다. [구강외열상봉합술(자-2)]도 역시 마취료는 삭감된다.

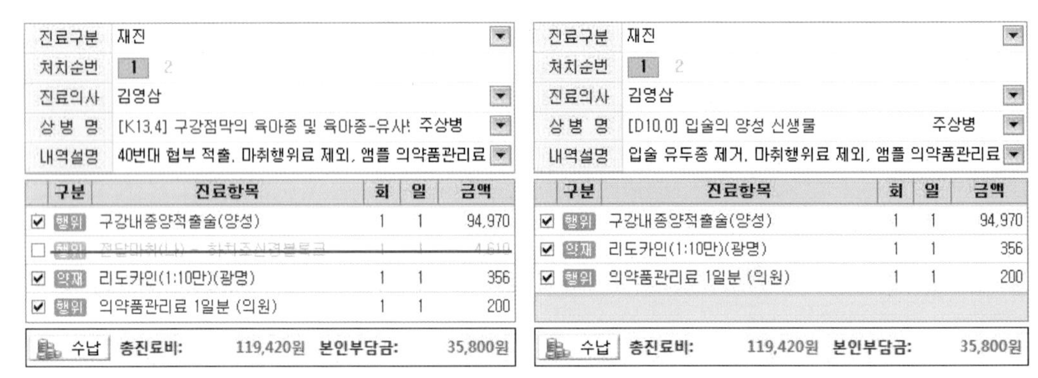

진료구분	재진
처치순번	1 2
진료의사	김영삼
상 병 명	[K13.4] 구강점막의 육아종 및 육아종-유사! 주상병
내역설명	40번대 협부 적출. 마취행위료 제외. 앰플 의약품관리료

	구분	진료항목	회	일	금액
☑	행위	구강내종양적출술(양성)	1	1	94,970
☐	~~행위~~	~~전달마취(나) - 하치조신경블록료~~	~~1~~	~~1~~	~~4,610~~
☑	약재	리도카인(1:10만)(광명)	1	1	356
☑	행위	의약품관리료 1일분 (의원)	1	1	200

수납 총진료비: 119,420원 본인부담금: 35,800원

진료구분	재진
처치순번	1 2
진료의사	김영삼
상 병 명	[D10.0] 입술의 양성 신생물 주상병
내역설명	입술 유두종 제거. 마취행위료 제외. 앰플 의약품관리료

	구분	진료항목	회	일	금액
☑	행위	구강내종양적출술(양성)	1	1	94,970
☑	약재	리도카인(1:10만)(광명)	1	1	356
☑	행위	의약품관리료 1일분 (의원)	1	1	200

수납 총진료비: 119,420원 본인부담금: 35,800원

〈청구예시 – 두번에〉

구강내종양적출술 나. 유두종 등을 간단히 제거한 경우

실제로 보면 유두종은 바이러스 감염되는 사마귀, 조직검사하면 파이브로식스 섬유종이나 섬유증이 대부분이다. Mucocele을 제거한 경우 [구강내 종양적출술 나.]로 청구한다.
실제 유두종은 까칠하다. 어차피 조직검사를 해봐야 아는 것.

* 유두종 제거 시 적용가능 상명

D10.3 기타 및 상세불명 입 부분의 양성 신생물
K13.4 구강점막의 육아종 및 육아종 - 유사병변
K13.5 구강점막하 섬유증, 혀의 점막하 섬유증
K11.6 침샘의 점액류 등

▶ 구강내 양성종양(1)

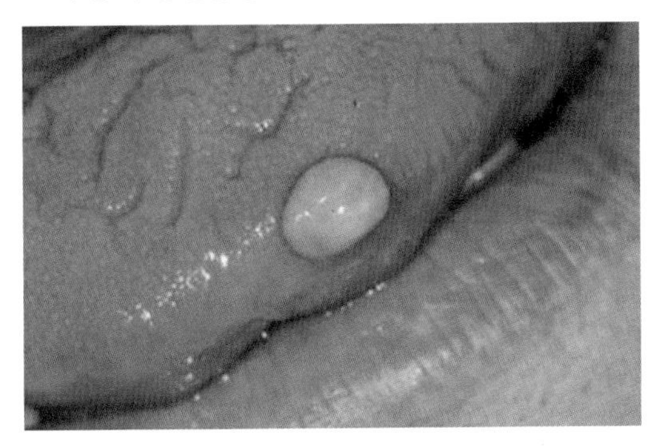
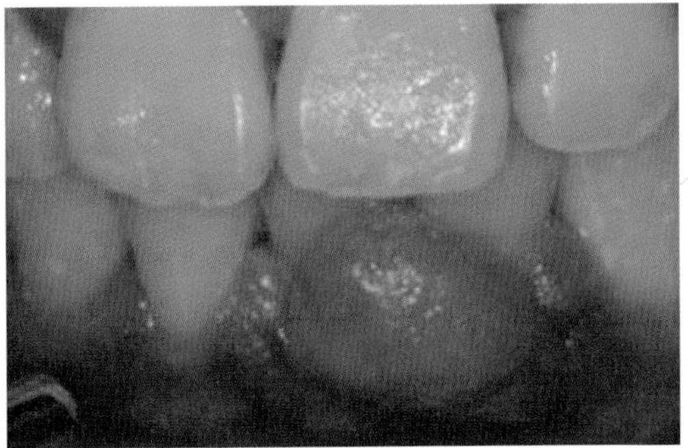

▶ 구강내 양성종양(2)

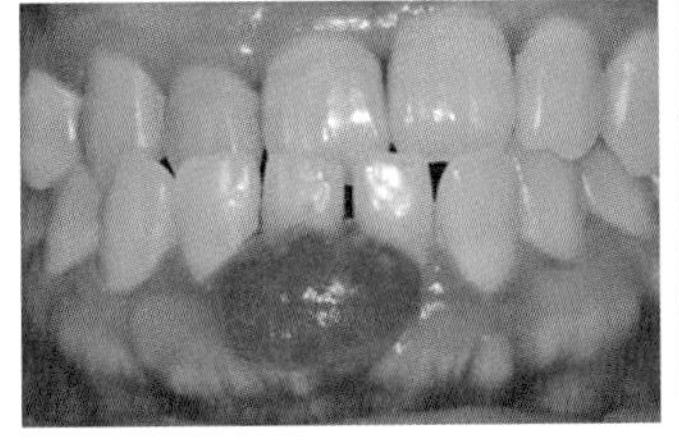
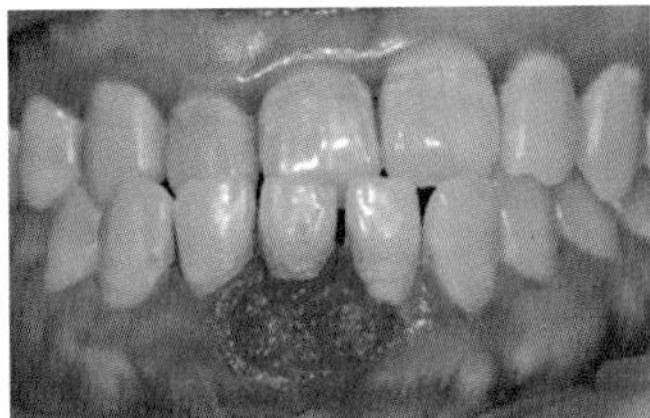
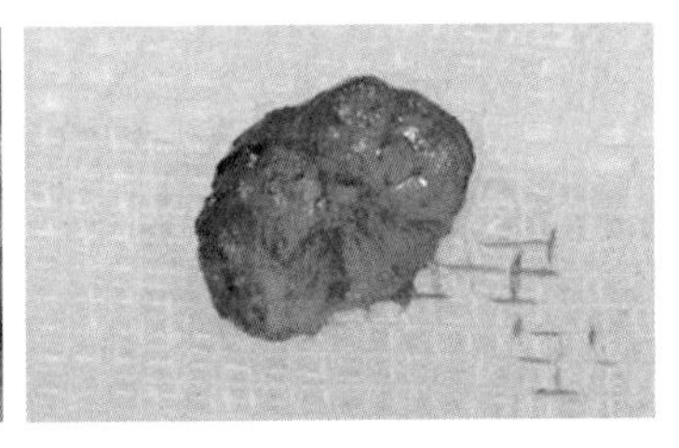

▶ 구강내 양성종양(3)

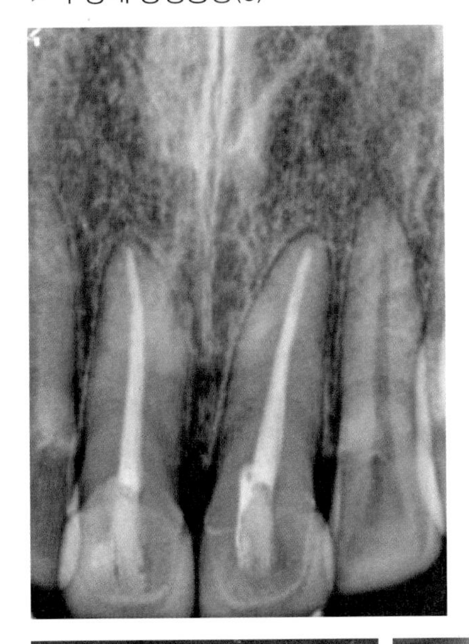
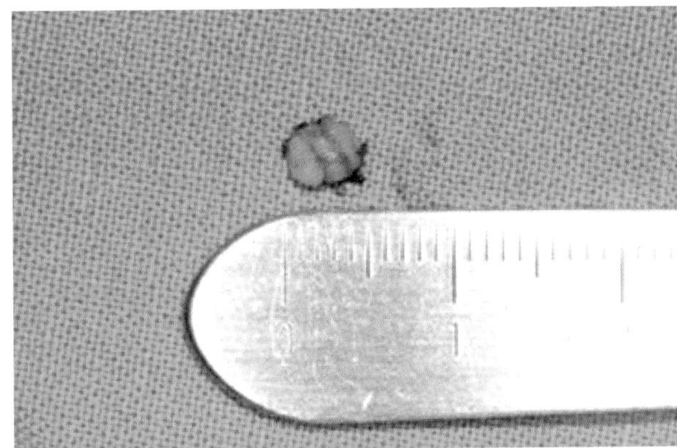
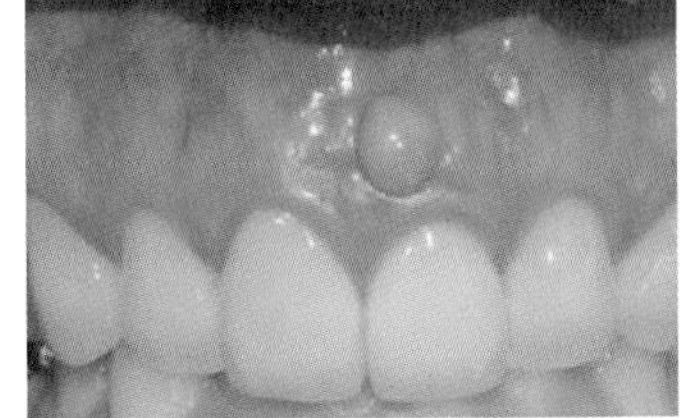
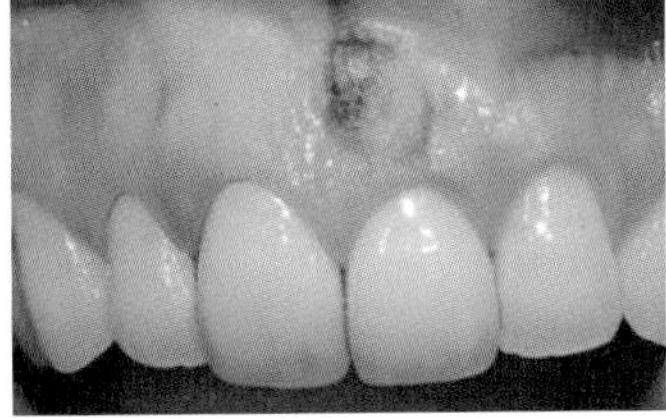
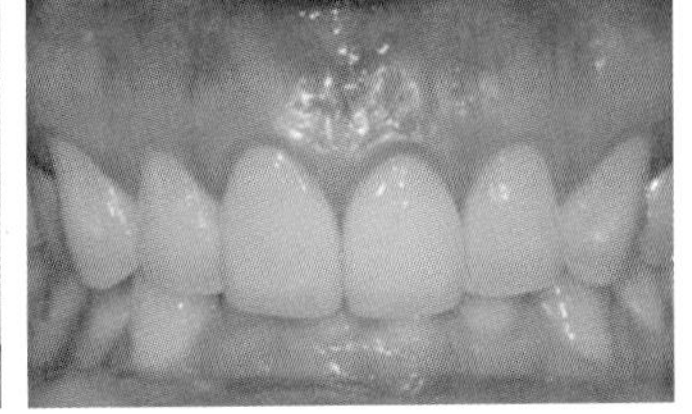

* 치아종 제거는 [구강내 종양적출술 가. 양성]으로 청구할 수 있다.

▶ Odontoma는 치성종양

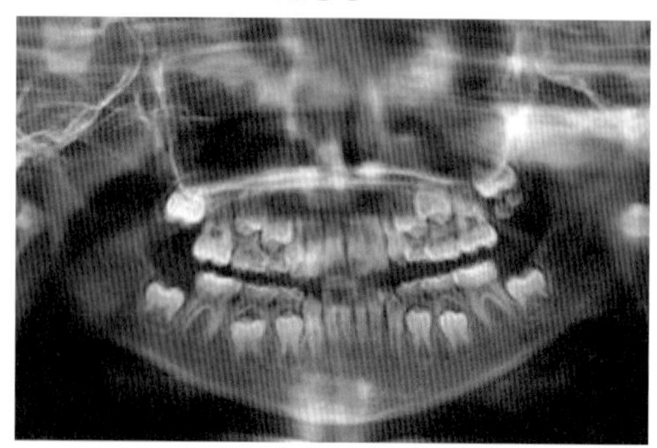

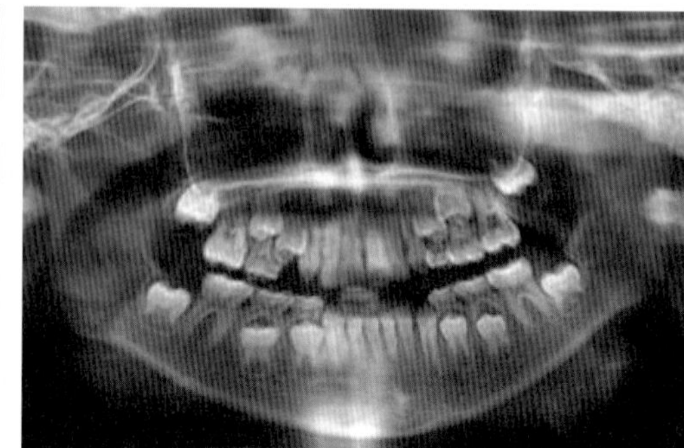

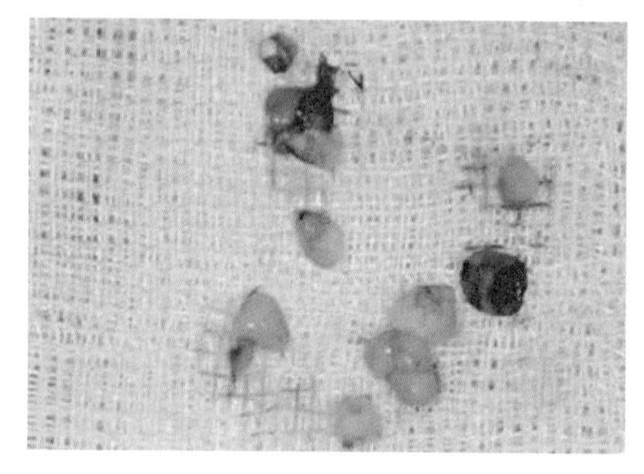

▶ 성인의 치아종

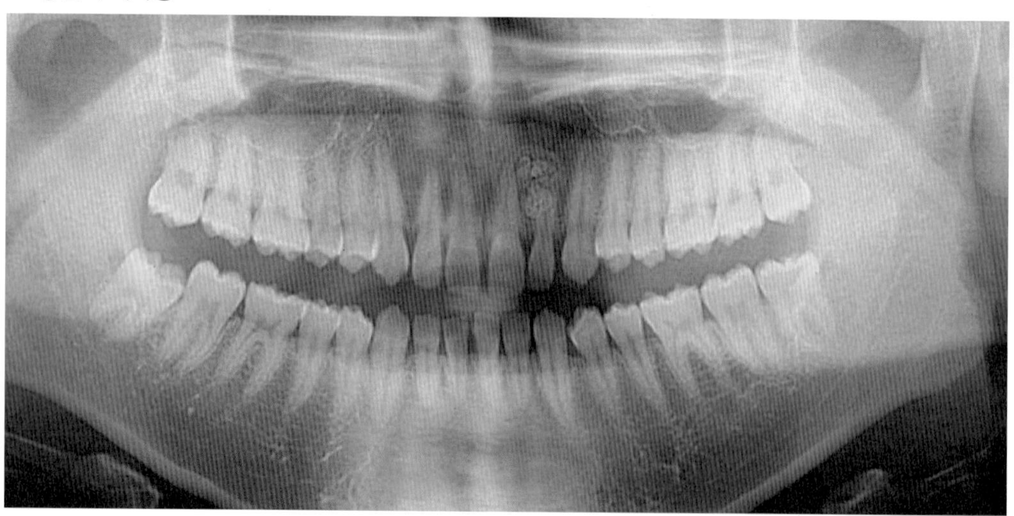

자-220 구강내종양적출술(Intraoral Excision of Benign Tumor)

		상대가치점수	진료비
Q2201	가. 양성	1086.61	94,970원
Q2204	주: 양성-구강저 병소 제거	1551.48	135,600원
Q2202	나. 유두종 등을 간단하게 제거	676.28	59,110원
Q2205	주: 유두종-구강저 병소 제거	912.88	79,790원

나-853 절개생검 (Incisional Biopsy)

가. 표재성(Superficial)		상대가치점수	진료비
C8531	(1) 피부	458.08	40,040원
C8535	(2) 근육 및 연부조직	789.72	69,020원
C8532	(3) 기타부위	479.77	41,930원
	주 : 림프절, 액와, 안, 비, 이, 구강, 안면, 외부생식기 등을 생검한 경우에 산정한다.		

- 구강내종양적출술은 조직검사와 함께 청구 가능하다.
- 일반적으로 치과의원의 경우 수탁기관(치과대학 구강병리학교실 등)으로 위탁을 하는 경우가 대부분이다.
- 청구 시 본원에서 조직을 절개한 행위 [절개생검] 또는 [적출관련 행위]와 조직검사 행위에 대한 수가인 [조직병리검사]를 함께 청구한다.

나-560 조직병리검사 [1장기당] (Histopathologic Examination)

		상대가치점수	진료비
C5601	가. Level A	245.85	21,490원
C5602	나. Level B	368.78	32,230원
C5603	다(1). Level C - 파라핀블록 1~9개	573.66	50,140원
C5604	다(2). Level C - 파라핀블록 10개 이상	737.56	64,460원
C5605	라(1). Level D - 파라핀블록 1~9개	1241.66	108,520원
C5606	라(1). Level D - 파라핀블록 10~15개	1564.3	136,720원
C5607	라(1). Level D - 파라핀블록 16개 이상	1825.34	159,530원

나-560 조직병리검사 [1장기당] (Histopathologic Examination)

병리과 전문의 또는 구강병리과가 설치된 요양기관의 치과의사가 판독하고 판독소견서를 작성·비치한 경우에만 산정한다.

인체에서 채취한 가검물에 대한 검사를 "검체검사 위탁에 관한 기준"에서 정한 수탁기관으로 위탁하는 경우에는 제2장 제1절 및 제2절 분류항목 소정점수(가감률 적용 포함)에 수탁기관의 점수당 단가를 곱하여 계산한 금액의 10%를 '위탁검사관리료'로 산정한다.

가. Level A

- 주 : 염증성, 감염성, 비종양성 병변이 의심되는 소견이 있는 경우에 산정한다.

나. Level B

- 주 : 1. 주:골, 뇌, 간, 심근, 췌장, 연부조직, 고환, 전립선 이외의 장기에서 생검한 경우에 산정한다.

다. Level C

1) 양성종양절제, 위장관 폴립절제, 태아·출혈 등의 이상이 있는 태반, 병변 전체를 검색하여 치료방침을 결정해야 하는 비종양성 병변의 경우에는 파라핀 블록수에 따라 산정한다.
2) 골, 뇌, 간, 심근, 췌장, 연부조직, 고환, 전립선을 생검한 경우에는 파라핀 블록수를 불문하고 다(1)의 소정점수를 산정한다.
3) 양성종양에서 조직구축학적 방법으로 블록을 제작한 경우에는 파라핀 블록수를 불문하고 다(2)의 소정점수를 산정한다.

- 다(1) 파라핀블록 : 1~9개 Number of Paraffin Blocks ≤ 9 (573.66 / 50,140원)
- 다(2) 파라핀블록 : 10개 이상 Number of Paraffin Blocks ≥ 10 (737.56 / 64,460원)

라. Level D

- 주 : 악성종양절제 또는 경계형 악성 이상의 종양에서 조직구축학적검사를 시행한 경우에 파라핀 블록 수에 따라 산정한다.
- 라(1) 파라핀블록 : 1~9개 Number of Paraffin Blocks ≤ 9 (1241.66 / 108,520원)
- 라(2) 파라핀블록 : 10~15개 Number of Paraffin Blocks = 10~15 (1564.3 / 136,720원)
- 라(3) 파라핀블록 : 16개 이상 Number of Paraffin Blocks ≥ 16 (1825.34 / 159,530원)

코드	생검분류	산정기준	예시	상대가치점수
C5601	가. Level A	감염성, 염증성, 비종양성병변, 기타부위 낭종, 농양 등	침샘 (점액류), 혈종	245.85
C5602	나. Level B	대부분의 생검, 블록 개수와 무관, 진단시 악성이 나와도 등급 올리지 않음	생검 (잇몸, 구강점막, 입술, 침샘, 혀)	368.78
C5603	다. Level C1 파라핀블록 : 9개	양성종양절제 병변전체 검색이 필요한 비종양 병변	치원성 – 종양 치아 – 낭종, 부골	573.66
C5604	Level C2 파라핀블록 : 10개 이상			737.56
C5605	Level D1 파라핀블록 : 1~9개	악성종양절제 (경계성 이상 포함)	치원성 악성종양, 악성낭종절제	1241.66
C5606	Level D2 파라핀블록 : 10~15개			1564.3
C5607	Level D3 파라핀블록 : 16개 이상			1825.34

▶ 치과(위탁기관)에서 수탁기관으로 조직병리검사 의뢰과정

1) 치과(위탁기관)는 위탁할 검체를 채취하여 10% 포르말린 용액에 고정시켜 조직검사의뢰서를 작성하여 검사를 의뢰한다.
   - 위탁기관은 검체와 검사의뢰지를 EDI 등의 방법을 이용하여 수탁기관으로 송부하고, 사본을 보존한다(개인정보활용동의서 함께 송부).
2) 수탁기관은 검체를 분석하고 검사결과를 입력하고 확인 후 출력하여 의뢰한 기관(치과)으로 검사결과지를 통보해 준다.

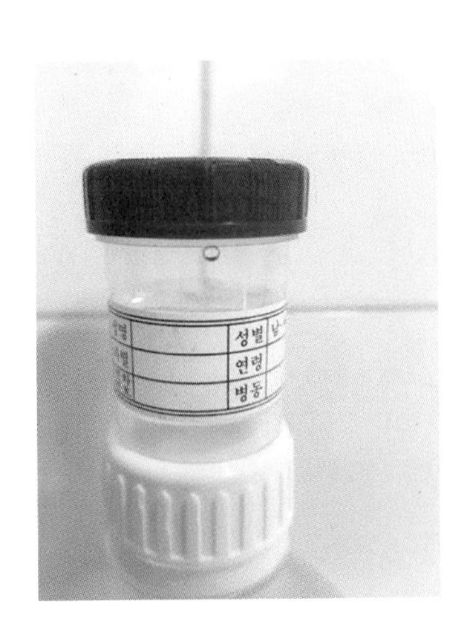

조직병리 결과

〈의뢰 종목〉
52003 Biopsy생검7-9개 C5913 나550

[Pathological Diagnosis]

Oral cabitiy, mandibular angle, right, excision;
Mucocele
Minor salivary gland, oral cavity, right, excision;
Chronic inflammation, moderate
Adhesion, fibrous

[Gross Description]
포르마린에 고정되어 보내온 조직은 7개의 우측 하악 구각부 내측 점막조직으로 회백색의 둥글고 각진 모양이었고, 합하여 1.6cmx1.5cmx0.5cm 이었다. 조직의 고정상태는 양호 하였다. 모두 A로 포매하여 현미경 검색 하였다(1, 12/03, HB).
결과문의 : 032-812-3223 한미임상
검사를 완료하였습니다(Final report)

▶ 조직병리검사 청구방법

1. 단순 조직검사 의뢰인 경우
   - [절개생검(표재성)-기타부위]와 [조직병리검사 항목(Level)]을 함께 청구한다.
   - [조직병리검사]만 할 경우 치과 마취료는 산정 불가하다.
2. 치근낭적출술이나 구강내종양적출술 후 조직검사 의뢰인 경우
   - 치근낭적출술 또는 구강내종양적출술과 [조직병리검사 항목(Level)]을 함께 청구한다.
   - [절개생검(표재성)-기타부위]는 산정 불가하다.
3. 조직병리검사 청구 시 줄번호 특정내역설명을 해야 한다.
   - 줄번호 특정내역 JS005(검체검사 위탁특정내역 = 수탁기관요양기관 번호) 입력한다.
   → 청구프로그램에서 수탁기관 등록 필요
   ※ 환자 본인부담금은 치과(위탁기관)에서 수진자(환자)에게 청구한다(종별가산 미적용).

▶ 절개생검 + 조직검사 〈덴트웹〉

: D10.3 기타 및 상세불명 입 부분의 양성 신생물 → 조직검사 의심 상병

덴트웹의 경우 검체검사 위탁 시 위탁검사관리료(10%)는 덴트웹 내부에서 처리하므로, 조직병리검사 횟수는 1로 입력해야 한다. 명세서에는 자동으로 횟수 1.1로 작성된다.

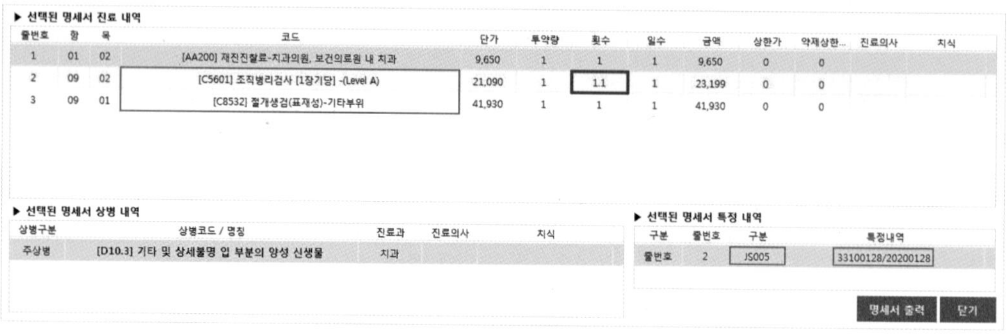

▶ 치근낭적출술 + 조직검사 〈두번에〉

: 치근낭종 적출술과 동일한 상병 적용 → K04.8 근단 및 외측 치근낭

진료구분	재진
처치순번	1 2
진료의사	김영삼
상 병 명	[K04.80] 근단 및 외측의 치근낭 주상병
내역설명	치근낭적출술 및 조직검사 의뢰

	구분	진료항목	회	금액	내역설명
☑	행위	치근낭종적출술(치관크기)	1 ..	27,240	
☑	행위	전달마취(가) - 비구개신경블...	1 ..	3,610	
☑	약재	리도카인(1:10만)(광명)	2 ..	712	
☑	행위	의약품관리료 1일분 (의원)	1 ..	200	
☑	행위	치근단 촬영판독	2 ..	7,080	
☑	재료	100:100 발치, 치근, 치조골성...	1 ..	6,980	
☑	행위	조직병리검사 [1장기당] -(Le...	1.1 .	55,154	위탁기관..

수납 | 총진료비: 124,580원 본인부담금: 37,300원

〈검체검사 위탁에 관한 기준〉

제6조(위탁검사비용의 청구 등)

① 위탁기관은 위탁한 검사내역과 수탁기관의 요양기관기호를 요양급여비용명세서의 "진료내역"란에 기재하여 청구한다.

② 수탁기관은 검체검사공급내역통보서를 수진자별로 작성하여 위탁기관별로 분철한 후 해당 위탁기관 관할 심사평가원에 통보한다.

제7조(위탁검사비용의 심사,지급)

① 심사평가원은 수탁기관에서 통보한 검체검사공급내역과 해당 수진자에 대한 위탁기관의 위탁검사 청구내역을 대조한다.

② 보험자는 제1항의 규정에 의해 확인된 검체검사공급내역에 해당하는 비용을 위탁기관에서 청구한 제5조1항의 비용 중 위탁검사관리료를 제외하고 수탁기관으로 직접 지급한다.

3 내분비, 영양 및 대사 질환 (E00-E90)

Endocrine, nutritional and metabolic diseases (E00-E90)

당뇨병(Diabetes mellitus) (E10-E14)

약물유발성일 때 약물의 분류를 원한다면 부가적인 외인분류번호(XX장)를 사용할 것.

(주 : 다음 4단위 및 5단위 세분류는 당뇨병의 합병증을 나타내기 위해 E10 - E14에 사용한다.)

E10.6 기타 명시된 합병증을 동반한 1형 당뇨병

E10.60 근골격 및 결합조직의 합병증을 동반한 1형 당뇨병

E10.61 피부 및 피하 조직의 합병증을 동반한 1형 당뇨병

E10.62 구강 및 치주 합병증을 동반한 1형 당뇨병

~을 동반한 당뇨병

치주농양 Periodontal abscess

치주염(급성)(만성) Periodontitis (acute)(chronic)

치주질환 NOS

E10.63 저혈당을 동반한 1형 당뇨병

E10.64 혈당조절이 되지 않은 1형 당뇨병

E10.68 달리 분류되지 않은 기타 명시된 합병증을 동반한 1형 당뇨병

E10.7 다발성 합병증을 동반한 1형 당뇨병

E10.70 당뇨병성 족부궤양을 동반한 1형 당뇨병

E10.71 당뇨병성 족부궤양 및 괴저를 동반한 1형 당뇨병

E10.72 기타 및 상세불명의 당뇨병성 족부합병증을 동반한 1형 당뇨병

E10.78 기타 다발성 합병증을 동반한 1형 당뇨병

E10.8 상세불명의 합병증을 동반한 1형 당뇨병

HOME > 칼럼 > 치과건강보험 Q&A 연재

치과에서도 청구할 수 있는 '당 검사'

대한치과건강보험협회서 제시하는 릴레이 보험청구 Q&A (90)

강수영 승인 2014.06.12 15:45 댓글 0

Q1. 얼마 전 당뇨가 있으신 환자 분께서 발치를 위해 내원하셨습니다. 당 검사를 시행하였는데 보험청구 할 수 있을까요?

A. 네. 치과에서도 구강외과 시술 또는 외과적 치주수술을 위해 당 검사를 한 경우 진료 상 필요한 검사이므로 보험청구 하실 수 있습니다.

Q2. 그럼 이 경우 보험청구는 어떻게 해야 하나요?

A. 당 검사는 정량법과 반정량법이 있습니다. 정량법은 혈액을 채취해서 검사를 하는 방법인데, 치과에서의 당 검사는 대부분 간이체크기를 이용해서 당 검사를 하기 때문에 이 경우 보험청구는 '당 검사-반정량법'을 산정하실 수 있습니다.

청구 프로그램이 앤드컴일 경우를 예를 들어 설명해 드리면, [검사]에서 당검사(반정량)을 청구하시면 됩니다.

Q3. 장비신고를 따로 해야하나요?

A. 별도의 장비신고는 필요하지 않지만, 장비 구매내역서 및 검사결과를 진료기록부에 작성해 주시는 게 좋습니다.

Q4. 임플란트 수술 시 시행한 당 검사도 보험청구 할 수 있나요?

A. 임플란트는 현재 비급여 진료이기 때문에 비급여 진료를 위한 당 검사 역시 보험청구를 하실 수 없습니다.

* 참고 (출처 : 치과건강보험 실무총론 - 대한치과건강보험협회 저)

구분	식사 전 혈당	식후 2시간 경과	취침 전
일반환자	100 이하	140 이하	120 이하
당뇨환자	80 ~ 120	180 이하	100 ~ 140
주의환자	140 이상	200 이상	160 이상

혈당 체크 및 수치표

출처 덴탈포커스 2014.6.12

☆ 관련 보험진료 행위

누-302 당검사 [화학반응-장비측정]

		상대가치점수	진료비
D3021	가. 당검사-반정량 간이혈당측정기에 의한 검사 시에도 소정점수를 산정한다.	10.84	950원
D3022	나. 당검사-정량	14.14	1,240원

– 주로 치과에서는 발치나 외과적인 처치를 요할 때 당검사 후 [가. 당검사-반정량]을 청구한다. 발치 당일 당검사를 한다면 발치는 발치 상병, 당검사는 「E10.62 구강 및 치주의 합병증을 동반한 1형 당뇨병」 상병을 추천한다. 발치와 함께 발치 상병으로 적용을 해도 삭감(지원마다 조금 차이는 있음)되거나 하진 않지만 좀더 정확한 청구를 위해 「E10.62 구강 및 치주의 합병증을 동반한 1형 당뇨병」 상병을 적용하길 바란다. 별도의 장비신고를 필요치 않으나 장비 구입내역서 및 검사지시와 검사결과를 진료기록부에 작성해 둔다.

날짜	치료부위	치료내역	진료의사
2018-01-17 18:44	8	Sx. [K07.38] 기타 명시된 치아위치의 이상	
		Tx. **발치-발치**	
		구치발치, 전달마취(나) - 하치조신경블록크, 의약품관리료 1일분 (의원), 자이레스테신에이주_(1.7mL)	
		Sx. [E10.8] 당뇨병(구강증상)	
		Tx. **당검사-반정량** 당검사[화학반응-장비측정][반정량]	
		Rx. 20180117-00008 : 휴온스아목시크라정(아목시실린수화물·묽은클라불란산칼륨)_(1정) x (1 x 3 x 3), 아나프록스정(나프록센나트륨)_(0.275g/1정) x (1 x 3 x 3), 파티겔정(알마게이트)_(0.5g/1정) x (1 x 3 x 3)	
	8	이전 방사선 참고	
		159mg/dl — 검사결과를 진료기록부에 작성	
		M. #48 발치 후 주의사항 등 설명함 - 약 잘 복용하세요.	
		당뇨: 159mg/dl	
		N) #48 약다드시고 dressing + #45! 47! 봉합사제거	

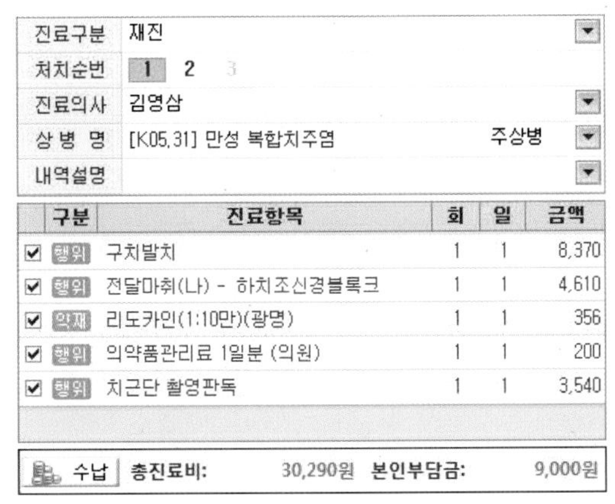

진료구분 재진
처치순번 1 2 3
진료의사 김영삼
상 병 명 [E10.62] 치주 합병증을 동반한 인슐린-의존 부상병
내역설명 150mg/dl

구분	진료항목	회	일	금액
행위	당검사[화학반응-장비측정][반정량]	1	1	950

수납 총진료비: 30,290원 본인부담금: 9,000원

▶ 대한당뇨학회에서 권장하는 혈당 값

분류 \ 혈당	혈당 수치			
	공복	식사 후	식사 2시간 후	당화혈색소(%)
정상수치	70 – 110	200 mg/dl 이하	140 이하	40 – 57
당뇨병 전단계	110 – 126	200 – 250 mg/dl	200 이하	58 – 64
당뇨병	126 이상	250 이상	200 이상	65 이상

▶ 앤드윈 당검사 청구 : 검사 → 일반화학검사 → 당검사(반정량)

주처치 | 검 사 | 마 취 | 보존/틀니/임플 | 구강외과 | 치주질환 | 원외처방 | 기 타 | 비급여

근관장측정: 1근 | 2근 | 3근 | 4근

일반생검: 절개생검[표재-기타]

일반화학검사: 당검사(반정량) | 당검사(정량)

기타: 전기치수검사 | 치주낭측정 | 교합분석

▶ 두번에 6.1 당검사 청구 : 처치 버튼을 만들어서 청구해야 한다.

1) 행위추가 : 파일 → 환경설정 → 수가관리 → 행위설정 → 행위추가 → [당검사] 검색 → [D3021]당검사 반정량 더블클릭 → [수가 10.84] 확인 후 저장

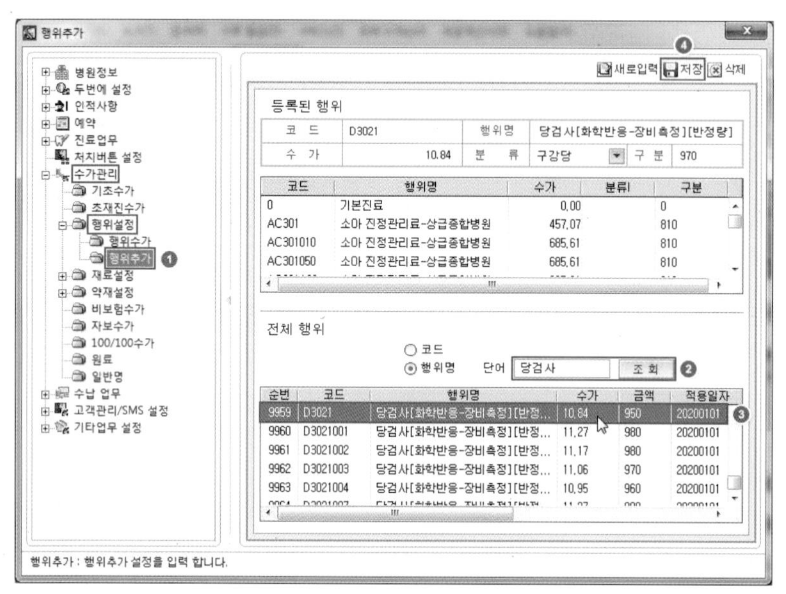

2) 처치버튼 생성 : 파일 → 환경설정 → 처치버튼설정 → 버튼명 포함 기본정보 설정 → [당검사] 검색 → 당검사 반정량 더블클릭 → 저장

3) 처치버튼 생성 완료

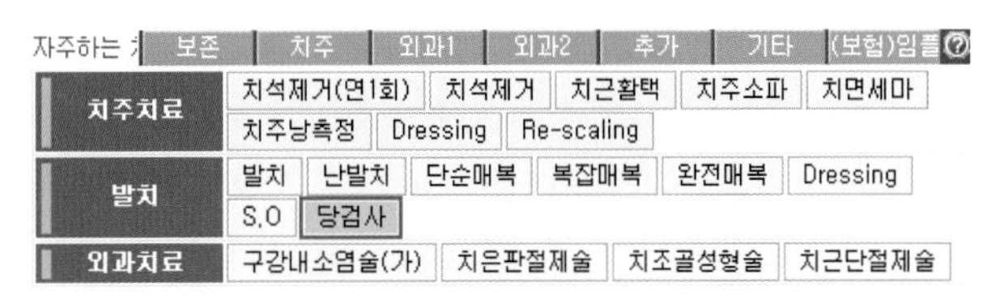

상병명 추가 등록

당검사 청구시 관련 상병명이 검색되지 않는 경우 직접 상병명 등록을 해야 한다.
(파일 → 환경설정 → 진료업무 → 상병 설정 → E10.62 검색 후 더블클릭 → 저장)

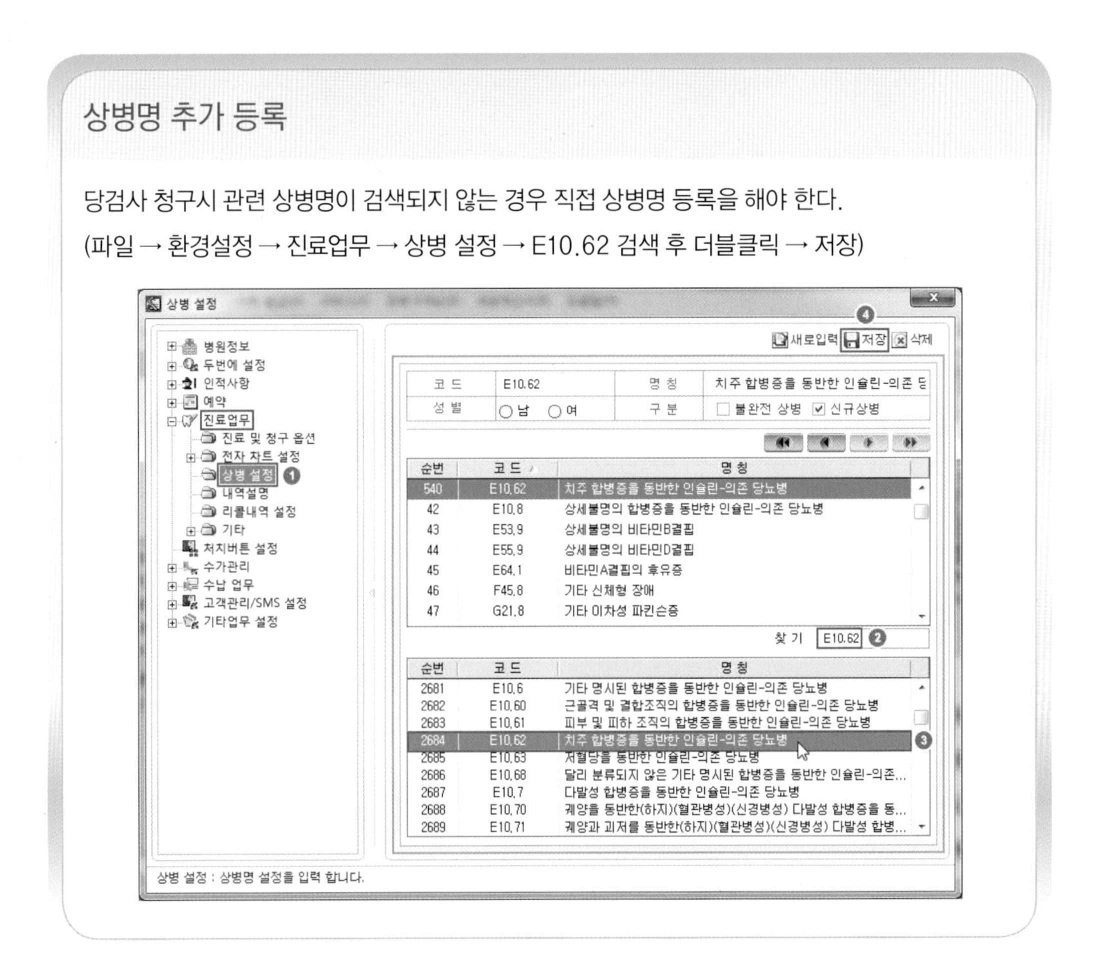

4 정신 및 행동 장애 (F00-F99)

Mental and behavioral disorders (F00-F99)

신경증성, 스트레스-연관 및 신체형 장애 (F40-F48)

[F17] 담배흡연에 의한 정신 및 행동 장애

F17.0 담배흡연에 의한 급성 중독
F17.1 담배흡연의 유해한 사용
F17.2 담배흡연의 의존증후군
F17.3 담배흡연에 의한 금단상태
F17.4 담배흡연에 의한 섬망을 동반한 금단상태
F17.5 담배흡연에 사용에 의한 정신병적 장애
F17.6 담배흡연에 의한 기억상실증후군
F17.7 담배흡연에 사용에 의한 잔류 및 만기-발병 정신병적 장애
F17.8 담배흡연에 의한 기타 정신 및 행동 장애
F17.9 담배흡연에 의한 상세불명의 정신 및 행동 장애

금연치료가 보험이 되면서 담배관련 상병도 이제는 알아야 한다. 아직 공단프로그램 내에서 청구를 하고 있는지라 병원 자체프로그램에서 금연치료에 대해 청구할 일은 아직은 없어 보이지만 구강검진 및 금연 상담(치료진행 하지 않고)만 간단히 하고 간 경우 「F17. 담배관련 상병명」 적용하여 기본진료(초진 진료비 – 의원기준 : 14,560원) 청구 가능하다.

[F45] 신체형 장애

F45.8 기타 신체형 장애(이갈이 포함)

여기서는 신체적 장애나 자율신경계통에 의하지 않은 감각, 기능, 행위의 장애를 다루며, 이는 스트레스성 사건과 때를 같이하여 신체의 특정한 부분이나 신경계에 국한되어 나타난다. 심인성 : 월경통, "히스테리구"를 포함하는 삼킴곤란, 가려움증, 기운목, 이갈이가 포함된 상병명이다.

이갈이의 치료 및 관리

이갈이의 원인에서 살펴본 바와 같이 아직까지 이갈이의 명확한 원인이 밝혀져 있지 않기 때문에 더더욱 치료법의 선택에 신중하여야 한다. 특히 원인과 직접적인 관련이 적은 교합조정을 시행하는 것 등은 가급적 배제되어야 한다. 치료를 시작하기 전 환자가 해결하고자 하는 문제점이 무엇인지를 파악하고, 현재로선 이갈이 자체를 치료하는 방법은 없으며 이갈이로 인해 발생할 수 있는 문제점들을 치료하거나 예방하기 위한 치료들이 최선임을 환자와 충분한 상담을 통해 명확히 할 필요가 있다. 이갈이를 치료할 때 고려해야 할 사항으로는 이갈이의 종류(이갈이, 이악물기), 이갈이 발생 시간(각성 시, 수면 시, 각성 및 수면 시), 이갈이의 정도(경도, 중등도, 심도) 등이 있다. 하지만, 모든 이갈이가 치료가 필요한 것은 아니다. 이갈이 정도가 경도이며 지속적으로 나타나지 않으며 특별한 임상 증상이나 징후를 유발하지 않는 경우에는 치료가 필요하지 않을 수 있다. 이갈이가 중등도 이상이고 임상 증상이나 징후를 유발하는 경우에 이갈이를 관리하기 위한 방법으로는 위험 요인(risk factor)의 조절, 구강내장치, 보툴리늄 독소 주사, 약물치료, 바이오피드백 등이 있다.(Table Ⅳ)

구강회복응용과학지 28권 1호, 2012

최근 연구 추세는 이갈이의 주원인이 정신적인 스트레스로 나타나고 있어 치료를 치과가 아닌 정신과에서 해야 한다고도 말하고 있지만 장치와 보톡스 등의 치과치료와 정신과치료가 같이 필요하다.

[F80] 말하기와 언어의 특정 발달장애

발달 초기과정부터 정상적인 양상의 언어 습득에 손상이 있는 장애. 이 상태는 직접적인 신경학적, 언어기전 이상, 감각손상, 정서지연, 환경적 요소에 의한 것이다. 말과 언어의 특수발달장애는 읽기와 쓰기, 대인관계, 정서적 행동장애가 종종 뒤따르게 된다.

F80.0 특정 구음장애(발음혼동)
F80.1 표현언어장애
F80.8 말하기와 언어의 기타 발달장애(혀 짧은 소리)

[F95] 틱장애

우세한 발현 양식이 경련인 증후군. 틱이란 불수의성, 빠른, 재발성 및 리듬없는 운동동작(한정된 근육군)이나 음성의 발성으로써 고의성이 없으며 갑자기 발병한다. 경련은 억제할 수 없으나 오랜 기간 동안 억압되어 있다가 스트레스에 의해 악화되고 잠잘 땐 소실된다. 보편적인 단순 운동경련은 눈 깜박임, 고개의 까딱임, 어깨 으쓱하기, 얼굴 찡그리기 등이다. 단순 성대경련은 목 고르기, 코를 킁킁거리기, 개짓는 소리, 쉿소리 내기 등을 말한다. 일반적인 복합형 경련은 자신을 때리기, 뛰어오르기, 앙금발로 걷기 등이다. 일반적 복합형성 대경련은 특수한 단어 반복, 사회적으로 받아들여질 수 없는(음탕한) 말의 반복(외설증), 자신만의 단어를 되풀이함(말되풀이증 : Palilalia) 등이다.

F95.0 일과성 틱장애
경련장애의 일반적 기준을 만족하지만 12개월 이상은 지속되지 않을 때 쓰임. 눈 깜박임, 얼굴 찡그리기, 고개 까딱임 등의 형태를 취한다.
F95.1 만성 운동 또는 성대 틱장애
경련장애의 일반적 기준을 만족하며 운동경련이나 성대경련 중 하나만 존재한다. 이것은 단일 또는 다발성이며 일 년이상 지속된다(주로 다발성).
F95.2 성대와 다발성 운동이 병합된 틱장애 [데라투렛 증후군]
다발성 운동경련과 한개, 또는 그 이상의 성대경련이 있거나 있었으며 이것들은 꼭 일치하여 일어나지 않아도 좋다. 청년기에 이 장애는 더 심해지며 성인기까지 지속되는 경향이 있다. 성대경련은 폭발적 반복성 고함, 목고르기(Throat- clearing), 툴툴거리기, 상스러운 단어나 구절의 사용 등 다발성이다. 상스러운 성격의 반향동작성 몸짓(외설행위)이 때때로 연관된다.
F95.8 기타 틱장애
F95.9 상세불명의 틱장애
틱 NOS

[F98] 소아기 및 청소년기에 주로 발병하는 기타 행동 및 정서장애

소아기의 발생을 특징적으로 공유하는 이질적 장애군으로서 많은 관점에서 다르다. 이런 병태 중 일부는 잘 정의된 증후군이나 그 외는 증상의 빈도와 정신 사회적 문제와의 관계, 다른 증후군과 어울리지 않기 때문에 포함되는 단지 증상의 복합체일 뿐이다.

제외 숨참기 발작 (R06.88)
소아기의 성주체성 장애 (F64.2)
클라인-레빈증후군 (G47.8)
강박장애 (F42.-)
정서적 원인에 의한 수면장애 (F51.-)

F98.8 기타 명시된 소아기와 청소년기에 주로 발병하는 행동 및 정서 장애
활동항진 없는 주의결핍장애, 과도한 자위행위, 손톱물어뜯기, 코파기, 엄지손가락빨기 등의 습관이 있는 경우 적용한다.
- 과다활동을 수반하지 않은 주의력 결핍장애
- 과다자위행위
- 손톱씹기
- 코파기
- 엄지손가락빨기

상병명 F코드는 모두, G코드는 G9X만 빼고 전부 만성상병에 해당한다. 환자가 3개월 이내 내원 시 초진으로 청구 시 삭감되니 F코드를 적용할 시 초·재진도 고려를 해야 하니 주의를 요한다.
[내과의사 김종률 - 만성상병과 초·재진 착오 사례 참고]

5 신경계통의 질환 (G00-G99)

Diseases of the nervous system (G00-G99)

우발적 및 발작적 장애 (G40-G47)

[G47] 수면장애

제외 악몽 (F51.5)
비기질성 수면장애 (F51-)
수면야경증 (F51.4)
몽유병 (F51.3)

G47.0 수면 개시 및 유지 장애 [불면증]
G47.1 과다수면장애 [과다수면]
G47.3 수면무호흡
G47.4 발작수면 및 허탈발작
G47.8 기타 수면장애
G47.9 상세불명의 수면장애

자녀 스스로 수면무호흡 알아채기 힘들어 부모 확인 필수...

건강보험심사평가원 5년간(2012~2016년) 자료에 따르면, 수면무호흡증(질병코드 G473)으로 진료를 본 환자의 6%(8,252명)는 0~19세인 것으로 나타났다. 이 연령대가 전체 환자에서 차지하는 비중은 작지만, 수면무호흡증으로 인한 성장 결핍이 평생에 걸쳐 영향을 미칠 수 있으므로 어느 연령대보다 눈여겨봐야 한다.

이에 대해 강동경희대치과병원 보철과 안수진 교수는 "코골이를 동반한 수면무호흡증은 잠을 자는 동안 몸속에 산소가 적게 들어와 신체 여러 장기에 나쁜 영향을 주고 특히 많은 산소를 필요로 하는 뇌에 치명적인 영향을 준다"며 "자녀 스스로 수면무호흡을 알아채는 경우는 드물기 때문에 자녀의 수면 양상을 유심히 살펴 10초 이상 숨을 쉬지 않거나 심하게 코골이를 하는 경우는 수면무호흡을 의심해 지체 없이 진료를 봐야 한다"고 밝혔다.

아동의 경우는 아데노이드, 편도 비대가 많아 이비인후과에서 수술적 제거를 하게 되며, 상악골이나 하악골의 골격적인 문제일 때는 치과에서 교정치료를 한다.

청소년기에는 혀가 눌러서 발생하는 경우가 많아 마우스피스처럼 생긴 구강내 장치 치료나 양압기 치료로 개선의 효과를 기대할 수 있다. 입안에 끼고 자는 구강내 장치는 초반에 적응 기간이 필요하지만 2주 정도 지나면 큰 불편함 없이 착용할 수 있다. 양압기 치료나 수술 요법에 비해 불편함과 부담이 적은 것이 장점이다.

안수진 교수는 "성장기에 있어 수면무호흡 치료는 빠르면 빠를수록 좋기에 전문의와 상담을 통해 알맞은 치료법을 찾는 것이 필요하다"며 "치료법 중 하나인 구강내 장치는 전반적인 구강 건강, 턱관절, 교합 그리고 구강내 해부학적 구조물과 관련이 있으므로 치과에서 전문적으로 제작해야 합병증을 예방하고 상황별 조정과 대처가 가능하다"고 강조했다.

[메디팜뉴스 2017.07.11]

구강내 장치는 대부분이 비급여 대상이다. 장치를 제작·장착한 경우가 아니고, 수면무호흡으로 구강내 검진 및 상담을 받았다면 G47.3으로 [기본진료]로 청구 가능하다.

신경, 신경뿌리 및 신경총 장애 (G50-G59)

제외 현존 외상성 신경, 신경뿌리 및 신경총 장애 - 신체 부위에 의한 신경손상을 참조
신경통 NOS (M79.2), 신경염 NOS (M79.2), 임신중의 말초신경염 (O26.8), 척수신경뿌리염 NOS (M54.1)

[G50] 삼차신경의 장애 (Disorders of trigeminal nerve)

포함 제5뇌신경의 장애 (disorders of 5th cranial nerve)

G50.0 삼차신경통 (Trigeminal neuralgia)
발작성 안면통증증후군, 통증틱
G50.1 비전형안면통증
G50.8 삼차신경의 기타 장애
G50.9 상세불명의 삼차신경장애

삼차신경에 문제로 인한 삼차신경관련 통증이나 장애를 호소하는 경우 적용 가능한 상병명이다.

삼차신경통의 증상 및 치료

- 날카로운 송곳이나 칼로 찌르는 듯한 심한 통증이 강한 전기가 통하는 것처럼 갑자기 나타나서 수 초 내에, 길어도 2분 내에 사라지며 반복적으로 나타난다.
- 통증은 저절로 나타나기도 하고 말을 하거나 음식을 씹을 때 유발되기도 한다. 또한 얼굴의 어느 부분을 건드리면 통증이 유발되기도 하는데 이 부분을 통증 유발점이라고 한다. 이 유발점은 대개 안면 중앙부에 위치하며, 실제 통증 부위와 전혀 다른 위치에 있는 경우도 있다.
- 음식을 먹을 때, 입을 크게 벌릴 때 또는 양치질을 할 때 통증이 유발되며, 대개 예리한 송곳으로 얼굴을 찌르거나 전기에 감전된 것 같은 양상의 통증을 호소한다.
- 삼차신경통의 치료에는 항경련제인 카바마제핀(carbamazepine)이 가장 효과적인 약물로 알려져 있다. 효과가 없거나 부작용이 심한 경우에는 다른 종류의 항경련제(gabapentin, phenytoin, oxycarbazepine, lamotrigine, topiramate)를 사용할 수도 있다.
- 약물 치료는 약 75% 정도의 환자에서만 도움이 되며 졸음, 인지기능 장애, 골수 억제, 간기능 장애 등의 부작용이 있을 수 있으며 약물치료를 지속하면서 약물에 불응하게 되는 경우가 적지 않게 발생한다. 약물 치료가 실패하거나 약물의 부작용이 심하면, 수술적 치료방법을 고려할 수 있다.

뉴론틴 처방 방법 / 용법

뉴론틴 처방 상병 : 「S04.3 삼차신경의 손상」, 「S04.5 안면신경의 손상」

성인 (18세 이상) : 유지 용량을 가바펜틴으로서 900 mg/day로 하기 위한 단계적 적정을 투여의 처음 3일에 걸쳐 다음과 같이 시행한다.

- 첫째날 : 이 약 300 mg 캡슐을 1일 1회 혹은 이 약 100 mg 1캡슐을 1일 3회 투여(가바펜틴 300 mg/day)
- 둘째날 : 이 약 300 mg 캡슐을 1일 2회 혹은 이 약 100 mg 2캡슐을 1일 3회 투여(가바펜틴 600 mg/day)
- 셋째날부터 : 이 약 300 mg 캡슐을 1일 3회 투여 혹은 이 약 100 mg 3캡슐을 1일 3회 투여(가바펜틴 900 mg/day) 혹은 위의 방법 외에 시작용량으로 이 약 300 mg 1캡슐을 1일 3회 투여할 수도 있다(가바펜틴 900 mg/day). 필요시 일주일 내에 가바펜틴으로서 1,800 mg/day까지 증량할 수 있으며 1일 총투여량은 가바펜틴으로서 3,600 mg을 초과할 수 없다. 이 약 투여시 1일 총 투여량은 3회로 나누어 투여해야 한다.

* 신경이 손상되었을 때는 기본적으로 미약한 부종만으로도 신경에 압박을 줄 수 있으므로 스테로이드를 먼저 쓰는 것이 일반적이다. 또한 비타민 B12도 신경회복에 도움이 된다고 알려져 있지만, 아직 기전이 밝혀진 건 아닌 듯하다. 시기는 환자마다 케이스마다 조금씩 달라서 직접적으로 언제다 라고 얘기하기 힘들다고 생각한다. 뉴론틴 처방 여부는 아직도 논쟁이 심하지만, 필자는 굳이 처방할 필요가 있을까 하는 생각이다. 어쨌든 이러한 신경손상에 대한 처방이 필요한가에 대한 전반적인 의견을 묻는다면 필자는 처방을 하라고 하는 편이다. 나중에 환자와 분쟁이 생겼을 때 최선을 다했는지 여부가 중요한 쟁점이 될 수 있기 때문이다.

뒤에 S 신경손상 파트에 자세히 설명되어 있으니 참고하길 바란다.

6 호흡계통의 질환 (J00-J99)

Diseases of th respiratory system (J00-J99)

급성 상기도감염 (J00-J06) Acute upper respiratory infections

[J01] 급성 부비동염 (Acute sinusitis)

포함 (부, 비)동의 급성 농양, 축농증, 감염, 염증, 화농

감염원 분류를 원한다면 부가 분류번호(B95~B98)를 사용할 것.

제외 부비동염, 만성 또는 NOS (J32.~)

주 : 다음 5단위 세분류는 부비동염의 재발여부를 표기하기 위해 J01.0~J01.9에 사용한다.

● 0 재발성으로 명시되어 있지 않은

● 1 재발성

J01.0 급성 상악동염 (Acute maxillary sinusitis)

급성 부비동염 Acute antritis

J01.00 재발의 언급이 없는 급성 상악동염, 재발의 언급이 없는 급성 부비동염

J01.01 재발의 언급이 없는 급성 상악동염, 재발의 언급이 없는 급성 부비동염

발성 급성 상악동염, 재발성 급성 부비동염

: 급성 상악동염 시 적용한다. 개인치과의원에서 사용하는 경우는 거의 없다.

[J32] 만성 부비동염 (chronic sinusitis)

포함 (부, 비)동의 농양, 축농, 감염, 화농

감염체 분류를 원한다면 부가분류번호(B95-B98)를 사용할 것.

제외 급성 부비동염(J01.-)

J32.0 만성 상악동염 (Chronic maxillary sinusitis)

부비동염(만성) Antritis (chronic)

상악동염 NOS Maxillary sinusitis NOS

▶ 상악동염

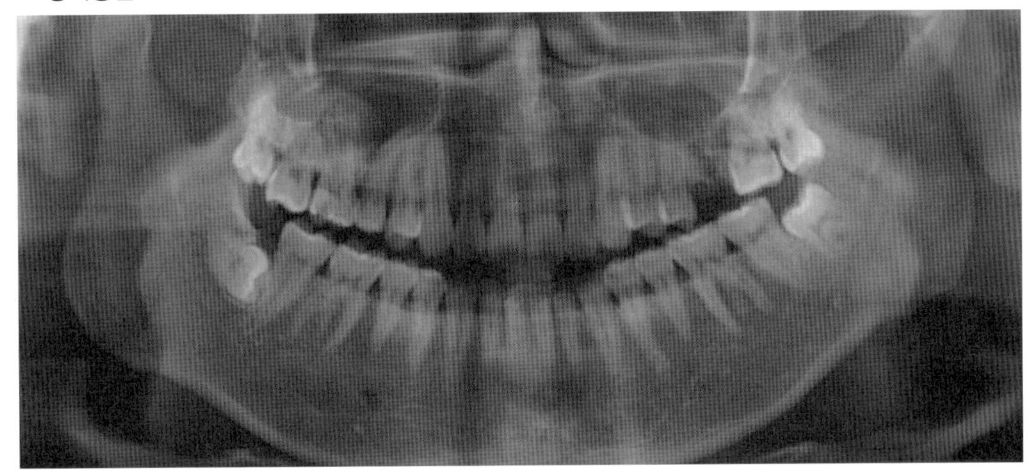

▶ 상악동염 2(낭종) 2012년 5월

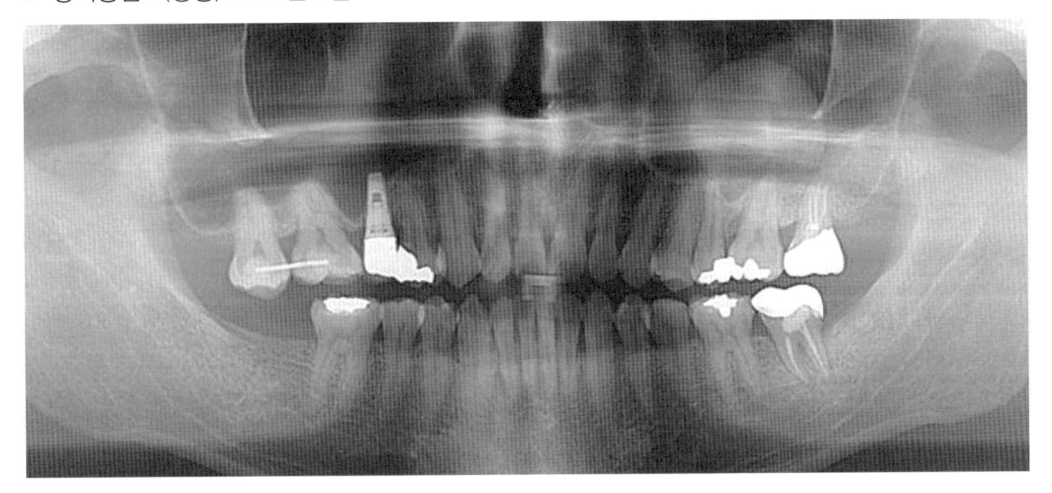

▶ 2008년 4월

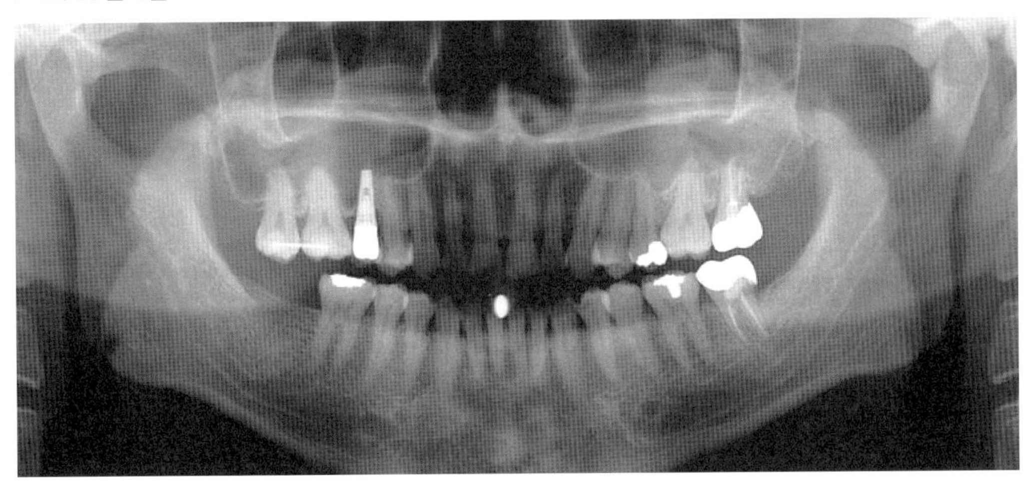

발치 후 치근단의 염증성병변이나 육아종, 종양, 만성상악동염 등에 의한 골조직의 파괴와 해부학으로 치근이 상악동에 인접되어 있는 경우 자연스런 폐쇄가 안 되어 상악동과 구강이 개통되어 있는 상태인 경우가 있다. 이로 인하여 만성상악동염, 창상의 지연, 화농형성과 이에 따른 골조직 괴, 안면부 종창, 유동식 섭취장애, 불쾌한 냄새 등이 날 수 있다.

☆ 관련 보험진료 행위

차-62 구강상악동누공폐쇄술

		상대가치점수	진료비
U4621	가. 구강상악동누공폐쇄술(전진피판이용)	685.31	59,900원
U4622	나. 구강상악동누공폐쇄술(유경피판이용)	929.26	81,220원

가. 전진피판이용

협측 치은점막조직의 피판을 형성한 다음 구강상악동 누공쪽으로 이동시켜 구강상악동 누공을 폐쇄하는 술식

나. 유경피판이용

이 술식은 axial pattern의 flap을 이용한 것으로 구개측에서 영양혈관인 구개동맥을 포함하는 피판을 누공의 크기에 맞추어 형성한 다음 피판을 누공부위로 이동시켜 누공을 폐쇄하는 술식으로 도서형 피판을 형성하여 구개측 잔존점막 하방으로 통과시켜 폐쇄하는 변형법 등도 시행하고 있다.

1. 창상보호 육아 형성을 촉진하는 마개(Plug) 형태의 치료재료(Teruplug, Ateloplug, Rapiderm Plug)는 다음과 같은 발치의 경우에 요양급여를 인정함.

- 다 음 -

가. 혈액질환 등으로 인한 환자의 발치 후 치유부전이 예상되는 경우
나. 발치 후 출혈이 계속될 경우
다. 구강 상악동 누공

2. 상기 1항의 급여대상 이외 사용한 치료재료비용은 「선별급여 지정 및 실시 등에 관한 기준」에 따라 본인부담률을 80%로 적용함(고시 제2017-152호, '17.09.01. 시행).

▶ J32.0 만성 상악동염

진료구분	재진
처치순번	1 2
진료의사	김영삼
상 병 명	[J32.0] 만성 상악동염 주상병
내역설명	상악동누공폐쇄술 시행

구분	진료항목	회	일	금액
행위	구강상악동누공폐쇄술(전진피판이용)	1	1	59,900
행위	전달마취(가) - 후상치조신경블록크	1	1	3,610
약재	리도카인(1:10만)(광명)	2	1	712
행위	의약품관리료 1일분 (의원)	1	1	200
행위	파노라마 촬영판독	1	1	11,320
재료	TERUPLUG[M SIZE 15x25](한국테...	1	1	38,700

수납 | 총진료비: 135,310원 본인부담금: 40,500원

상악동염과 연계하여 진단하기 위한 방사선 촬영 및 원외 처방전 산정은 가능하다.
최근에는 상악동염으로 이비인후과나 치과에서 원외처방 시 아모크라, 슈다페드정을 제일 많이 쓴다.
실제로 화농성이 아니면 이비인후과적으로 거의 고려하지 않는다.

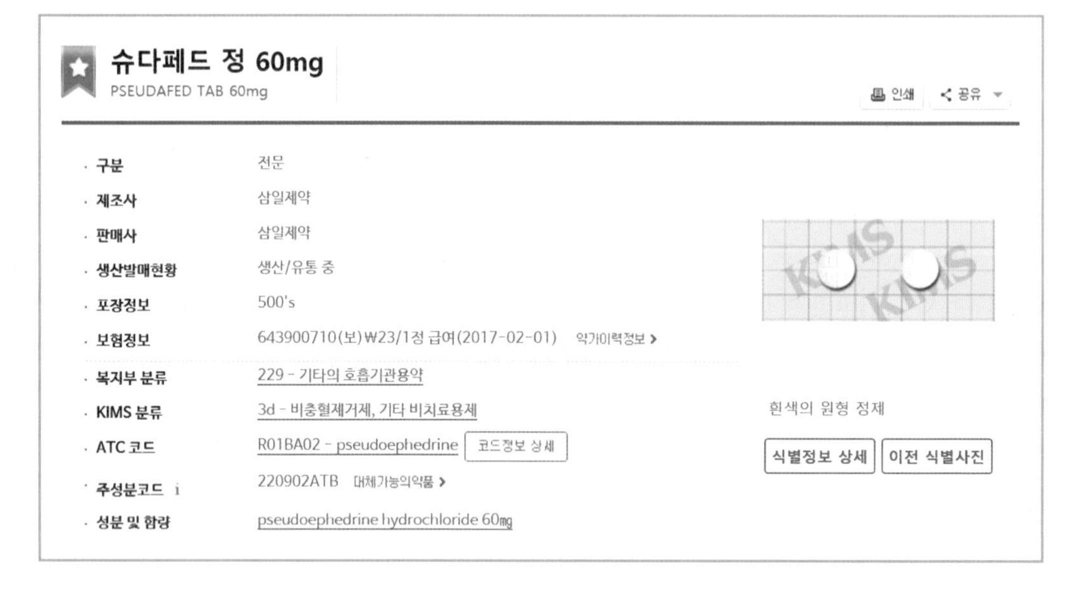

슈다페드 정 60mg
PSEUDAFED TAB 60mg

인쇄 공유

구분	전문
제조사	삼일제약
판매사	삼일제약
생산발매현황	생산/유통 중
포장정보	500's
보험정보	643900710(보)₩23/1정 급여(2017-02-01) 약가이력정보 ›
복지부 분류	229 - 기타의 호흡기관용약
KIMS 분류	3d - 비충혈제거제, 기타 비치료용제
ATC 코드	R01BA02 - pseudoephedrine 코드정보 상세
주성분코드	220902ATB 대체가능의약품 ›
성분 및 함량	pseudoephedrine hydrochloride 60mg

흰색의 원형 정제

식별정보 상세 이전 식별사진

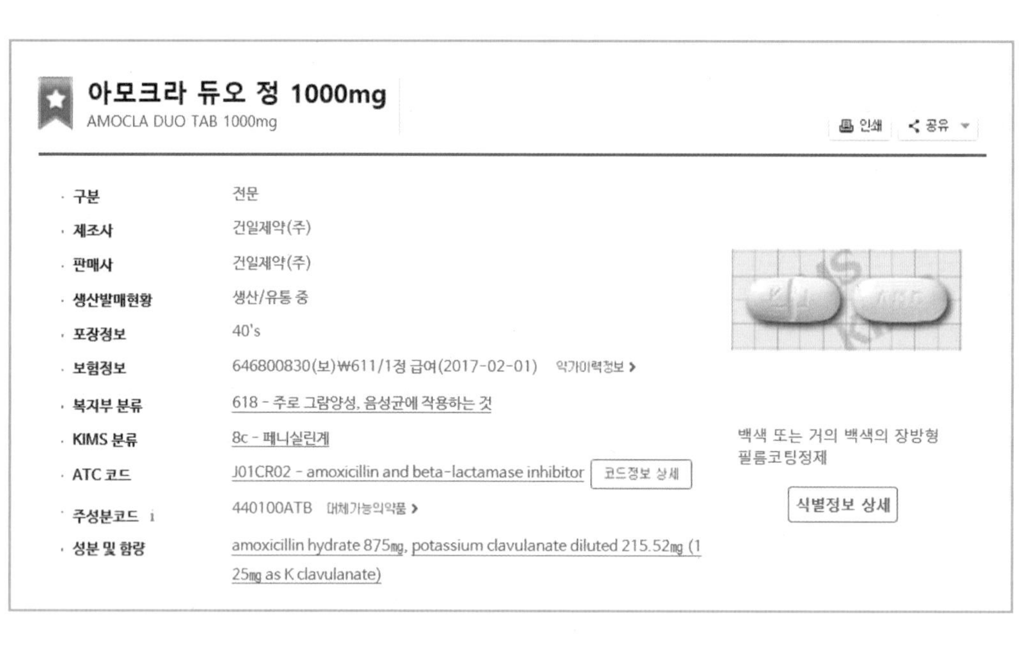

아모크라 듀오 정 1000mg
AMOCLA DUO TAB 1000mg

인쇄 공유

구분	전문
제조사	건일제약(주)
판매사	건일제약(주)
생산발매현황	생산/유통 중
포장정보	40's
보험정보	646800830(보)₩611/1정 급여(2017-02-01) 약가이력정보 ›
복지부 분류	618 - 주로 그람양성, 음성균에 작용하는 것
KIMS 분류	8c - 페니실린계
ATC 코드	J01CR02 - amoxicillin and beta-lactamase inhibitor 코드정보 상세
주성분코드	440100ATB 대체가능의약품 ›
성분 및 함량	amoxicillin hydrate 875mg, potassium clavulanate diluted 215.52mg (125mg as K clavulanate)

백색 또는 거의 백색의 장방형 필름코팅정제

식별정보 상세

아모크라정 효능/효과

1. 유효균종

*황색포도구균, *표피포도구균, 스트렙토콕쿠스 피오게네스(그룹 A-베타용혈성), 폐렴연쇄구균, 스트렙토콕쿠스 비리단스, 엔테로콕쿠스 파이칼리스, 코리네박테륨, 탄저균, 리스테리아 모노사이토제니스, 클로스트리듐, 펩토구균, 펩토연쇄구균, *대장균, *프로테우스 미라빌리스, *프로테우스 불가리스, *클레브시엘라, *살모넬라, *시겔라, 보르데텔라 백일해, *예르시니아 엔테로콜리티카, 부루셀라, 수막염균, *임균, *모락셀라 카타랄리스, *인플루엔자균, *연성하감균, 동물 파스퇴렐라증 병원균, 공장캄필로박터, 콜레라균, *박테로이드(박테로이디즈 프라길리스 포함)

(* : 암피실린 및 아목시실린에 내성이 있는 베타락타마제 생성균주 포함)

2. 적응증

- 급·만성 기관지염, 대엽성 및 기관지 폐렴, 농흉, 폐농양, 편도염, 부비동염, 중이염
- 방광염, 요도염, 신우신염
- 패혈성유산, 산욕기 패혈증, 골반감염, 연성하감, 임질
- 종기 및 농양, 연조직염, 상처감염
- 복막염
- 골수염
- 패혈증, 복부내 패혈증
- 치과 감염

3. 용법 / 용량

〈125 / 62.5 mg, 250 / 125 mg, 500 / 125 mg 정제〉

성인 및 12세 이상 또는 체중 40 Kg 이상 소아 : 아목시실린의 양으로서 1회 250 mg, 1일 3회 8시간마다 경구투여하며 중증 및 호흡기 감염 시 아목시실린의 양으로서 1회 500 mg으로 증량할 수 있다.

▶ 필자의 수술 전, 후 사진

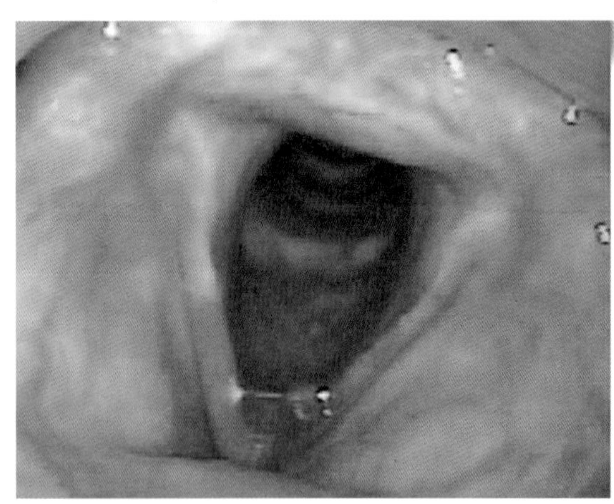

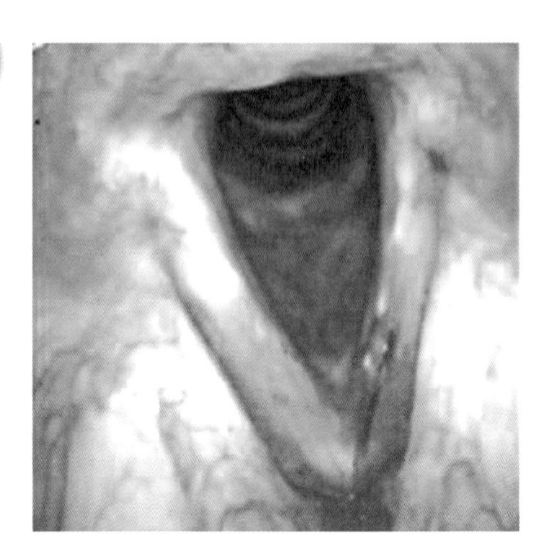

처방전을 받아보니 호흡기 상병 「J38.1 성대 및 후두의 폴립」으로 들어가 있었다. 재밌어서 올려본다.^^

소화계통의 질환 (K00-K93)

Diseases of the digestive system (K00-K93)

7

대분류	중분류	소분류
XI. 소화계통의 질환 (K00~K93)	K00	치아의 발육 및 맹출장애
	K01	매몰치 및 매복치
	K02	치아우식
	K03	치아경조직의 기타 질환
	K04	치수 및 근단주위조직의 질환
	K05	치은염 및 치주질환
	K06	잇몸 및 무치성 치조융기의 기타 장애
	K07	치아얼굴이상[부정교합포함]
	K08	치아 및 지지구조의 기타 장애
	K09	달리 분류되지 않은 구강영역의 낭
	K10	턱의 기타 질환
	K11	침샘의 질환
	K12	구내염 및 관련 병변
	K13	입술 및 구강점막의 기타 질환
	K14	혀의 질환

소화계통은 K00~K93으로 분류되어 있다.

치과쪽에서는 「구강, 침샘 및 턱의 질환」으로 분리된 [K00부터 14]까지 주로 사용하는 상병명이기 때문에 잘 알아두도록 하자.

소화기계통이라 입으로 시작해서 항문으로 끝날 것 같지만 소화계통의 끝에 해당되는 [K80~87은 담낭 담도 및 췌장의 장애]이 [K90~93은 소화계통의 기타질환]에 해당된다.

치질은 [장의 기타질환(K55~K64)]으로 구분되어 있다.

치아파절을 외상(S상병)으로 구분하지 소화기 상병으로 구분하지 않는 것처럼 구강신생물도 소화기가 아닌 신생물(D상병)로 구분을 하는 것도 있으니, K상병 외에도 관심은 가져야겠다.

※ 국제질병분류 (IDC)와 국내 고유코드를 구분하기 위해 고유코드 앞에 '●' 표기

구강, 침샘 및 턱의 질환 (K00-K14)

[K00] 치아의 발육 및 맹출(이돋이)장애 (Disorders of tooth development and eruption)

제외 매몰치 및 매복치 (K01.-)

●K00.00 부분무치증[치아결핍][회치증] Partial anodontia[hypodontia][oligodontia]

●K00.01 완전무치증 Total anodontia

●K00.09 상세불명의 무치증

- 이 상병은 2011년 1월 1일부터 세분화 되었다. [K00.0 무치증] 상병은 불완전 상병이므로 그 아래의 세 가지 중에 해당되는 상병으로 적용하면 된다.
- 완전무치증은 매우 드물고, 대부분은 [K00.00 부분 무치증]이 적용된다.
- 무치증은 발치나 탈락, 매복 등에 의한 결손이 아닌 치배의 결여(아예 치아 싹이 없는 것)에 의한 선천적으로 치아가 결손된 상태를 말한다. 육안으로는 확인이 안 되는 경우가 많으므로, 이를 확인하기 위해서 표준촬영이나 파노라마촬영이 필요하므로 청구 시 적용 가능하다.
- 일반적으로 상악 측절치와 소구치, 하악 소구치 등에서 많이 발생하며, 특이한 경우는 여러 개의 치아 또는 전체 치아가 결손되는 경우도 있다. 사랑니가 선천적으로 결손되어 있는 경우에도 적용 가능하다.
- 한 개 또는 그 이상의 치아가 선천적으로 결손된 경우로 비교적 흔히 볼 수 있다. 영구치에서는 제3대구치 〉 상하악 제2소구치 〉 상악 측절치 순으로 나타난다. 유치에서는 하악 절치부에서 주로 나타난다.

▶ 하악 제2소구치 결손

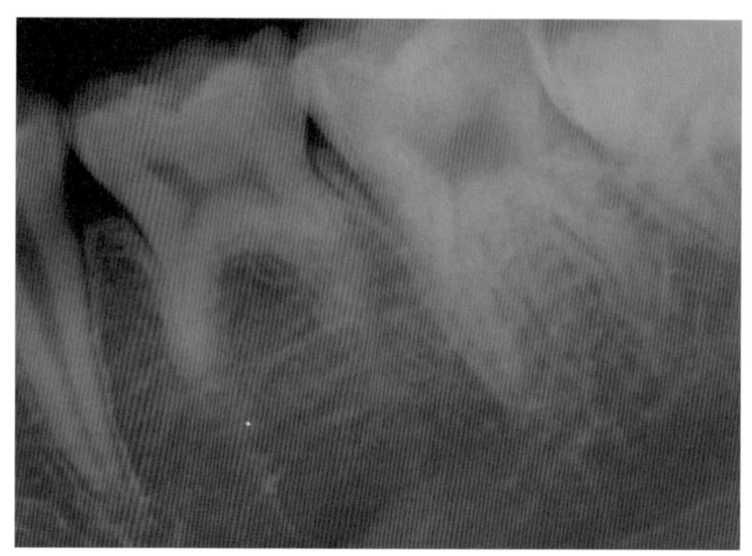

▶ 하악 절치의 결손

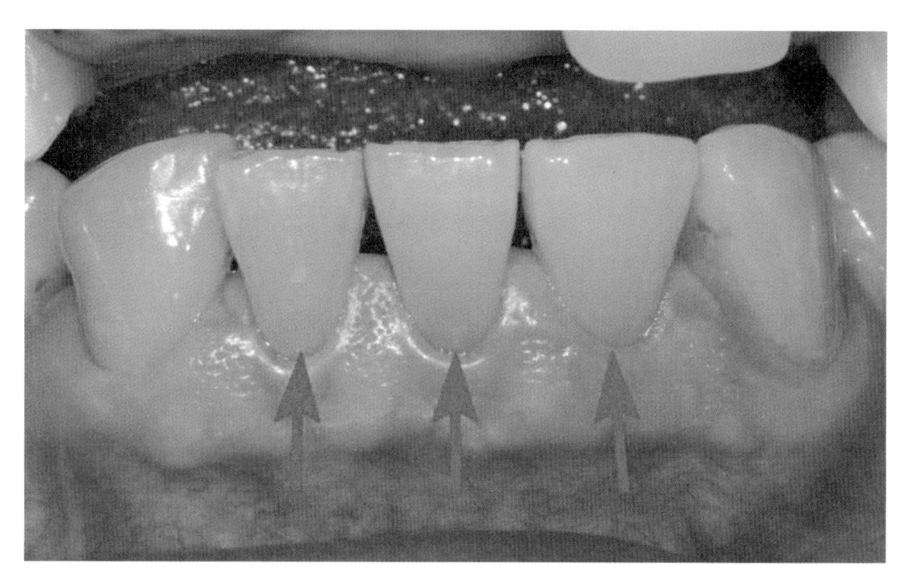

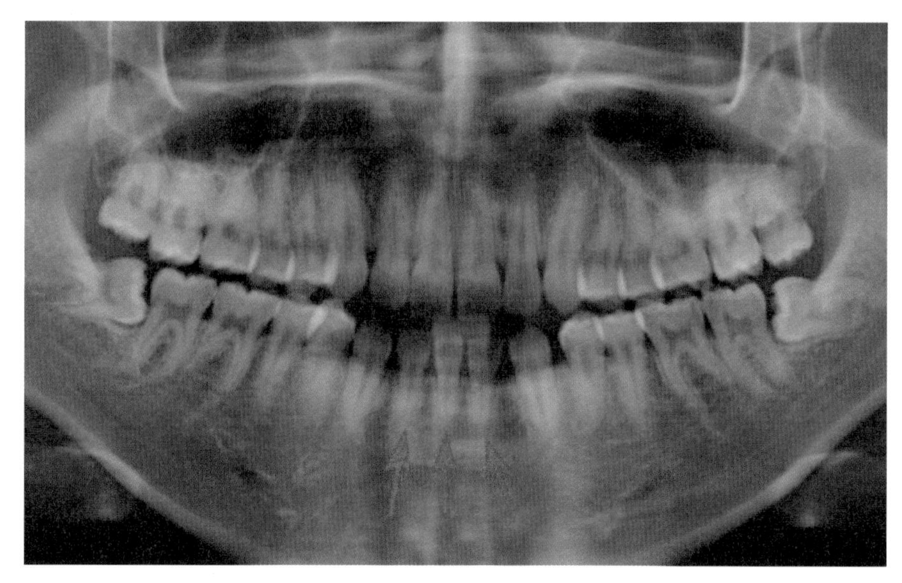

파노라마 찍고 치근단촬영도 같이 할 수 있다.

파노라마 산정기준이 치근단촬영으로 진단이 안 되기 때문에 파노라마 촬영을 하는 것이다.

금액도 늘고 환자에게 보여 줌으로 신뢰도와 알권리를 충족시켜 줄 수 있다.

다만 파노라마 촬영 후 그에 대한 치료 이행률이 중요한데 상담 밖에 해줄 것이 없으므로 내역설명을 넣어 주는 것을 추천한다. 또한 현 임상에서는 반대로 파노라마를 찍고 치근단촬영을 할 경우가 많은데, 치근단 촬영을 먼저 하고 추가적인 진단이 필요한 경우 파노라마를 찍는 것이 원칙이다.

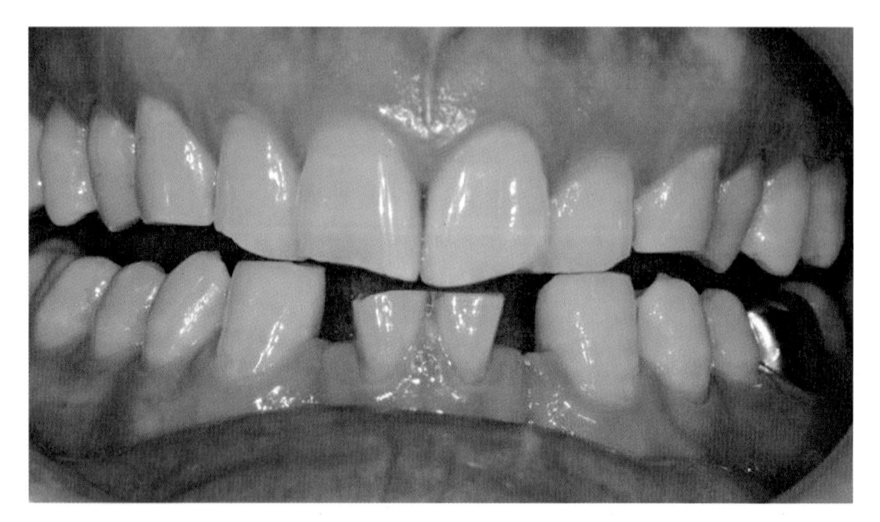

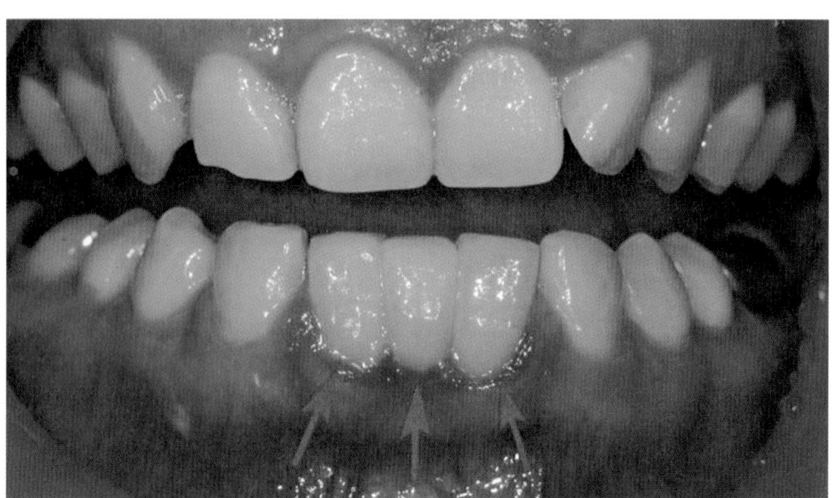

진료구분	초진
처치순번	1 2
진료의사	김영삼
상 병 명	[K00.00] 부분무치증[저치증][회치증] 주상병
내역설명	후속 영구치 확인차 촬영

구분	진료항목	회	일	금액
☑ 행위	파노라마 촬영판독	1	1	11,320

수납 | 총진료비: 27,570원 | 본인부담금: 8,200원

진료구분	초진
처치순번	1 2
진료의사	김영삼
상 병 명	[K00.00] 부분무치증[저치증][회치증] 주상병
내역설명	후속 영구치 확인차 촬영

구분	진료항목	회	일	금액
☑ 행위	치근단 촬영판독	1	1	3,540
☑ 행위	파노라마 촬영판독	1	1	11,320

수납 | 총진료비: 31,640원 | 본인부담금: 9,400원

K00.1 과잉치 (Supernumeray teeth)

포함 추가치

제외 매복추가치(K01.18)

● K00.10 절치 및 견치 부위의 과잉치

정중과잉치 Mesiodens

● K00.11 소구치 부위의 과잉치

● K00.12 대구치 부위의 과잉치

구후치 부위의 과잉치

제4대구치 부위의 과잉치

구방치(臼傍齒) 부위의 과잉치

● K00.19 상세불명의 과잉치

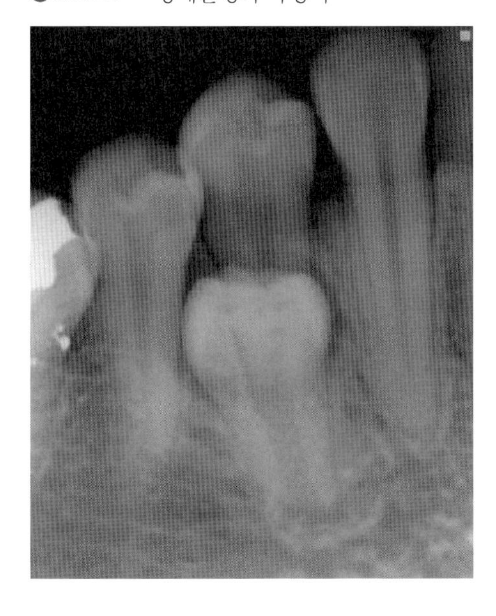

정상적인 치아 이외에 더 있는 치아로 보통 상악 중절치 사이에 생기는 정중치가 가장 흔한 형태이며, 소구치와 대구치 부분에도 생기나 드물다. 실제적으로 진단은 위치와 크기에 따라 이루어지며, 별 의미는 없다고 본다. 사랑니는 정상적인 치아로 간주하여 과잉치에 속하지 않는다.

과잉치의 확인을 위한 방사선촬영은 표준촬영과 파노라마촬영 모두 적용 가능하며, 모든 치료가 가능하나 일반적으로 발치의 상병명으로 많이 적용된다. 방사선 촬영 후 과잉치가 존재하지 않아도 과잉치 유무를 판단하기 위해 방사선촬영을 하였으면 청구 가능하다.

진료기록부에는 인접치아 두 개 사이에 과잉치아를 표시하지만, 프로그램 상에는 인접치아 한 개만 클릭한 후 상병명을 과잉치로 적용하면 되고, 내역설명까지 더해주면 좋다.(예 : 1^1 사이 과잉치 발치)

발치는 난이도 및 매복된 정도에 따라 해당 발치로 청구 가능하다.

●K00.10 절치 및 견치 부위의 과잉치

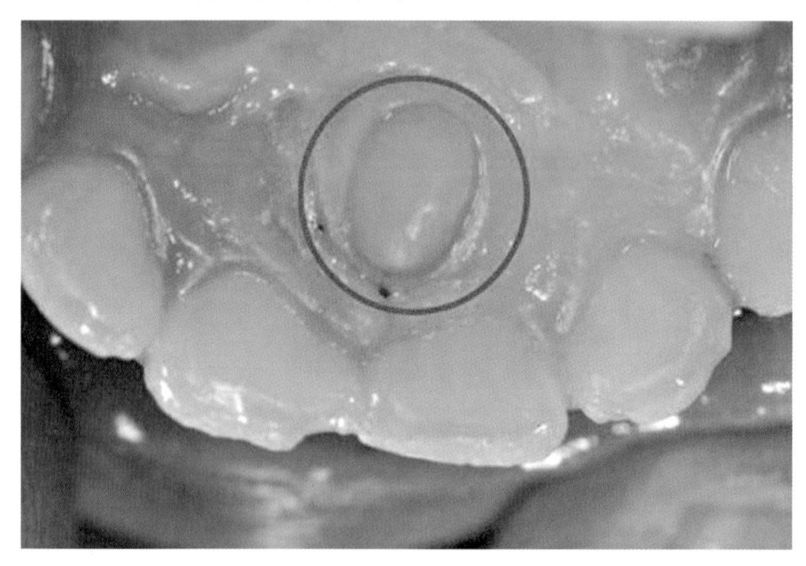

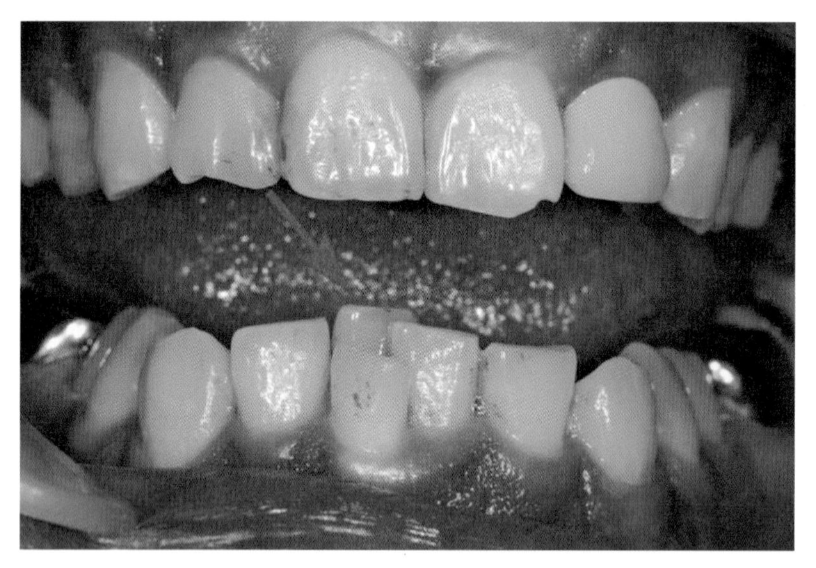

정중과잉치(Mesiodens)가 가장 대표적이며, 상악 중절치 사이에 난 치아로 보통 송곳 모양이다. 콘빔씨티(Cone Beam 전산화단층영상진단촬영)의 경우 파노라마상에서 하악 제3대구치 치근이 하치조관에 겹쳐(중요한 문구!! 근접이 아니라 겹친 경우에 산정 가능하다) 보이는 경우 산정 가능(가.일반)하고, 정중치의 경우는 인정되지 않았다. 그러나 지금은 완전매복된 정중치의 경우(나.3차원)는 콘빔씨티의 청구도 가능하다. 사실 너무나도 당연한 것이지만, 초창기에는 인정되지 않았었다. 최근 몇년 동안 콘빔씨티가 선별집중심사항목이라 심평원에서 예의주시하고 있으니, 청구 시 산정기준을 정확히 숙지하길 바란다. 그렇다고 소심청구하지 말고, 산정기준에 맞게 청구했음에도 불구하고 조정이 되었다면 '재심사조정청구'를 꼭 하길 바란다.

▶ 정중과잉치의 발치

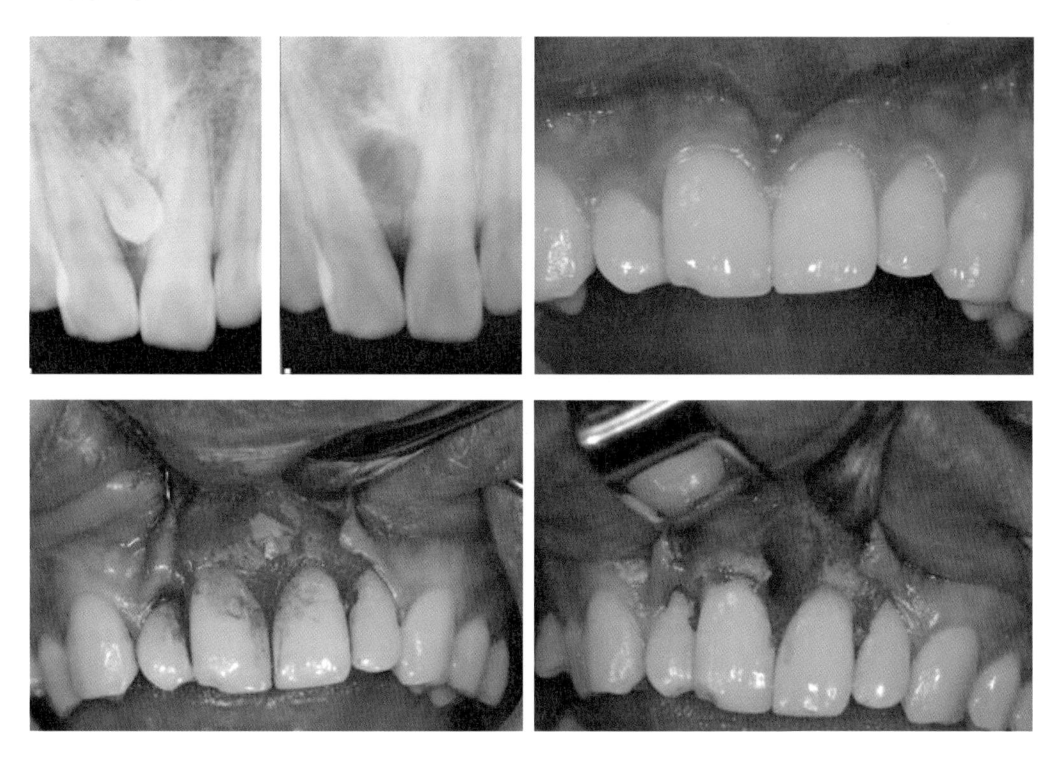

●K00.11 소구치 부위의 과잉치

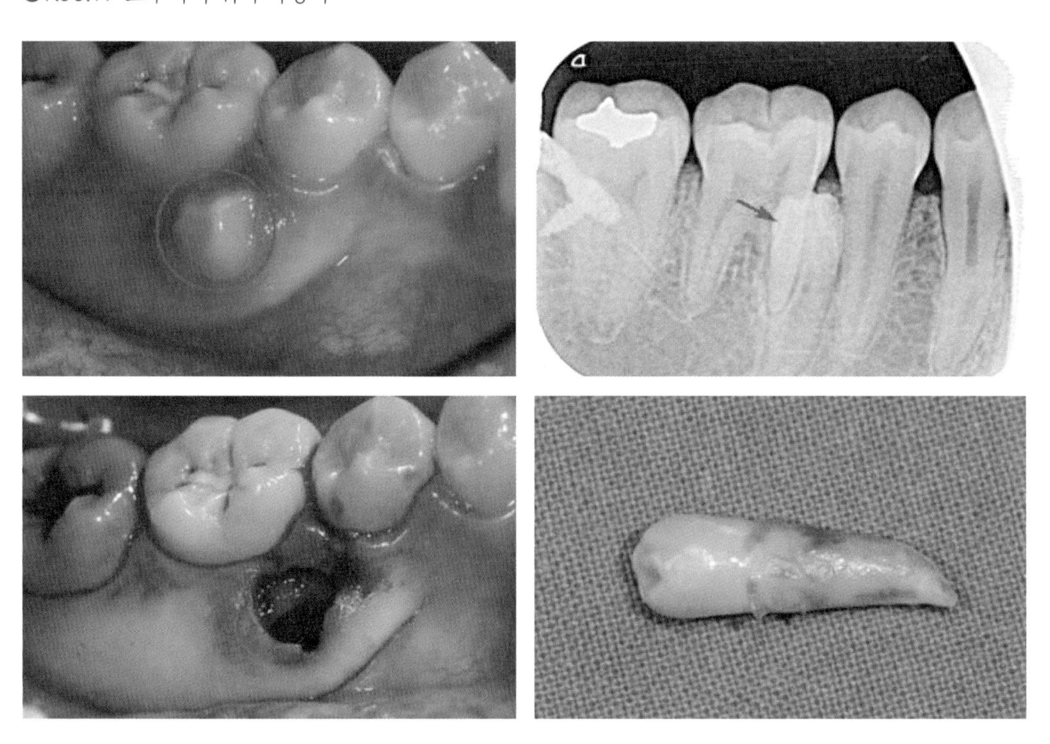

의외로 소구치 부위 과잉치가 존재하는 경우가 종종 있으며 모양 또한 소구치와 거의 비슷하다. 종종 소구치와 비슷하지 않고 작은 조각처럼 보이는 경우는 유치의 잔존치근일 가능성이 많으므로 구분해야 할 듯하다. 이렇게 소구치 주변에 존재하는 잔존치근을 제거할 때는 그대로 유치발치로 산정 가능하다.

▶ 상고정장치술이란?

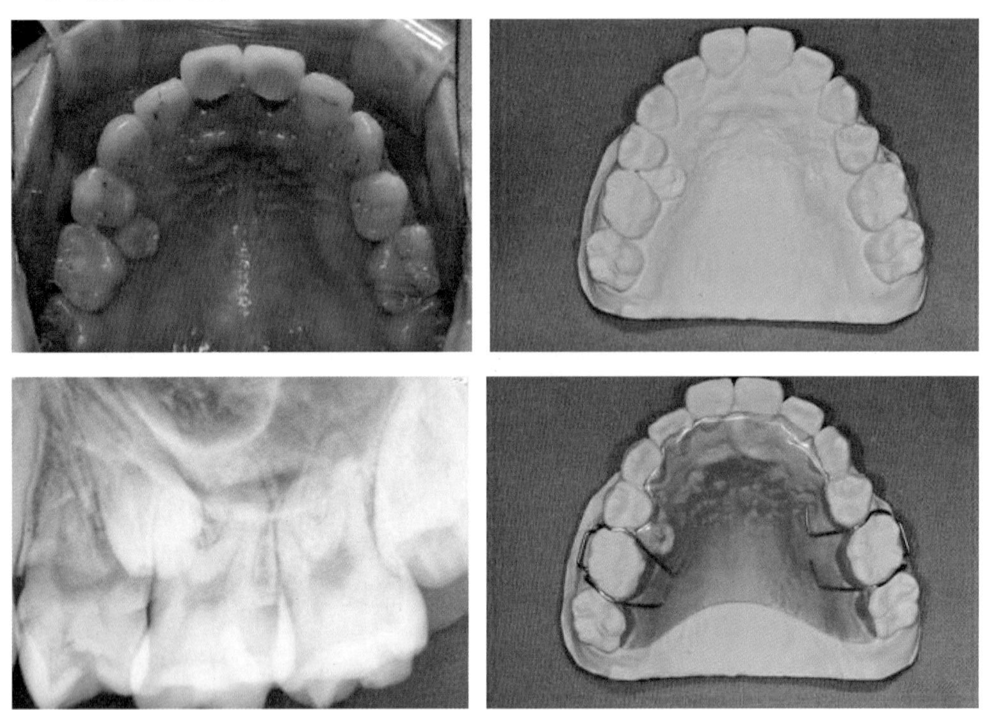

차-26 상고정장치술 (Splint/Obturator) 진료비 : 73,180원

원칙적으로는 연조직 창상의 지혈을 위하여 연조직의 압박이 필요하거나 동요치의 고정, 창상의 보호 등의 목적으로 사용하는 상부자를 의미한다. 그러나 통상적으로 정중치 등의 상악 과잉치 발치 시 또는 상악 구개부 연조직 박리 시 등 술후 부종을 막기 위해 장착해 주는 수술용 스플린트와 비슷한 용도로도 사용 된다.

- 장치물 제작비 등은 소정점수에 포함되어 있으므로 따로 산정할 수 없다.
- 장치를 장착한 날 청구 가능하다.
- 치은 이식의 경우에 공여부에서만 산정 가능하고, 수혜부에서는 잘 인정되지 않는다. 그러므로 지극히 드물지만, 하악에서 조직을 떼어내서 하악에 이식한 경우에는 거의 인정되지 않는다. 그냥 쉽게, 하악에서는 잘 인정되지 않고, 상악에서만 인정된다고 생각하는 것이 좋을 듯하다.

▶ 과잉치 발치 후 상고정장치 장착

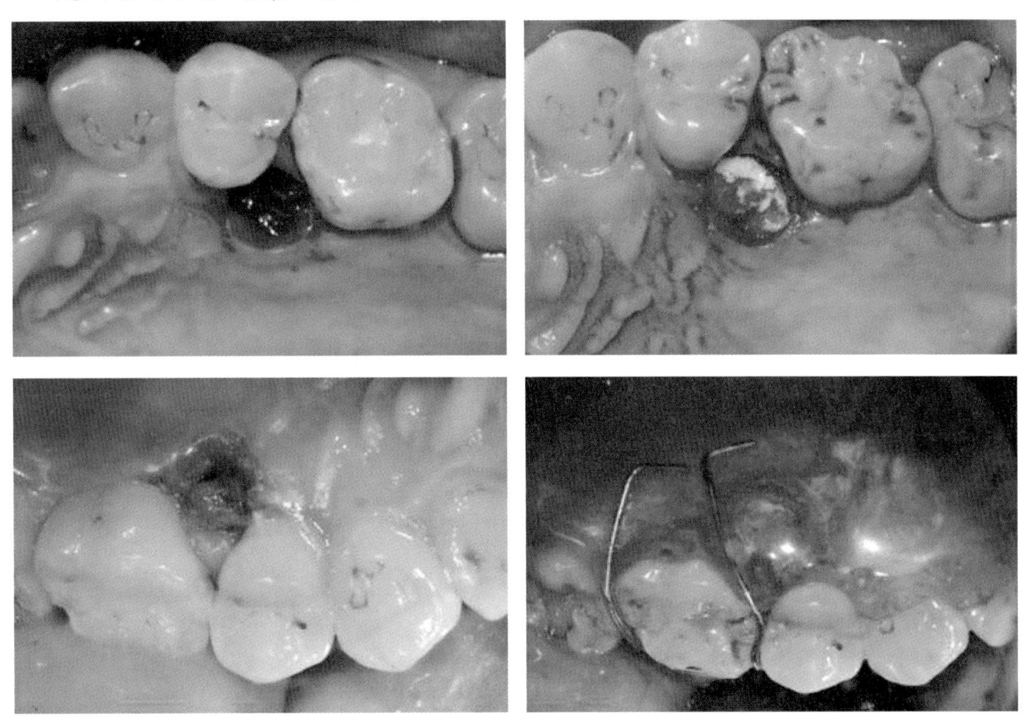

●K00.12 대구치 부위의 과잉치
구후치 부위의 과잉치
제4대구치 부위의 과잉치
구방치(臼傍齒) 부위의 과잉치

▶ 제4대구치와 소대구치의 과잉치

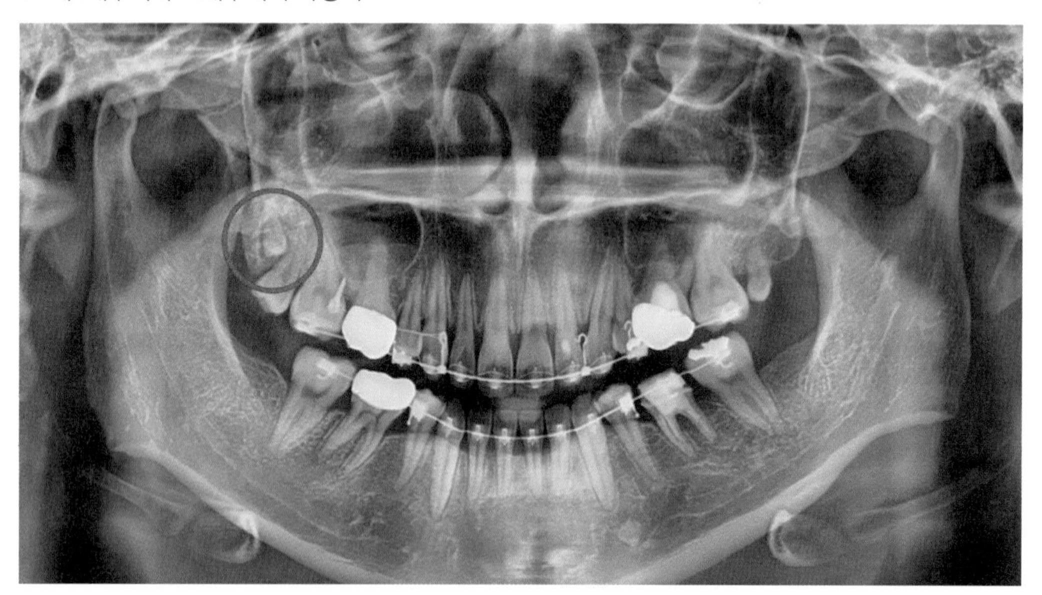

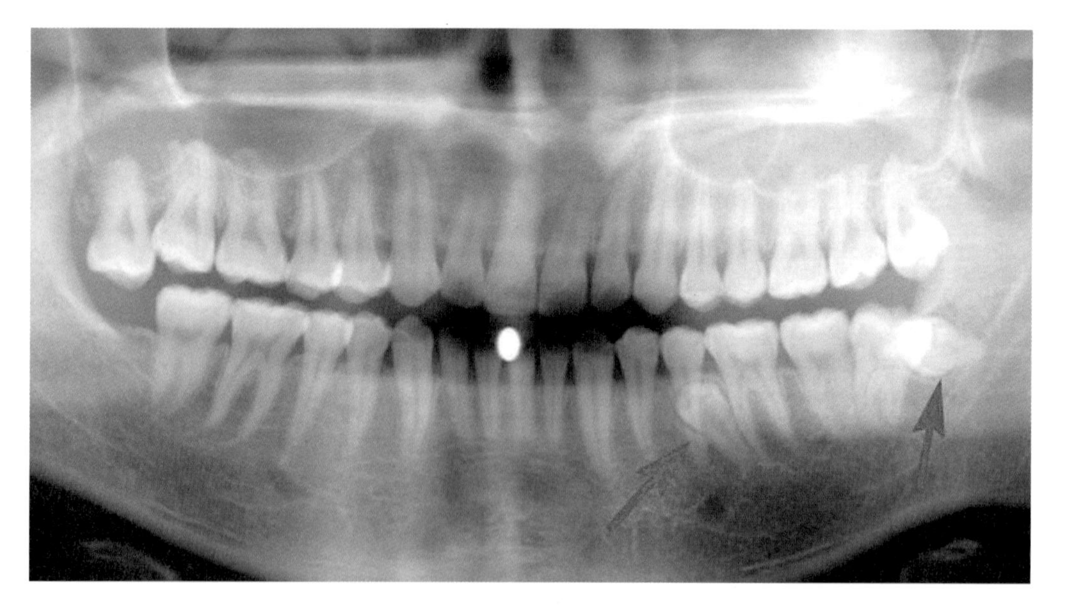

K00.12에 해당되는 모든 상병명(Distomolar, Fourth molar, Paramolar)은 같은 말이라고 보면 좋을 듯하다. 보통 대구치 주변에 맹출한 치아로 위치와 크기에 따라 분류하나 진단에는 그리 큰 의미는 없다고 본다. 특히 건강보험적인 측면으로는 모두 과잉치로 분류하면 될 듯하다.

K00.2 치아의 크기와 형태의 이상 (Abnormalities of size and form of teeth)

●K00.20 대치증 (Macrodontia)

●K00.21 왜소치 (Microdontia)

●K00.22 치아의 유착 (Concrescence of teeth)

●K00.23 치아의 유합 및 쌍생(Fusion and Gemination of teeth)

분열치 Schizodontia

유합치 Synodontia

●K00.24 치외치[교합면 이상결절] (Dens Evaginatus[occlusal tuberculum])

제외 정상변형으로 간주되어 분류하지 말아야 하는 카라벨리결절

●K00.25 치내치 [확장된 치아종] 및 절치이상

구개구 Palatal groove

정형(원추)치 Peg-shaped[conical] teeth

삽형치 Shovel-shaped incisors

T형절치 T-shaped incisors

●K00.26 소구치화 (Premolarization)

●K00.27 이상결절 및 에나멜진주 (Abnormal tubercula and enamel pearls)

제외 치외치[교합면 이상결절](K00.24)

정상변형이라 간주되어 분류하지 말아야 하는 카라벨리결절

●K00.28 우상치 (Taurodontism)

●K00.29 치아의 크기와 형태의 기타 및 상세불명의 의상

- 크기이상과 형태이상이 개별적으로 발생하기도 하지만, 두 가지가 동반되어 발생하기도 한다. 이 상병명에 적용 가능한 진단명별로 알아두되, 건강보험청구만 〈치아의 크기와 형태의 이상〉으로 적용하면 될 듯하다.
- 보통 진단을 위한 방사선 촬영은 대부분의 경우 적용 가능하다. 카라벨리 결절이라 하여 상악 대구치의 설측에 하나의 교두가 더 있는 경우가 있는데, 이는 치료상에 큰 의미가 없기 때문에 치아의 크기나 형태 이상 으로 보지 않는다. 정도가 심한 경우는 발치나 난발치의 상병명으로도 적용 가능하다.

●K00.20 대치증 (Macrodontia)

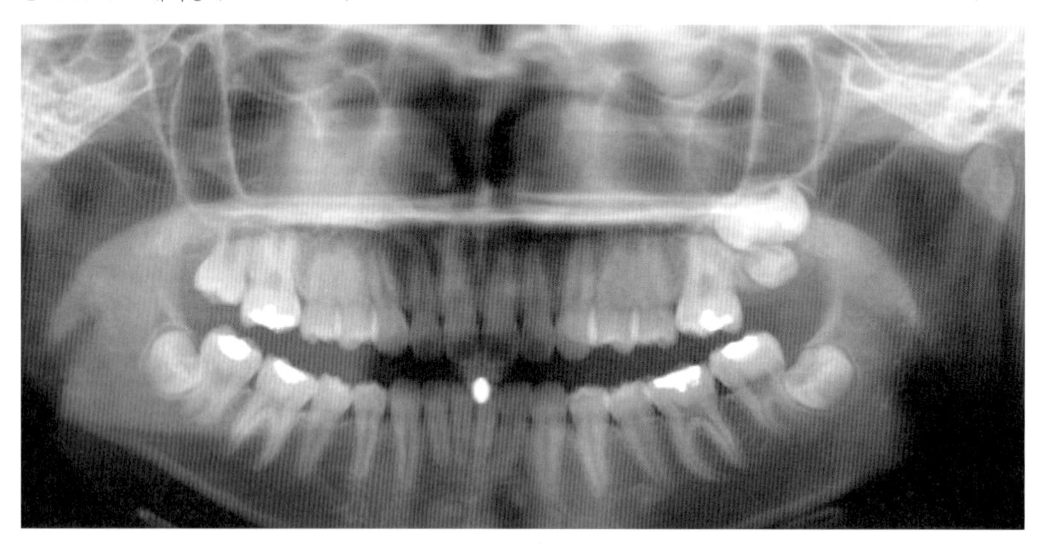

●K00.21 왜소치 (Microdontia)

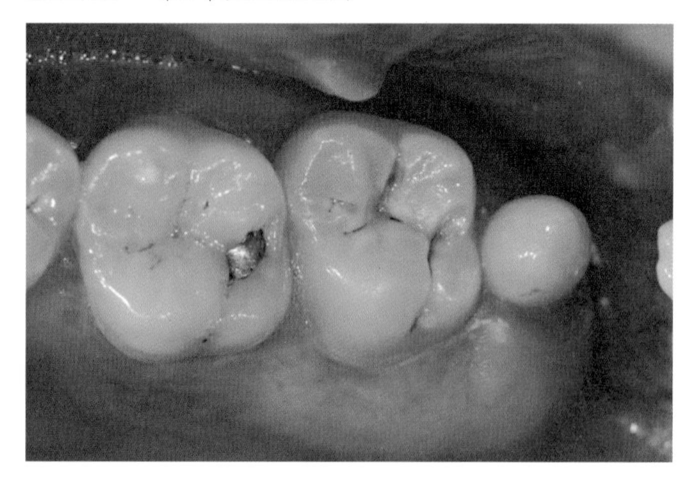

왜소치는 정상적인 치아보다 작은 경우로 주로 상악 측절치(peg lateralis)와 사랑니(주로 상악)에서 자주 나타난다. 상악 측절치의 왜소치의 경우 주로 보철적인 치료로 보험적인 내용과는 별 상관이 없는 경우가 많으며, 사랑니의 경우는 종종 발치의 상병명으로 사용되기도 한다.

●K00.22 치아의 유착 (Concrescence of teeth)

두 개의 치아가 치근이 완성된 후 외부적인 원인에 의해 치근면의 백악질만 붙은 경우로 치아의 개수는 정상이며, 두 치아의 치수는 완전 분리되어 있다. 상악 구치부에서 호발한다. 난발치의 상병명으로 적용 가능하며, 내역설명에 '유착치'라고 기입하면 된다.

●K00.23 치아의 유합 및 쌍생 (Fusion and Gemination of teeth)

- 분열치 (Schizodontia)
- 유합치 (Synodontia)

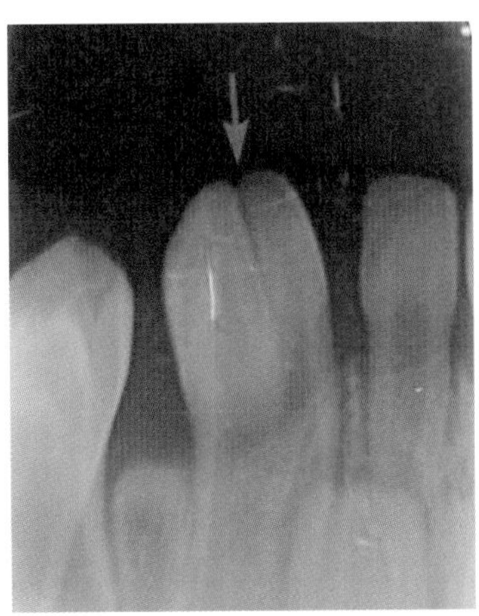

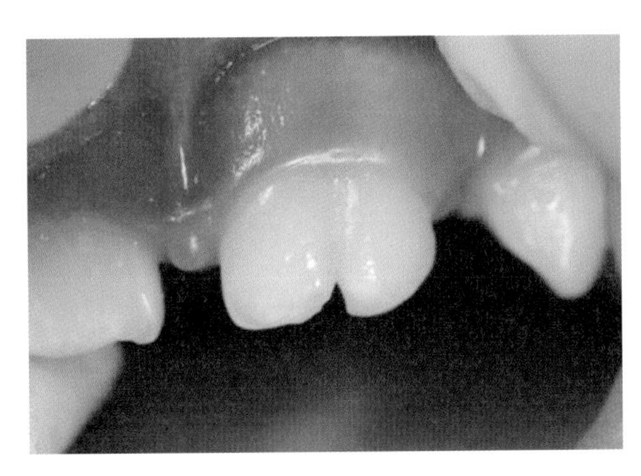

▶ 결손 및 융합치

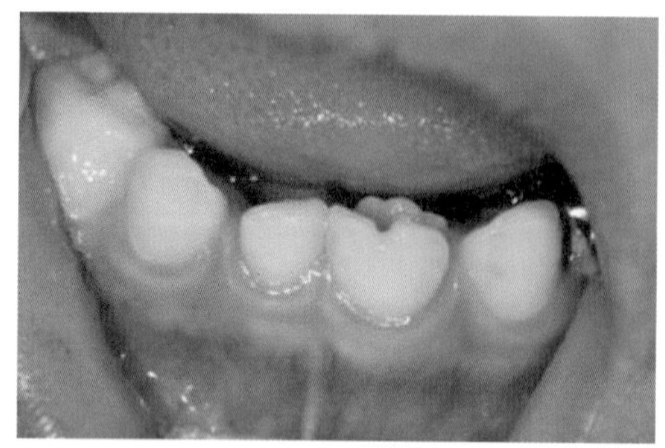

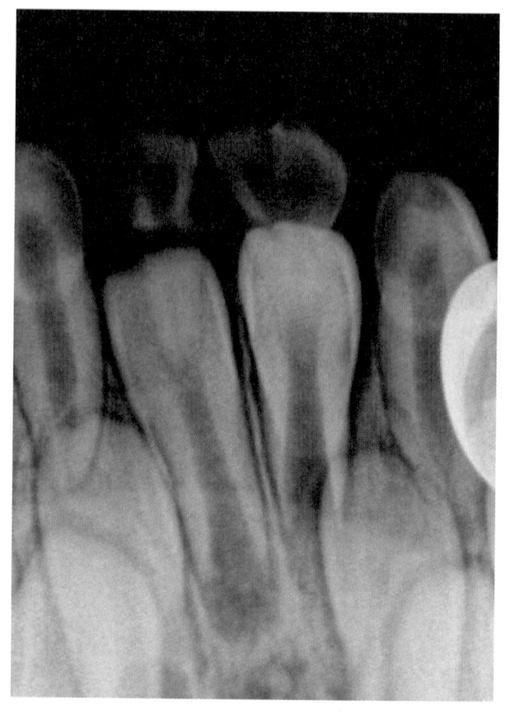

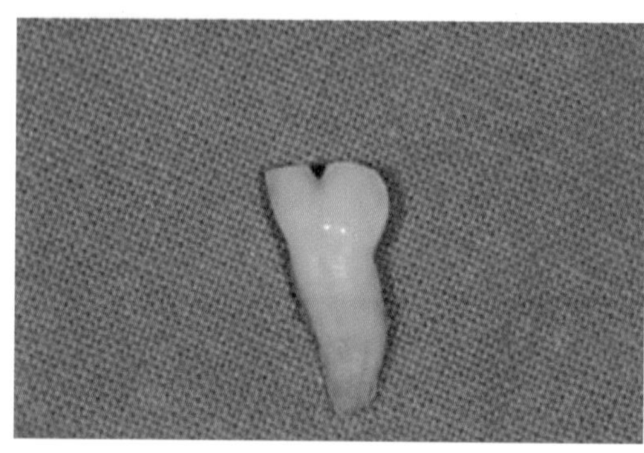

유치에서 융합이 있는 경우가 영구치 결손율이 높다.

우리 조카는 융합이 있었고 영구치도 결손이 있다. 이런 경우는 파노라마 촬영을 권한다. 해줄 수 있는 건 없지만 권해서 거절하는 경우는 없다. 있으면 다행이고 없으면 내가 명의가 되는 순간!

융합(유합, Fusion) : 두 치아가 외부적인 압력에 의해 융합된 경우로 치아의 구조물 자체(상아질 이상)가 융합되어 있다. 완전히 하나로 합쳐지기도 하고, 부분적으로 융합되기도 한다.

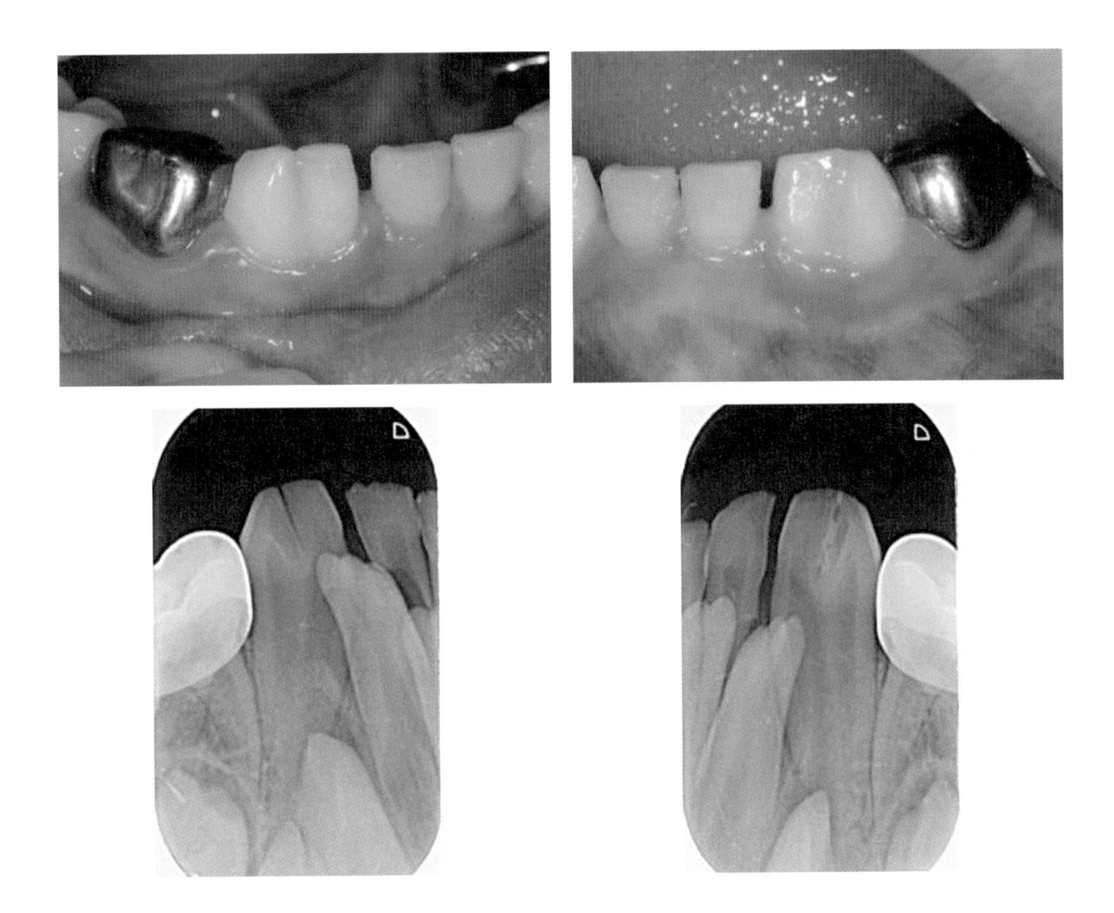

쌍생(분열, Genmination) : 하나의 치아가 두 개로 갈라진 경우로 융합과는 치아의 개수로 감별하는 것이 좋다. 완전히 두 개로 갈라진 경우와 치관 부분만 갈라진 경우가 있으며, 이는 치근의 개수로 감별할 수 있다. 유착, 융합, 쌍생치의 경우는 실제 치아의 개수와 모양으로 감별진단하며, 이를 위한 방사선 촬영 등에 적용 가능하다.

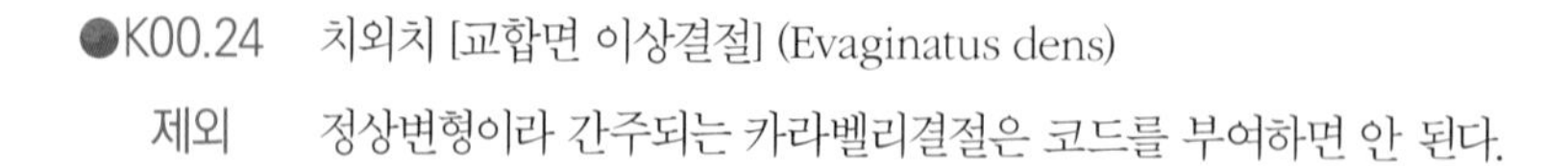

●K00.24 치외치 [교합면 이상결절] (Evaginatus dens)

제외 정상변형이라 간주되는 카라벨리결절은 코드를 부여하면 안 된다.

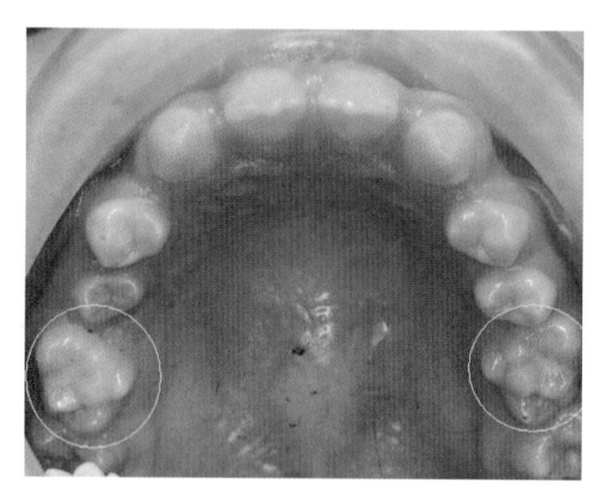

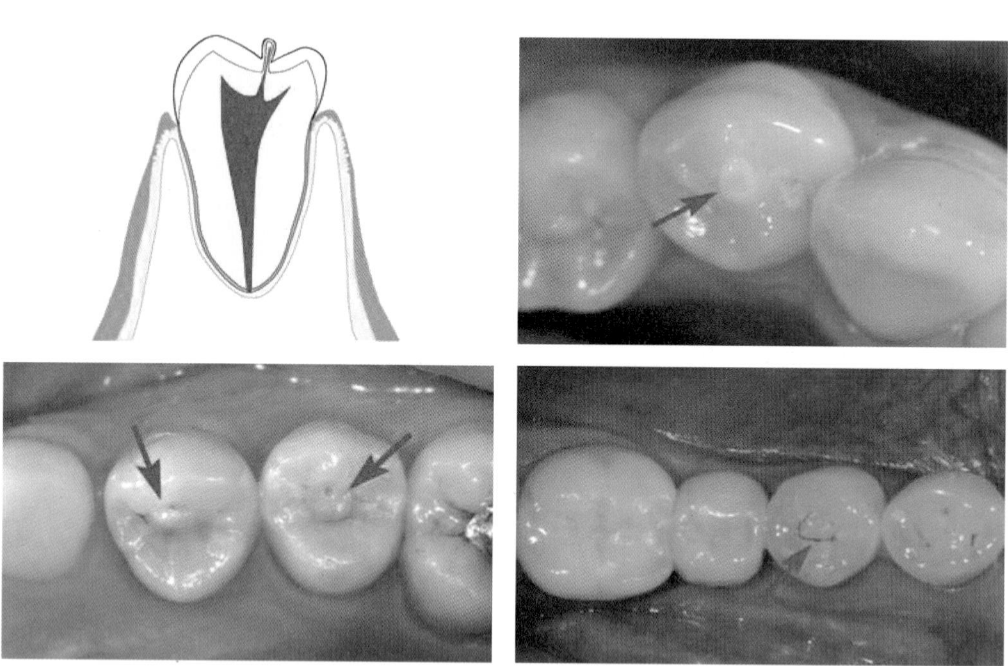

법랑질, 상아질, 치수 등이 치아의 밖으로 (특히 교합면) 돌출된 형태로 쉽게 파절되는 경향이 있다. 치외치는 보통 상·하·소구치에 양측성으로 발병을 하고, 이로 인해 방사선 촬영이 적용 가능하며, 교합조정 및 보존치료가 필요한 경우 상병명으로 적용 가능하다. 교합력에 의해 돌출된 이상결절이 파괴되면 치수가 노출되어 치수염이 생겨 근관치료가 필요할 수 있다. 이 때 내역설명과 함께 근관치료의 상병명으로도 적용 가능하다.

▶ 치외치의 문제점 - 하악 소구치

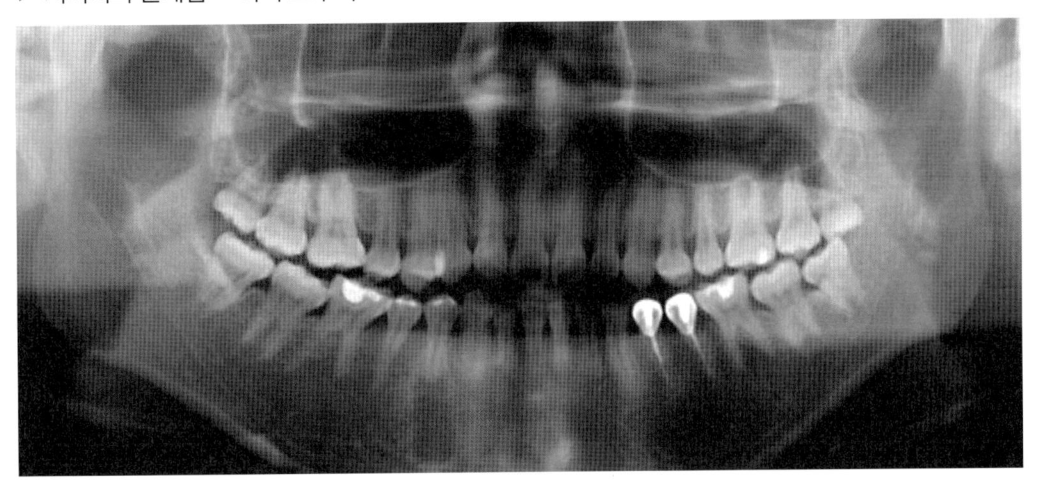

●K00.25 치내치 [확장된 치아종] 및 절치이상 (Dens invaginatus [dens in dente] [dilated odontoma] and incisor anomalies)

구개구 (Palatal groove)

정형[원추]치 (Peg-shaped [conical] teeth)

삽형치 (Shovel-shaped incisors)

T자형치 (T-shaped incisors)

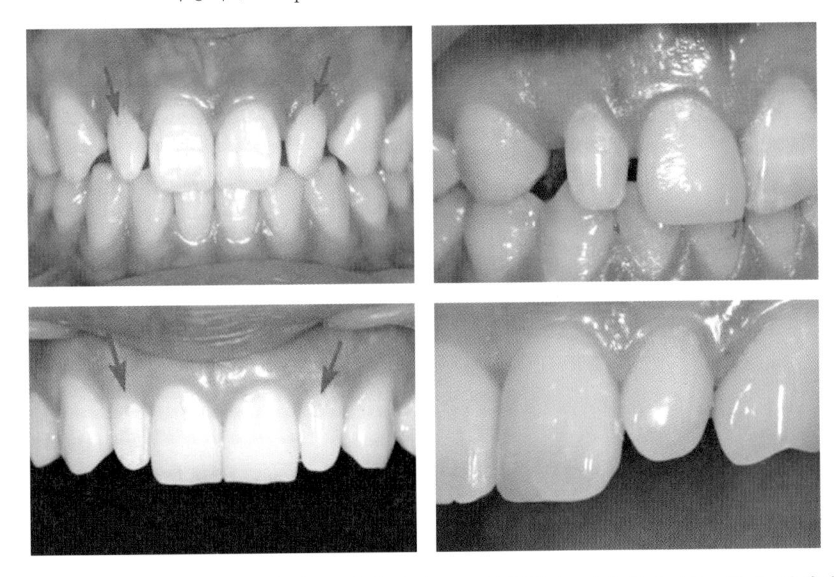

지금은 왜소치로 구분하지 않고 절치 이상으로 구분한다. 왜소치가 있는 경우 치내치가 있는 비율이 높다. 치아의 석회화 이전에 치관 일부의 법랑질이 치관 내로 함입되어 깊은 설측와를 형성하는 것으로, 방사선상에는 하나의 치아 내에 또 하나의 치아가 들어 있는 것처럼 보인다.

상악 전치의 설면에 많이 발생하며, 치내치는 치아우식증에 의해 치수가 노출되어 치수염이 발생할 위험도 높다. 일반적인 방사선 촬영 및 보존, 근관치료 등에 상병명으로 적용 가능하다. 치료는 주로 보존치료이므로 보존 및 근관치료의 상병명으로 적용 가능하므로 내역설명이 필요하다.

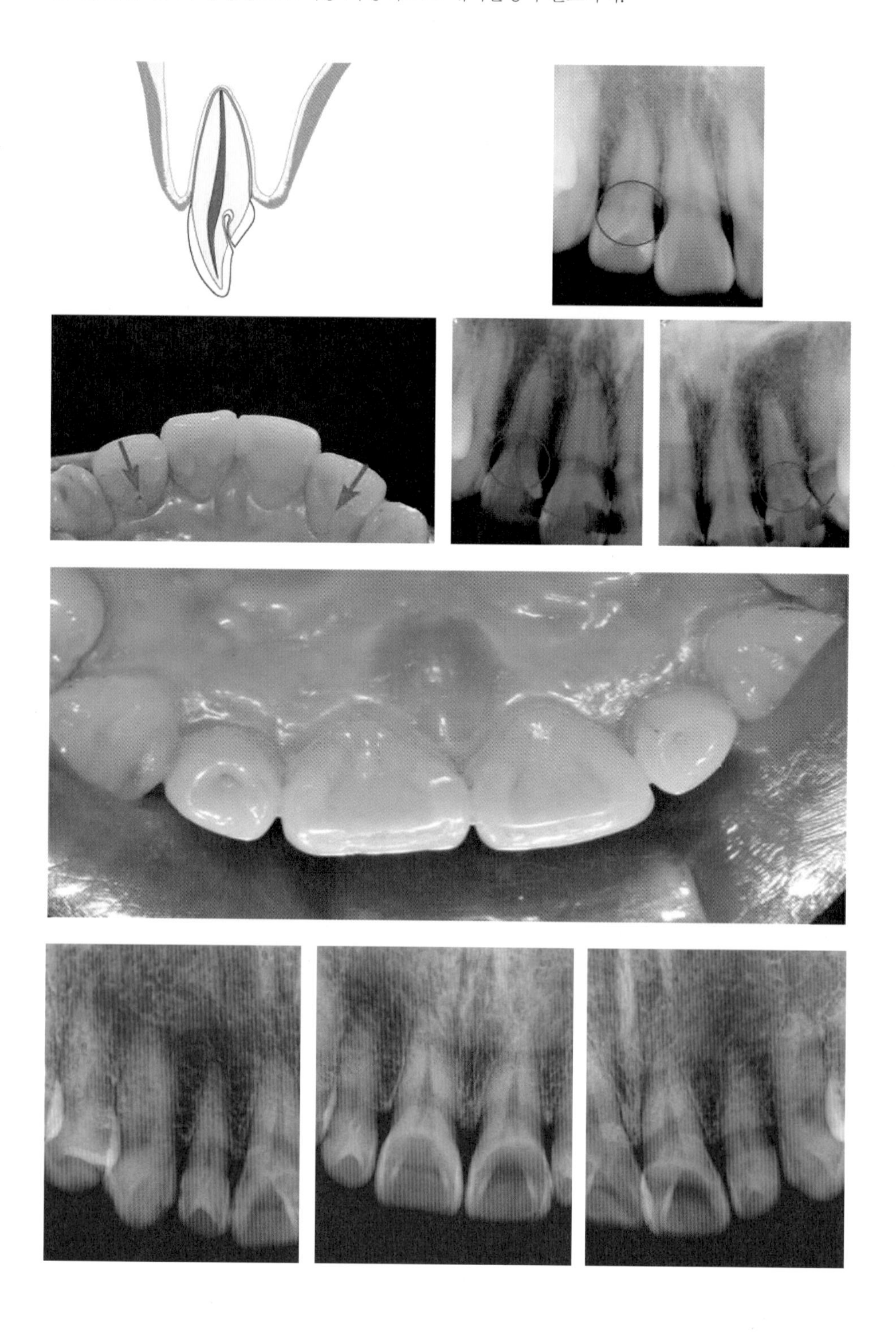

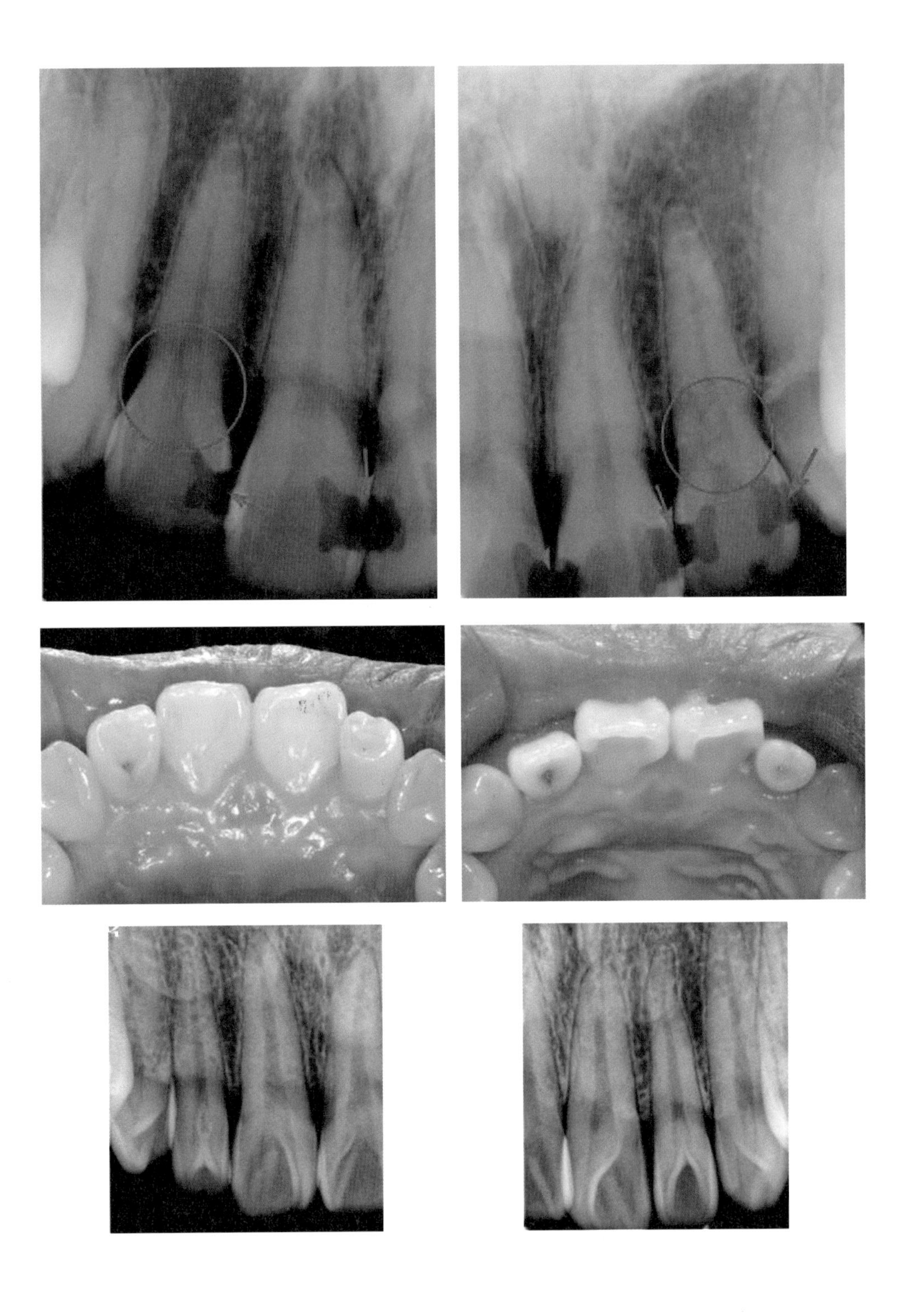

유치인지 형태이상인지 확실히 구분할 수는 없지만 상병 적용한다면 「K00.25 치내치 및 절치이상」으로 적용할 수 있다.

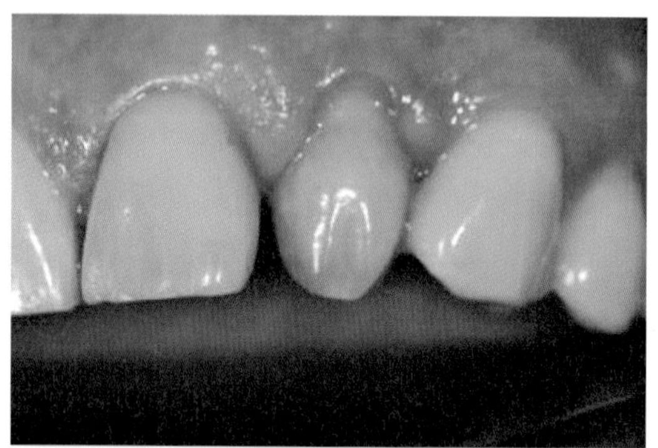

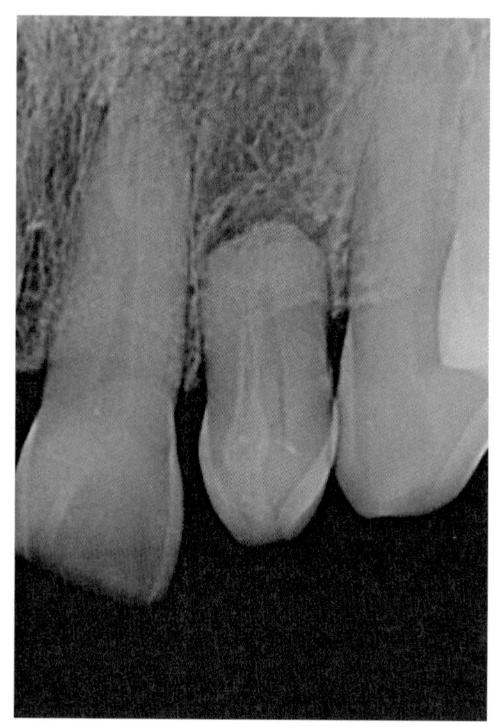

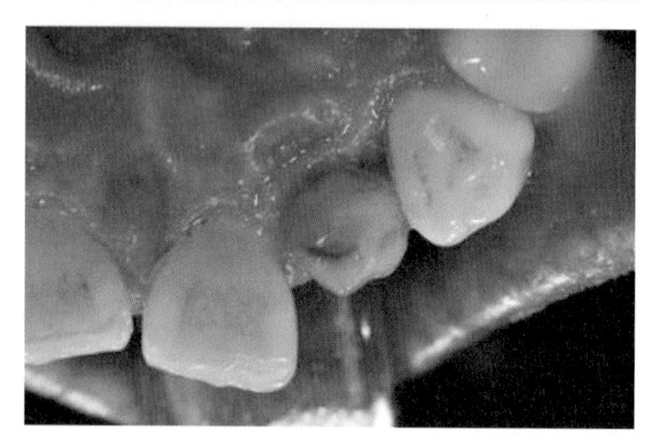

●K00.26 소구치화

필자도 모르는 단어이나, 이전에 분류된 질병의 순서로 보아 Talon Cusp을 말하는 것이 아닐까 생각이 든다. 상·하악 영구절치의 cingulum이 지나치게 발달된 것으로, 내부에 법랑질, 상아질, 치수조직이 모두 존재한다. 충치의 발병률이 높으므로 치아열구의 예방적 수복이 필요하다.

●K00.27 이상결절 및 에나멜 진주 (Abnormal tubercula and enamel pearls[enameloma])

▶ 치아의 비정상적인 결절 → 과잉치처럼 보이지만, 결절이다.

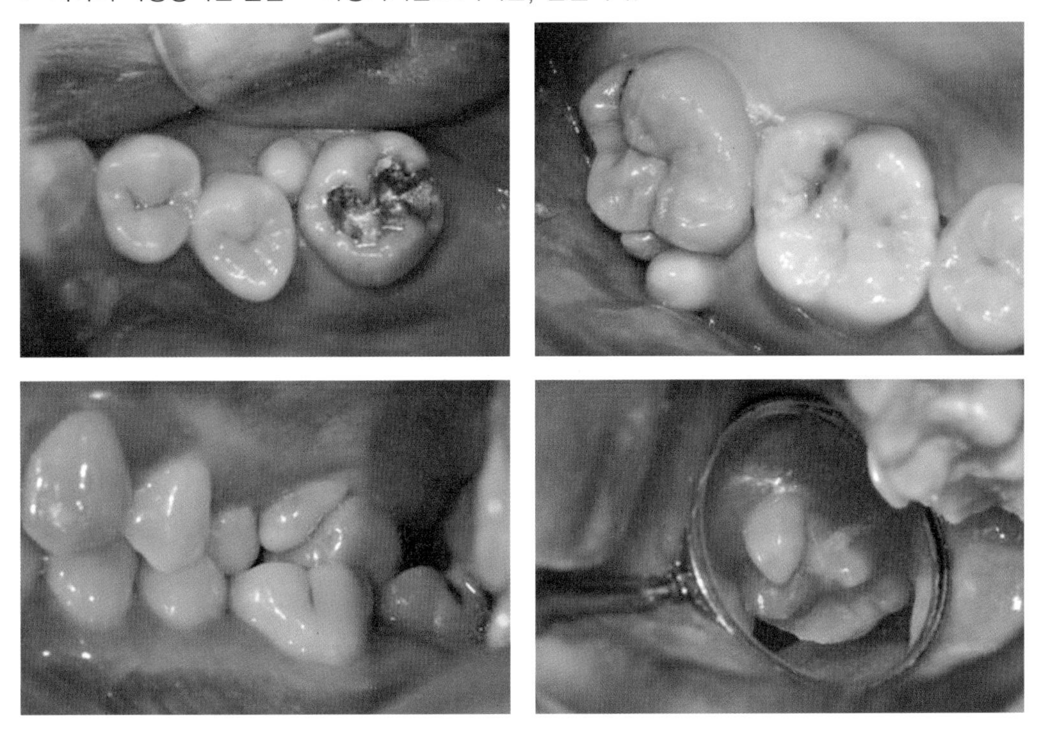

제외 치외치 [교합면 이상 결절] (K00.24)
정상변형이라 간주되어 분류하지 말아야 하는 카라벨리 결절

법랑질이 치근 깊숙이 내려가 있는 경우로, 구치부 협설측에서 치근분지부까지 이어져 있는 경우가 흔하다. 법랑질의 존재로 인해 치주조직이 치근에 부착되지 않아 치주질환의 원인이 되므로, 문제가 된다면 이러한 법랑질 조직을 제거해 주어야 한다. 일반적으로 치주판막수술을 통해서 제거하므로 이 상병명에 적용 가능하며, 시술의 정도와 상관없이 [치은박리소파술 나.복잡]으로 청구 가능하다.

▶ 에나멜 프로젝션

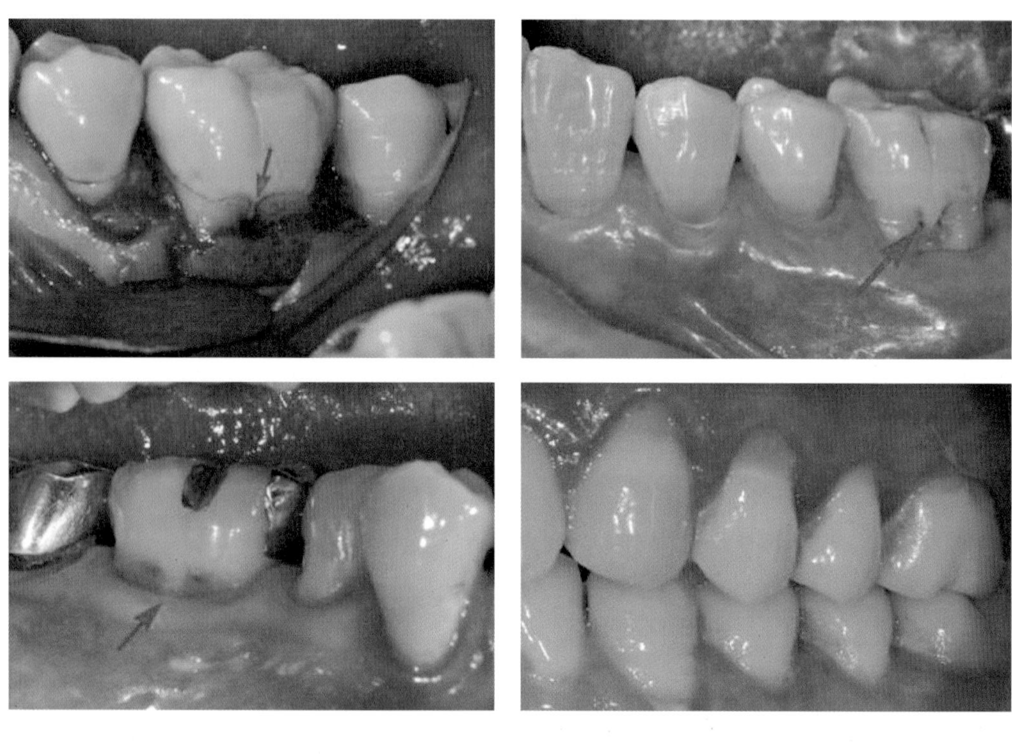

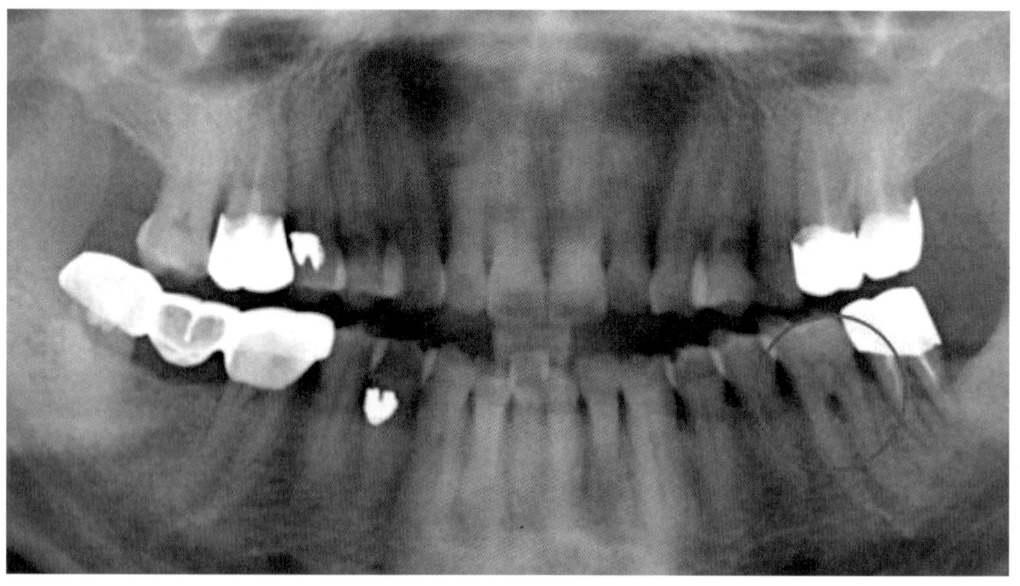

☆ 관련 보험진료 행위

차-105 치은박리소파술(1/3악당)

		상대가치점수	진료비
U1051	가. 치은박리소파술-간단	629.09	54,980원
U1052	나. 치은박리소파술-복잡	992.8	86,770원

치은을 박리하여 치은연하 치석이나 육아조직을 제거하는 술식이다. 또한 건전한 치주치료에 장애가 될 만한 요인들을 제거하기 위해 치은을 박리하는 경우도 해당된다.

1) 간단

- 절개 후 치주판막을 박리하여 골 결손부의 육아조직을 제거하고 치근면의 치석제거 및 치근활택술을 시행한 경우 산정한다.
- 통상적으로 3~5 mm 치주낭이 존재할 때나, 치근 1/3 이하의 치조골 소실이 있는 경우 1~2개 치아에 시행한 경우 산정한다. 단, 2개 치아 이하라도 분지부 골소실은 복잡으로 간주한다.

2) 복잡

- 절개 후 치주판막을 박리하여 골 결손부위의 육아조직을 제거하고 골내 낭을 제거하면서 치조골의 생리적 형태를 만들어 주는 것으로, 골 성형술이나 골 삭제술이 동반된 경우 산정한다.
- 통상적으로 5 mm 이상의 치주낭이 존재 할 때나, 치근 1/3 이상의 치조골 소실이 있는 경우 산정한다.
- 법랑질 진주(Enamel Pearl)의 제거 행위는 복잡으로 간주한다.

▶ 법랑진주

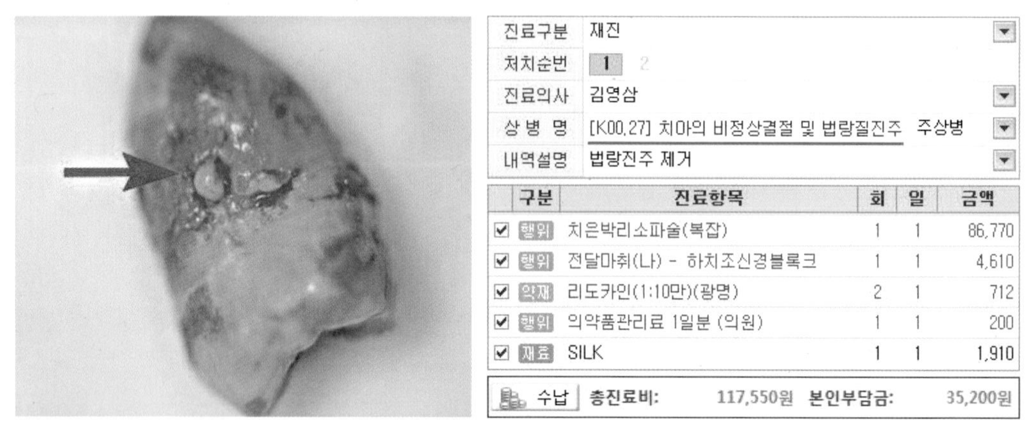

진료구분 재진
처치순번 1 2
진료의사 김영삼
상 병 명 [K00.27] 치아의 비정상결절 및 법랑질진주 주상병
내역설명 법랑진주 제거

구분	진료항목	회	일	금액
행위	치은박리소파술(복잡)	1	1	86,770
행위	전달마취(나) - 하치조신경블록크	1	1	4,610
약제	리도카인(1:10만)(광명)	2	1	712
행위	의약품관리료 1일분 (의원)	1	1	200
재료	SILK	1	1	1,910

수납 총진료비: 117,550원 본인부담금: 35,200원

생각보다 흔하다. 6번 치아에 치경부 레진충전을 해보면 흔하다는 걸 잘 알 것이다.

▶ 법랑진주와 치주질환

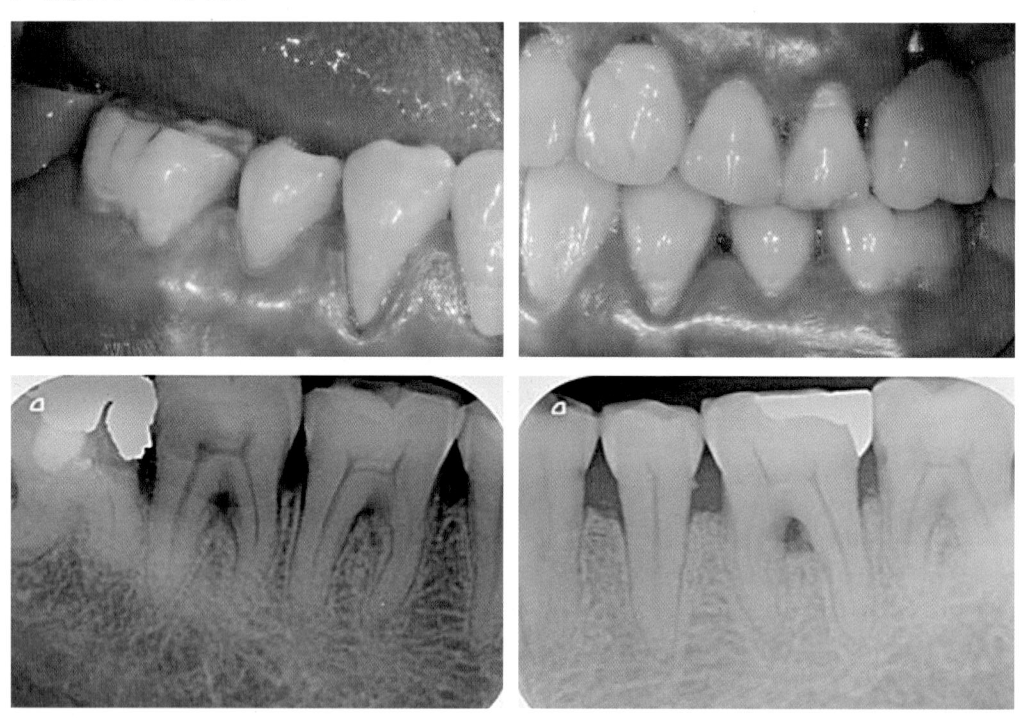

●K00.28 우상치 (Taurodontism)

주로 하악 대구치에서 발생하며, 비정상적으로 치수강이 크고 치근이 짧아서 방사선 사진상에 소머리처럼 보인다고 해서 우상치이다. 특별한 치료를 요구하지는 않지만, 근관치료 시 주의할 필요가 있다.

K00.3 반상치 (Mottled teeth)

제외 치아의 침착물[증식유착](K03.6)

터너치(K00.46)

●K00.30 에나멜의 풍토병성 (불화물) 반점 [치아불소증]

Endemic (fluoride) mottling of enamel [dental fluorosis]

●K00.31 에나멜의 비풍토병성 반점 [비불화물 에나멜 불투명]

Non-endemic mottling of enamel[non-fluoride enamel opacities]

●K00.39 상세불명의 반상치

치아 법랑질의 반점(Dental fluorosis), 법랑질의 반점(Mottling of enamel), 비불소 법랑질 불투명(Nonf-lu-oride enamel opacities) : 이 진단명들은 실제 감별 진단하기는 매우 어렵다. 특히 치아불소증은 어릴 적 살았던 지역과 주변에 비슷한 증상이 나타나 있는가 등으로 감별되나, 이러한 감별은 보건학적인 면에서만 중요할 뿐 치료적인 측면에서는 의미가 없다. 보통 법랑질 상에 반점형태로 나타나는 질병을 통칭하지만, 주로 치료가 보철치료이기 때문에 건강보험적인 측면에서는 거의 중요하지 않다. 침착물에 의한 치아의 변색은 포함되지 않는다.

K00.4 치아형성의 장애 (Disturbances in tooth formation)

제외 치아구조의 유전적 장애(K00.5-)

선천매독에서의 허친슨치아 및 오디모양구치(A50.5)

반상치(K00.3-)

●K00.40 에나멜형성저하 (Enamel hypoplasia)

●K00.41 출생전 에나멜형성저하 (Prenatal enamel hypoplasia)

●K00.42 신생아 에나멜형성저하 (Neonatal enamel hypoplasia)

●K00.43 시멘트질의 무형성 및 형성저하 (Aplasia and hypoplasia of cementum)

●K00.44 절렬(만곡치) (Dilaceration)

●K00.45 치아형성이상[국소성 치아형성이상] (Odontodysplasia)

●K00.46 터너치아 (Turner's tooth)

●K00.48 치아형성의 기타 명시된 장애

●K00.49 치아형성의 상세불명 장애

가끔 사보험에서 혜택을 받는 경우가 종종 있다. 절치 이상이나 선천적으로 미용치료가 아니라 기능회복이라는 면에서 법랑질이나 상아질의 형성에 장애가 있는 경우로 한 치아 또는 여러 치아에 동시에 나타나는 경우가 있다. 일반적인 방사선 진단이 적용 가능하다. 발치나 근관치료 등에 사용되기도 하지만 거의 사용되지 않는다. 선천성 매독 증후군으로 자주 나타나는 Hutchinson's teeth와 mulberry molars(A50.5)는 포함되지 않으며, 반상치(K00.3) 등도 따로 정의가 되어 있으므로 여기에 적용되지 않는다. 법랑질 저형성증, 국한성 치아형성장애 등에 적용할 수 있다.

● K00.40 에나멜 형성저하

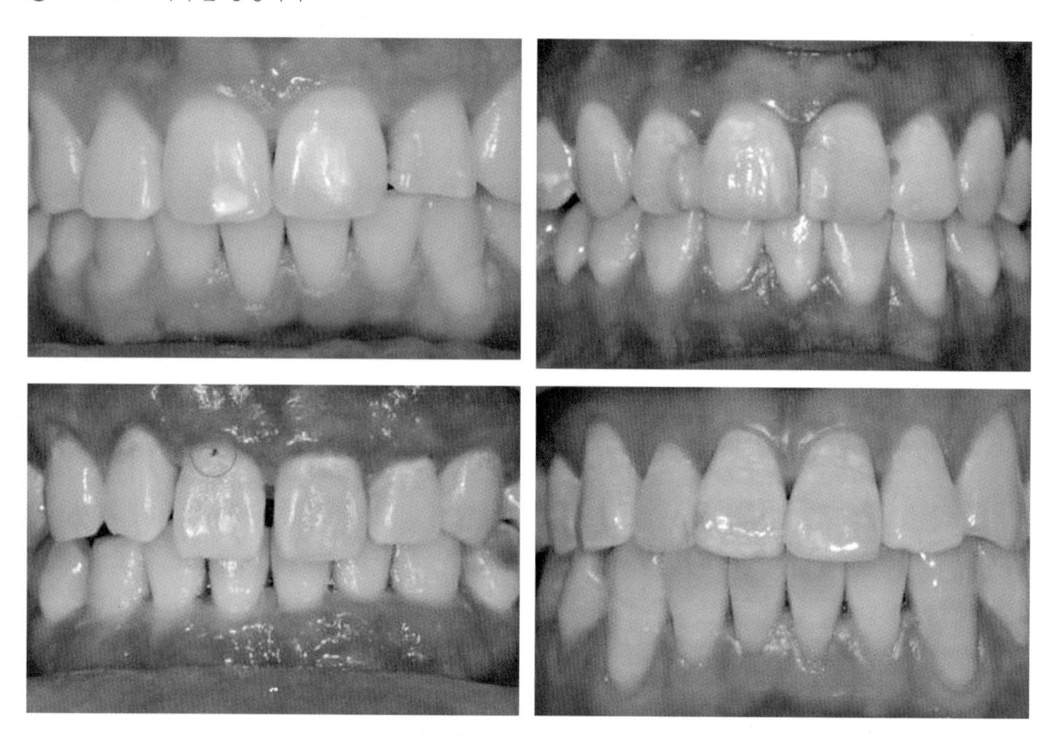

▶ 법랑질 형성부전증

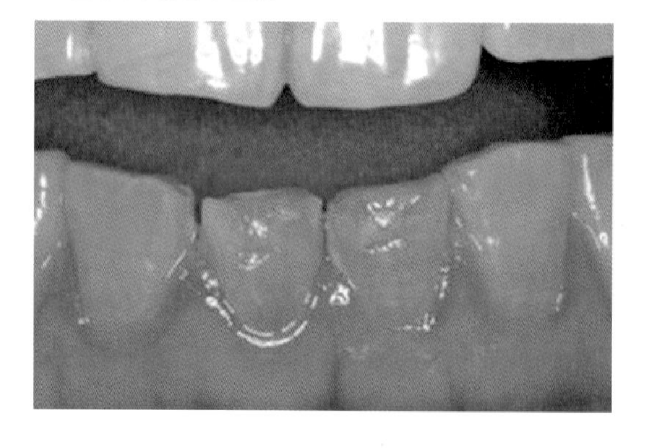

●K00.44 절렬 (만곡치)

- 절렬(만곡치)의 경우는 난발치의 상병명으로 적용 가능하다. 6차 개정 전에는 「K00.4 치아형성장애」 입력 후에 내역설명에 만곡치임을 기입하면 되었으나, 개정 이후에는 이 상병 자체로 가능하다. 난발치의 상병으로는 여러 가지가 적용 가능하나, 특정지역에서는 이 상병으로만 적용하라고 심평원 직원이 지시(지적)했다는 이야기도 들은 적 있다. 그러나 만곡치라고 발치하는 경우는 없지 않은가? 그런 이야기는 그냥 무시하고 원래 발치하게 된 원인을 상병명으로 입력하는 것이 맞다고 생각하지만, 최근엔 「K00.44 절렬」, 「K03.5 치아의 강직증」, 「K00.29 치아의 크기와 형태의 기타 및 상세불명의 이상」 상병에만 인정을 해주는 추세이니 난발치 상병명 적용 시 참고하길 바란다. 치아분리를 실시한 사유(치근만곡, 치근비대, 골성유착)를 내역설명 하는 것이 원칙이다.

▶ 난발치 청구화면

진료구분	초진
처치순번	1 2
진료의사	김영삼
상 병 명	[K00.44] 만곡치 주상병
내역설명	치근만곡으로 분리발치

구분	진료항목	회	일	금액
☑ 행위	난발치	1	1	18,300
☑ 행위	전달마취(나) - 하치조신경블록크	1	1	4,610
☑ 약제	리도카인(1:10만)(광명)	2	1	712
☑ 행위	의약품관리료 1일분 (의원)	1	1	200
☑ 행위	치근단 촬영판독	1	1	3,540
☑ 재료	100:100 발치, 치근, 치조골성형술 B...	1	1	6,980

수납 | 총진료비: 52,870원 본인부담금: 15,800원

진료구분	초진
처치순번	1 2
진료의사	김영삼
상 병 명	[K03.5] 치아의 유착증 주상병
내역설명	골성유착으로 분리발치

구분	진료항목	회	일	금액
☑ 행위	난발치	1	1	18,300
☑ 행위	전달마취(나) - 하치조신경블록크	1	1	4,610
☑ 약제	리도카인(1:10만)(광명)	2	1	712
☑ 행위	의약품관리료 1일분 (의원)	1	1	200
☑ 행위	치근단 촬영판독	1	1	3,540
☑ 재료	100:100 발치, 치근, 치조골성형술 B...	1	1	6,980

수납 | 총진료비: 52,870원 본인부담금: 15,800원

난발치의 적응증

1. 기형치근을 가진 치아로 발치 도중에 치근파절이 발생하여 치근절단이나 골삭제가 필요한 경우(유구치 포함).
2. 근관치료를 이미 시행한 치아이며 발치 도중에 파절을 보여 치근절단이나 골삭제가 필요한 경우(유구치 포함).
3. 부정교합으로 인하여 인접치관 사이에 끼어 있는 치아로 치관절단이나 골삭제 등의 시술이 필요한 경우(유구치 포함).
4. 골유착을 보이는 치아(유구치 포함).

▶ 난발치의 적응증

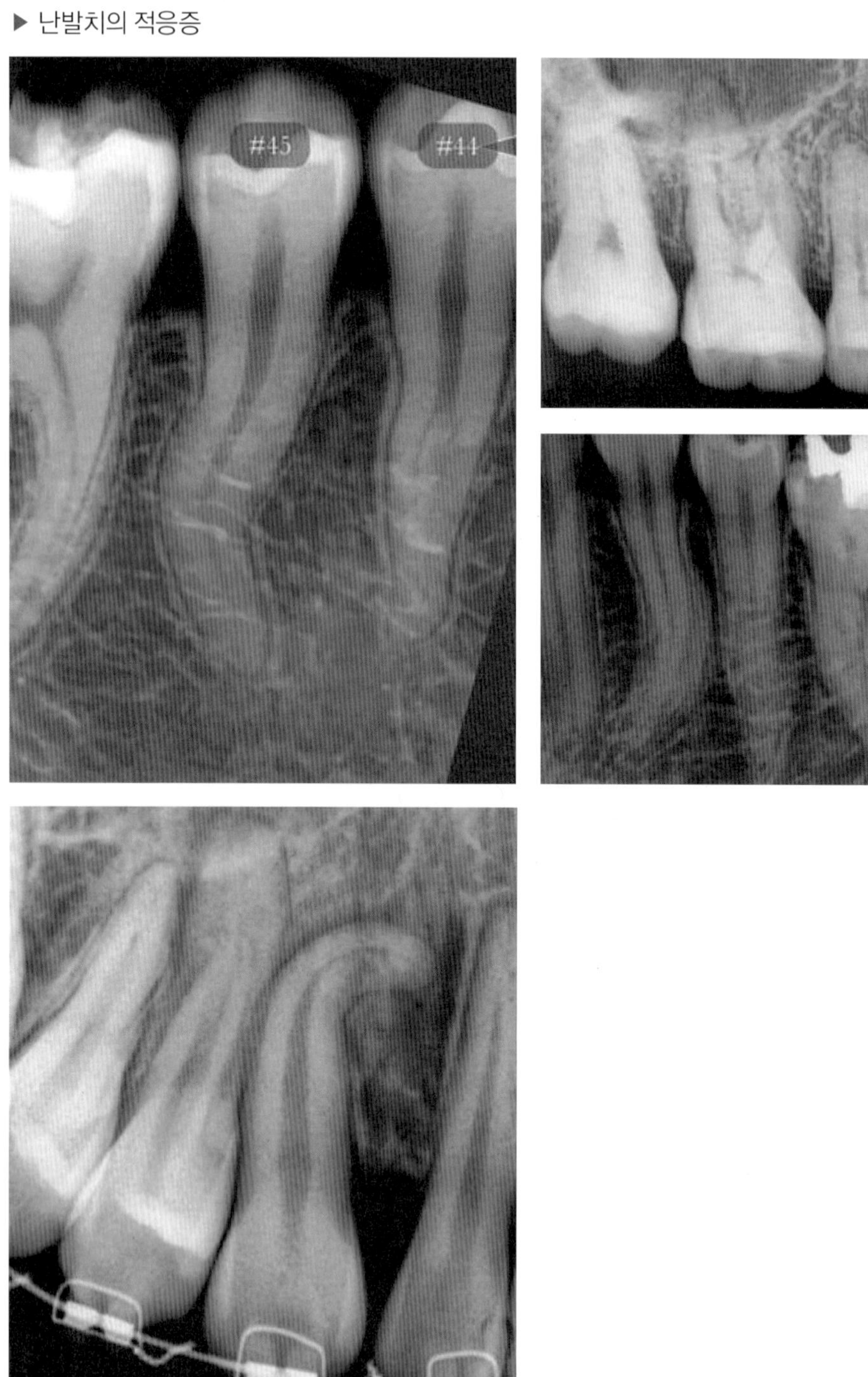

▶ 치근의 만곡

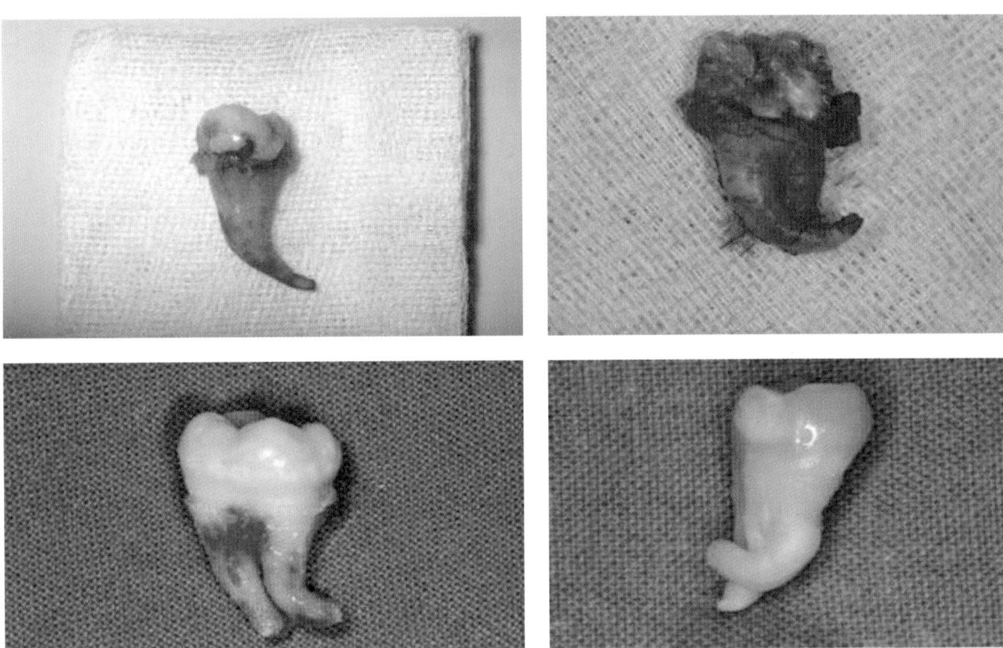

●K00.46 터너치아 (Turner's tooth)

유치의 외상이나 감염으로 인해 계승영구치의 치관의 모양에 변이가 생긴 것으로 주로 하나의 치아에 단독으로 나타난다. 이러한 사유로 보험 적용된 진료를 할 가능성은 별로 없기 때문에 크게 신경쓰지 않아도 될 듯하다.

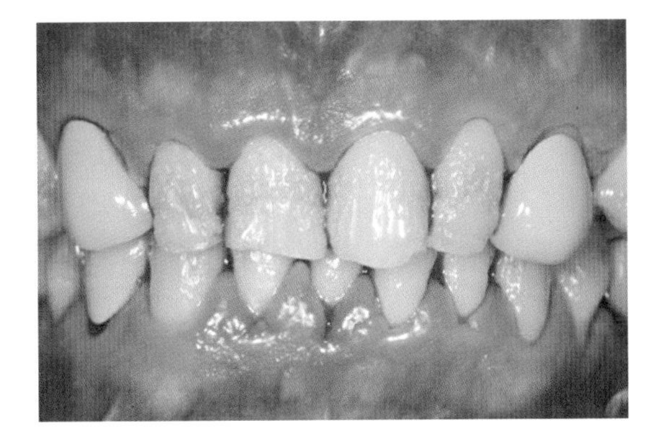

K00.5 달리 분류되지 않은 치아구조의 유전성 장애

●K00.50 불완전에나멜형성증 (Amelogenesis imperfecta)

●K00.51 불완전상아질형성증 (Dentinogenesis imperfecta)

제외 불완전골형성(Q78.0)

상아질형성이상(K00.58)

각상치아(K00.58)

●K00.52 불완전치아형성증 (Odontogenesis imperfecta)

●K00.58 치아구조의 기타 유전성 장애

상아질형성이상 Dentinal dysplasia

각상치아 Shell teeth

●K00.59 치아구조의 상세불명의 유전성 장애

실제적으로 형성장애나 발육장애 등은 감별진단하기가 어렵기 때문에 특별히 진단하기 어려운 치아의 발육이나 형성장애의 경우에 이용 가능하다. 5차 개정 전에는 발육부전이라는 상병명으로 사용되었다.

잠깐!

상병에서 치료(보철, 교정, 심미)에 초점을 맞추면 비급여일 것 같으나, 선천성 기형 등의 진단만 실시되는 경우 진찰료 X-ray 등은 급여 적용이 타당하다. 특히 진찰료만 있거나 투약만 하는 경우에는 정확한 상병명이 필요하다.

[보기] 선천적 결손치 → 보철치료 (비급여)

X-ray만 찍고 감 (급여) → 지속적인 체크 (급여)

K00.6 치아맹출의 장애 (Disturbances in tooth eruption)

●K00.60 선천치 (Natal tooth)

●K00.61 신생치 (Neonatal tooth)

●K00.62 치아의 조기맹출 (Premature eruption of tooth)

●K00.63 잔존 [지속성][탈락성] 유치 (Retained [persistent] primary [deciduous] teeth)

●K00.64 만기맹출 (Late eruption)

●K00.65 [탈락성] 유치의 조기탈락 (Premature shedding of primary [deciduous] teeth)

제외 주위조직의 질환에 기인한 치아의 탈락(K08.0)

●K00.68 치아맹출의 기타 명시된 장애

●K00.69 치아맹출의 상세불명 장애

치아가 정상적으로 맹출하는데 장애가 발생한 상태이며, 치아의 발육상태를 확인하기 위한 방사선촬영이 적용 가능하다. 개정 전에는 일반적인 유치발치의 경우 뚜렷한 상병명의 적용이 난해하므로 〈치아맹출의 장애〉로 적용하는 경우가 많았다. 하지만 이제는 유치발치에 일상적으로 넣는 상병으로는 「K00.63 잔존 [지속성]유치」 상병을 사용하면 된다. 그러나 유치발치에도 실제 우식증이나 기타 질환이 존재한다면, 우식증, 치근농양 등으로도 적용 가능하다.

●K00.60 선천치 (Natal tooth)

출생 전 유치가 조기 맹출한 경우로 매우 드물다. 특별한 다른 치료는 필요치 않다. 모유수유에 지장이 큰 경우 발치하는 경우도 있다고 하는데, 필자는 크게 호응하기 어려운 방식이라고 생각된다. 치아가 탈락되어 삼킬 우려가 있거나, 날카로운 절단면이 혀를 손상시킨다면 발치해야 하지만, 특이한 증상이 없는 경우에는 그대로 유지시킨다.

●K00.61 신생치 (Neonatal tooth)

평균적인 유치 맹출 시기 이전(보통 생후 1개월 전)에 조기 맹출한 경우다. 선천치와 비슷하다.

●K00.62 치아의 조기맹출 (Premature eruption of tooth)

유치, 영구치 모두에 사용되며, 조기 맹출하는 것 자체가 문제가 되지 않으므로, 다른 치료는 필요 없는 경우가 많다. '아직 유치는 안 빠졌는데 안쪽에서 이가 나오고 있어요.' 라며 엄마 혹은 할머니가 애기를 데리고 오는 경우가 종종 있다.

●K00.63 잔존유치

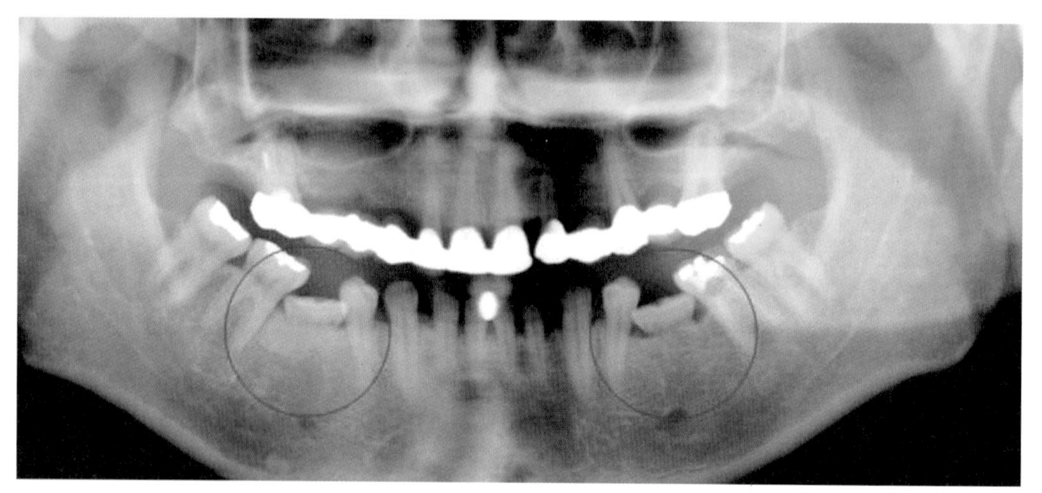

〈K00.63 잔존유치 & K00.00 부문 무치증 둘 다 적용 가능한 상병〉

●K00.64 만기맹출(만기생치)

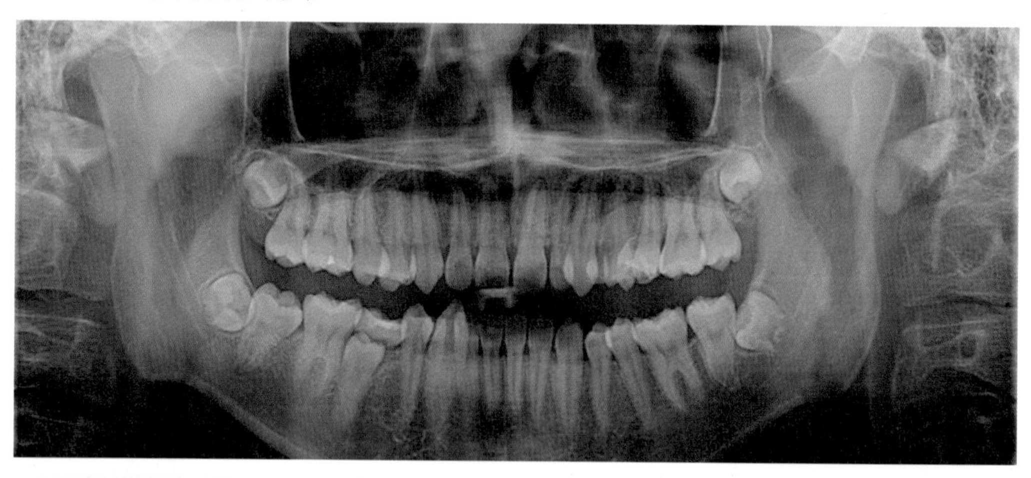

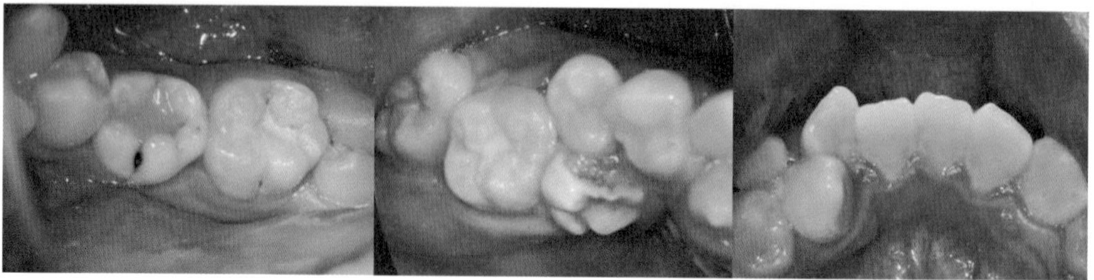

정확하지는 않으나 맹출시기를 초과해서 늦게 치아가 맹출하는 상태를 말하는 것으로 보인다. 억지로 하자면 방사선 사진촬영 등은 할 수 있겠지만, 굳이 이 상병을 쓸 이유는 없는 듯하다.

●K00.65 [탈락성] 유치의 조기탈락 (Premature shedding of primary [deciduous] teeth)

제외 주위조직의 질환에 기인한 치아의 탈락 (K08.0)

진단을 위한 방사선 촬영이나 유치가 조기 탈락되어 영구치 맹출을 유도하기 위해 치은판절제술 등을 시행한 경우에 산정 가능할 듯하다.

●K00.68 치아맹출의 기타 명시된 장애

맹출 시기가 지났는데 영구치가 맹출되지 않을 때 적용해주면 된다.
방사선 촬영도 가능하고 치은판절제술도 가능하다.

☆ 관련 보험진료 행위

차-66 치은판절제술

진료비 : 3,920원

섬유성치은이나 유치의 조기발거에 의한 영구치 맹출장애 시 맹출을 돕기 위해 맹출 중인 영구치 상방의 치은판을 절제하는 수술을 말한다. 또한 지치주위의 염증 등에 의해 단순히 증식된 치은판을 제거하는 술식으로 비교적 산정하기 쉬운 편이다.

- 치아 수에 상관없이 소정 수가만 산정한다(구강 당).
- 지치 주위염, 치은비대, 맹출장애 등에 산정한다.
- 외과적 치료로 간주되므로, 후처치는 치주후처치가 아니라 수술후처치(간단)로 청구한다.
- 발치와 동시에 시행 시 높은 수가 하나만 인정한다.

고시 제2016-30호

제목 : 차66 치은판절제술(Operculectomy) 산정기준 (1구강당)

치은조직절제를 다음과 같이 실시한 경우에는 차66 치은판절제술의 소정점수를 산정함.

\- 다 음 -

가. 오래된 치아우식와동 상방으로 증식된 치은식육 제거
나. 파절된 치아 상방으로 증식된 치은식육 제거
다. 치아맹출을 위한 개창술
라. 부분 맹출 치아 또는 유치의 우식치료를 위한 치은판 제거
마. 급성 또는 만성 지치주위염 치아의 치관 상방을 덮고 있는 치은판 제거(2016.3.1. 시행)

K00.7　　생치증후군 (Teething syndrome)

생치란 이가 맹출하고 있는 상태를 말한다. 이가 맹출하는 과정에서 소아는 예민해지거나 보챌 수 있으며, 먹으려 하지 않고 밤에 잠을 이루지 못하는 경우도 많다. 또한 볼이 붉어지거나 침을 흘리고 새로운 치아가 나는 부위의 잇몸이 붉게 부어오르는 경우도 있다. 이런 경우 생치증후군 상병을 사용하고 간단하게 dressing을 해줄 때 [기본진료]로 적용한다.

K00.8　　기타 치아발육의 장애 (Other disorders of tooth development)

포함　치아의 내인성 착색 NOS

제외　국소 원인에 의한 변색(K03.6, K03.7)

●K00.80　혈액형부적합에 의한 치아형성 중 색조변화

●K00.81　담도계이상으로 인한 치아형성 중 색조변화

●K00.82　포르피린증에 의한 치아형성 중 색조변화

●K00.83　테트라사이클린에 의한 치아형성 중 색조변화

●K00.88　치아발육의 기타 명시된 장애

거의 사용되는 빈도가 없는 듯하다. 테트라사이클린에 의한 변색 정도는 어찌 보면 진단이 쉬울 수도 있지 만, 굳이 여기에 해당되는 상병보다는 다른 형성장애나 형태이상 등의 상병명을 이용하는 것이 좋다.

K00.9　　치아발육의 상세불명 장애 (Disorder of tooth development, unspecified)

치아형성의 장애 NOS　Disorder of odontogenesis NOS

이유를 정확히 판단하기 어려운 치아의 발육장애로 진단이 어려운 경우에 사용되나, 보험적으로는 거의 사용하지 않는다.

[K01] 매몰치 및 매복치 Embedded and impacted teeth

제외 해당 치아나 인접 치아의 이상위치를 동반한 매몰치 및 매복치(K07.35)

K01.0 매몰치 (Embedded teeth)

매몰치는 다른 치아의 장애 등 별다른 이유 없이 맹출하지 못한 치아로 일반적인 매복치와 혼돈하기 쉽다. 주로 하악 소구치와 과잉치에서 드물게 발생한다. 진단을 위한 파노라마는 인정가능 하지만, 대부분 매복치로 적용하는 경우가 많다.

K01.1 매복치 (Impacted teeth)

●K01.10 상악절치의 매복	●K01.11 하악절치의 매복
●K01.12 상악견치의 매복	●K01.13 하악견치의 매복
●K01.14 상악소구치의 매복	●K01.15 하악소구치의 매복
●K01.161 상악제1대구치의 매복	●K01.171 하악제1대구치의 매복
●K01.162 상악제2대구치의 매복	●K01.172 하악제2대구치의 매복
●K01.163 상악제3대구치의 매복	●K01.173 하악제3대구치의 매복
●K01.169 상세불명의 상악대구치의 매복	●K01.179 상세불명의 하악대구치의 매복
●K01.18 과잉매복치	●K01.19 상세불명의 매복치

매복치는 다른 치아에 의한 폐쇄 때문에 맹출되지 못한 치아를 말한다. 주로 정중치와 사랑니 등의 발치의 상병명으로 많이 적용되며, 만성치주염과 함께 사랑니 발치에 가장 많이 사용된다. 진단을 위한 방사선촬영은 거의 모두 적용 가능하다. 실제 임상에서 매몰치와 매복치를 구별하기가 매우 어려우므로 거의 매복치로 적용한다.

위의 매복치 상병은 그냥 치아의 종류만 고르면 되므로 크게 신경 쓰지 않아도 될 듯하다. 종종 하악 제3대구치 매복을 제1대구치 매복으로 청구하여 조정되는 경우도 보았다. 정확히 행위에 입력한 치아를 선택해서 발치 상병명으로 입력해야 한다.

☆ 관련 보험진료 행위

차-41(마) 매복발치술

		상대가치점수	진료비
U4415	(1) 단순매복발치[잇몸절개]	315.85	27,610원
U4416	(2) 복잡매복발치[치아분할술]	561.12	49,040원
U4417	(3) 완전매복발치[치아분리+골삭제]	771.54	67,430원

- 반드시 방사선 촬영이 동반되어야 한다.
- 완전매복발치는 방사선 사진 상에서 치관 2/3 이상이 치조골에 둘러 싸여진 경우를 말하며, 치아분리 및 골삭제를 동시에 시행한 경우에 해당된다.
- 사용한 Bur는 Burr(가) 항목으로 산정 가능하다.

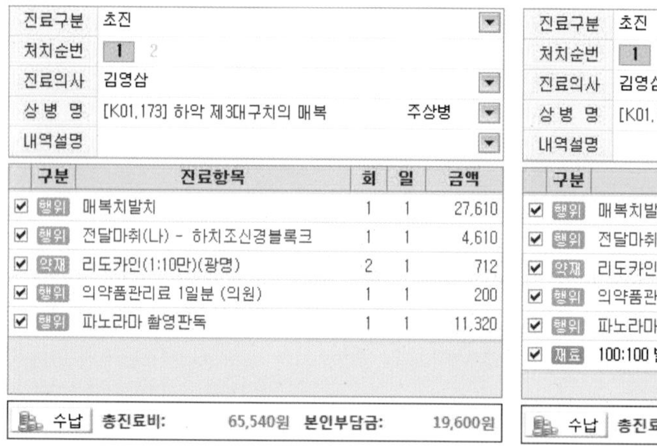

진료구분	초진
처치순번	1 2
진료의사	김영삼
상 병 명	[K01.173] 하악 제3대구치의 매복 주상병
내역설명	

구분	진료항목	회	일	금액
행위	매복치발치	1	1	27,610
행위	전달마취(나) - 하치조신경블록크	1	1	4,610
약재	리도카인(1:10만)(광명)	2	1	712
행위	의약품관리료 1일분 (의원)	1	1	200
행위	파노라마 촬영판독	1	1	11,320

수납 총진료비: 65,540원 본인부담금: 19,600원

〈단순매복발치〉

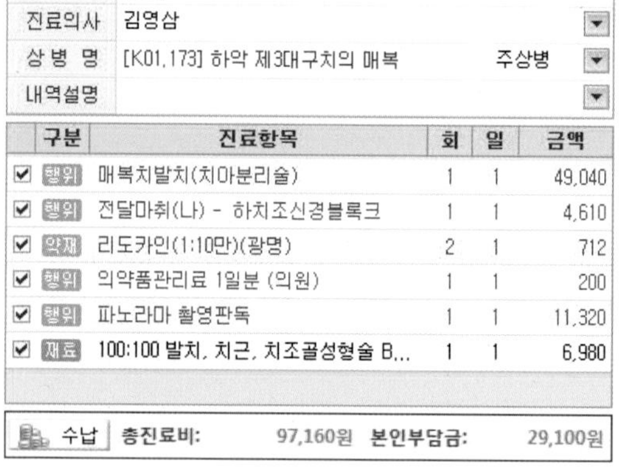

진료구분	초진
처치순번	1 2
진료의사	김영삼
상 병 명	[K01.173] 하악 제3대구치의 매복 주상병
내역설명	

구분	진료항목	회	일	금액
행위	매복치발치(치아분리술)	1	1	49,040
행위	전달마취(나) - 하치조신경블록크	1	1	4,610
약재	리도카인(1:10만)(광명)	2	1	712
행위	의약품관리료 1일분 (의원)	1	1	200
행위	파노라마 촬영판독	1	1	11,320
재료	100:100 발치, 치근, 치조골성형술 B...	1	1	6,980

수납 총진료비: 97,160원 본인부담금: 29,100원

〈복잡매복발치〉

진료구분	초진
처치순번	1 2
진료의사	김영삼
상 병 명	[K01.173] 하악 제3대구치의 매복 주상병
내역설명	치아분리 및 치조골삭제 동반. 파노라마상에서 하치조신

구분	진료항목	회	일	금액
행위	매복치발치(골삭제, 분리)	1	1	67,430
행위	전달마취(나) - 하치조신경블록크	1	1	4,610
약재	리도카인(1:10만)(광명)	2	1	712
행위	의약품관리료 1일분 (의원)	1	1	200
행위	파노라마 촬영판독	1	1	11,320
재료	100:100 발치, 치근, 치조골성형술 B...	1	1	6,980
행위	Cone beam 전산화단층영상진단-일반	1	1	44,280

수납 총진료비: 169,230원 본인부담금: 50,700원

〈완전매복발치〉

●K01.10 상악 절치의 매복

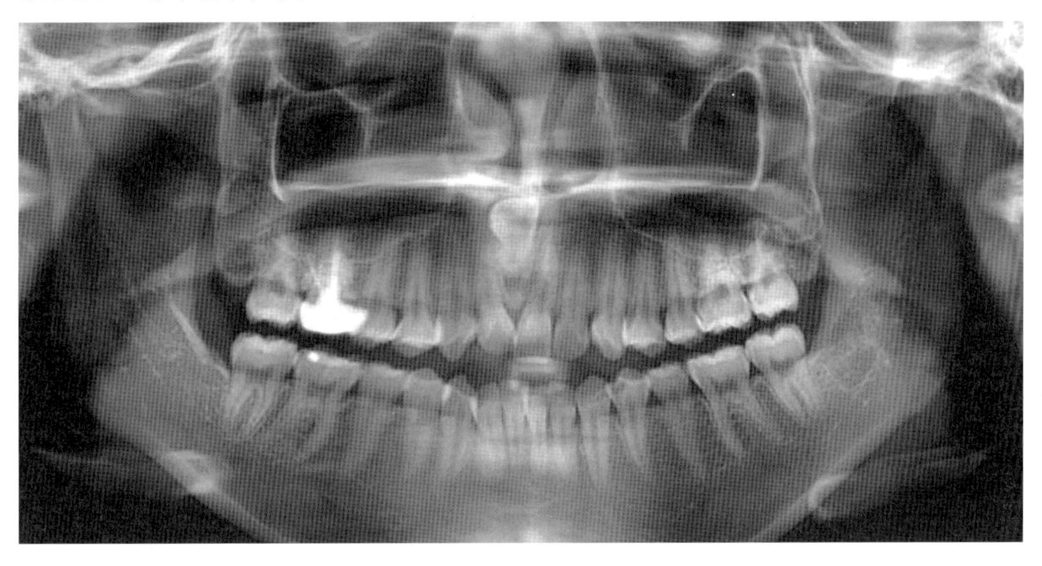

●K01.12 상악 견치의 매복

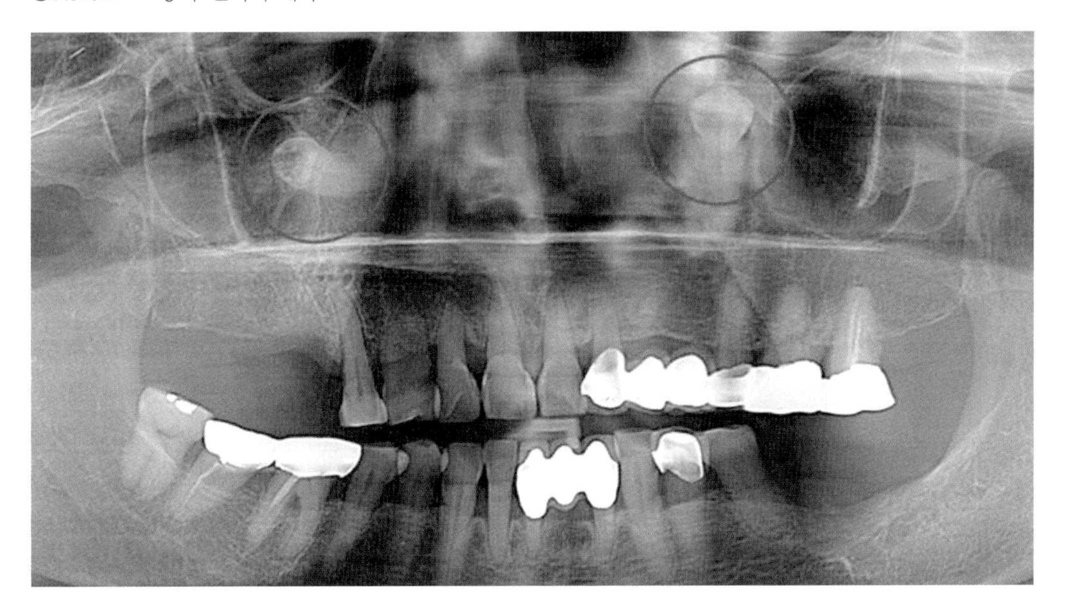

●K01.13 하악 견치의 매복

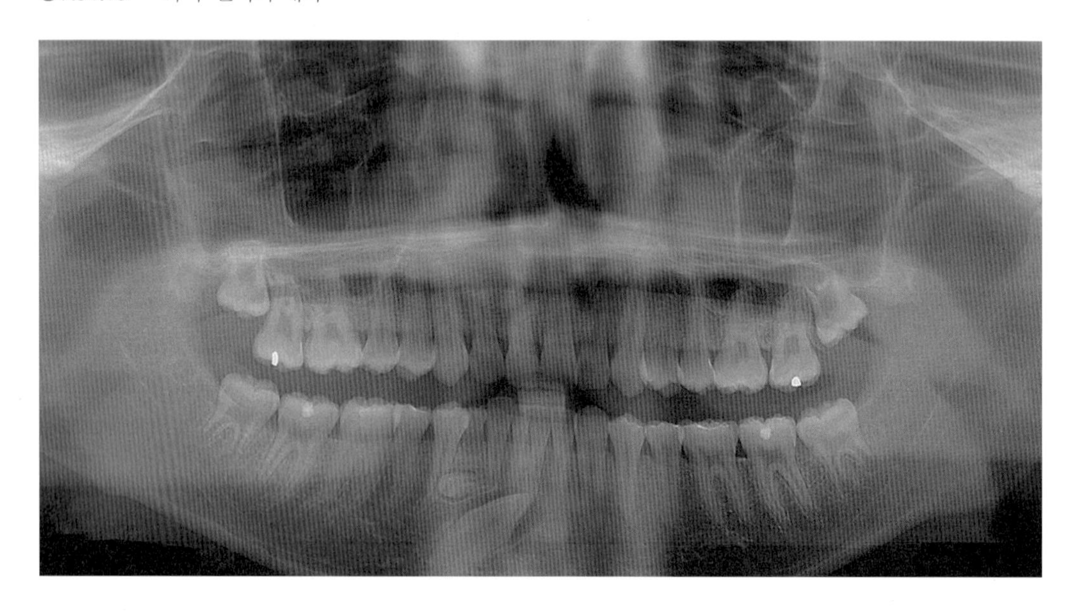

●K01.163 상악 제3대구치의 매복

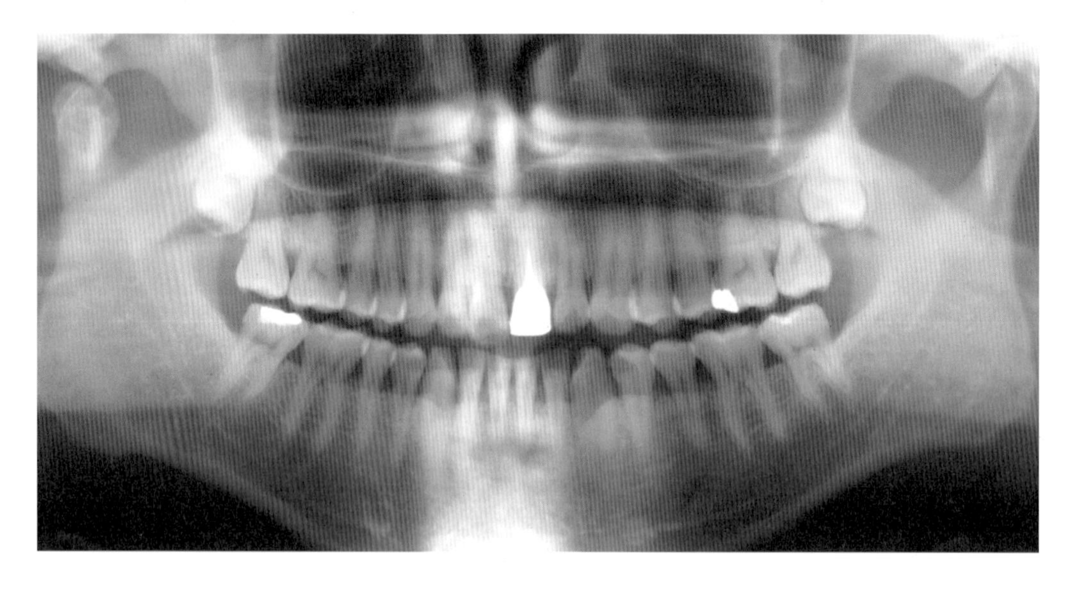

●K01.173 하악 제3대구치의 매복

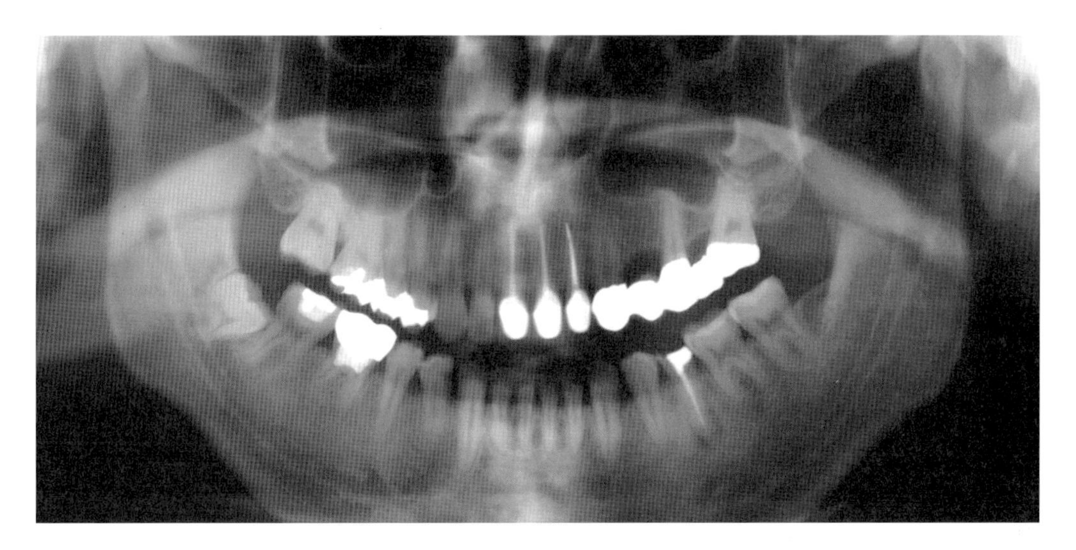

●K01.18 과잉매복치

▶ 44~43 사이 과잉매복치

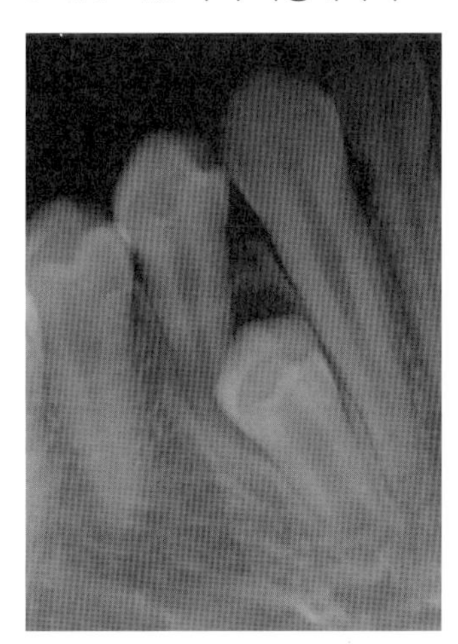

▶ 45~44 사이 과잉매복치

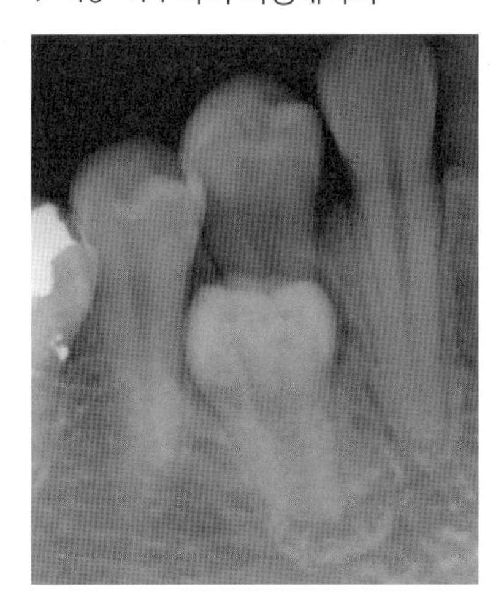

정중과잉치 등이 가장 흔하겠지만, 과잉치 상병명으로 입력해도 크게 상관은 없다. 그러나 매복치 발치로 청구할 경우에는 과잉치의 경우도 매복치 상병명을 입력하는 것이 좋다. 예를 들면 정중치의 경우라면 「K01.10 상악 절치의 매복」 또는 「K01.18 과잉매복치」 등의 상병이 맞을 듯하다.

●K01.19 상세불명의 매복치

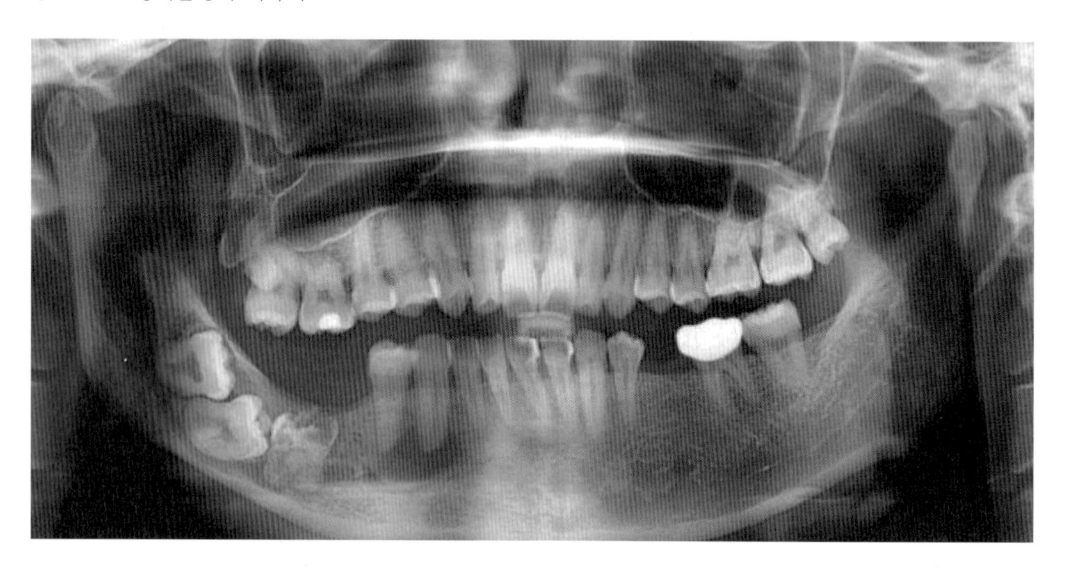

[K02] 치아우식 (Dental caries)

우식의 경우 육안으로 진단되기도 하지만 우식의 정도 및 환자의 증상에 따라 방사선촬영이 동반된다.

●K02.0 에나멜에 제한된 우식 (Caries limited to enamel)
　백색반점병변(초기우식) (White spot lesions [initial caries]

●K02.1 상아질의 우식 (Caries of dentin)

●K02.2 시멘트질의 우식 (Caries of cementum)

●K02.3 정지된 치아우식 (Arrested dantal caries)

●K02.4 파치증 (Odontoclasia)
　영아흑색치아 Infantile melanodontia
　흑색파치증 Melanodontoclasia

●K02.5 치수노출이 있는 우식 (Caries with pulp exposure)

●K02.8 기타 치아우식 (Other dental caries)

●K02.9 상세불명의 치아우식

●K02.0 에나멜(법랑질)에 제한된 우식 (Caries limited to enamel)

백색반점병변(초기우식)

진단 충치가 법랑질에만 작게 생긴 경우.

청구 구강검진 또는 아말감, G-I 충전 등의 간단한 보존치료, 방사선 촬영 등

- 에나멜에 제한된 우식증으로도 방사선 촬영의 청구가 가능하나 대부분 상아질의 우식 상병을 많이 사용한다.

●K02.1 상아질의 우식 (Caries of dentin)

진단 충치가 법랑질을 넘어 상아질까지 진행한 경우.

청구 충전 등의 보존치료, 방사선촬영 등

- 우식의 정도가 심하여 근관치료를 시행해야 할 정도라면 「K02.5 치수노출이 있는 우식」 또는 「K04.~ 치수염」 상병명을 적용하는 것이 좋다.
- 우식으로 인해 발치를 해야 할 경우는 「K02.2시멘트질(백악질)우식」이나 「K02.8 기타우식」 등을 적용하는 것이 좋다.

●K02.2 시멘트질(백악질) 우식 (Caries of cementum)

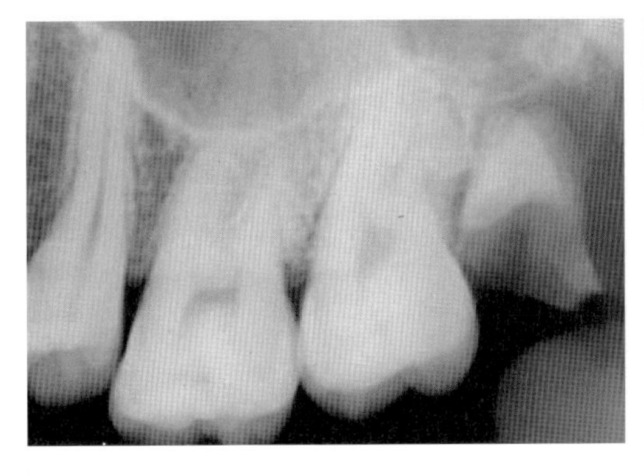

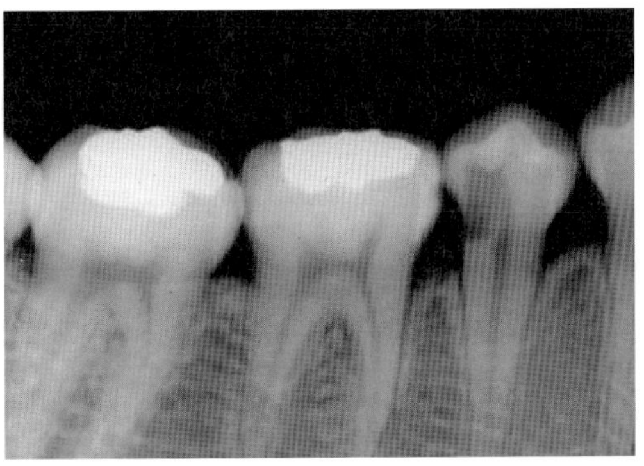

진단 치근면의 백악질에 충치가 생긴 것으로 치근우식 또는 우식3도라고 표현하기도 하며, 우식이 심하여 보존이 불가능한 상태의 치아우식.

청구 보존치료 및 근관치료, 발치

- 보존이 어려운 치근 우식의 경우도 발치상병으로 적용하며, 사랑니 부위 발치에 많이 적용된다. 이때 우식의 진행정도를 내역설명 하기도 한다.

●K02.3 정지된 치아우식 (Arrested dental caries)

진단 충치가 진행하다가 정지된 상태. 충치가 생겼던 부분이 색은 변했으나, 다시 광화되어 단단하고 더 이상은 충치가 진행하지 않는 경우.

청구 구강검진 및 보존치료 시 적용 가능하나 거의 적용되지 않는 편
– 보통은 그냥 그대로 두거나, 레진 치료하는 경우도 있다.

●K02.4 파치증

영양결핍, 세균감염 등의 내적원인으로 우식이 발생하는 치아질환이다. 일반적으로 보험청구 관계자들은 치아파절과 비슷하나 외상에 의한 파절이 아니라, 내부적 원인으로 파절된 경우에 종종 적용하는 듯 하지만 거의 사용하지 않는다. 적용 가능한 진단명이 희귀병에 속하는 질환이므로 거의 적용하는 예가 없다.

적용 가능한 진단명

- 유아성 흑색치아(증) (Infantile melanodontia)
- 흑색파치증 (Melanodontoclasia)

●K02.8 기타 치아우식

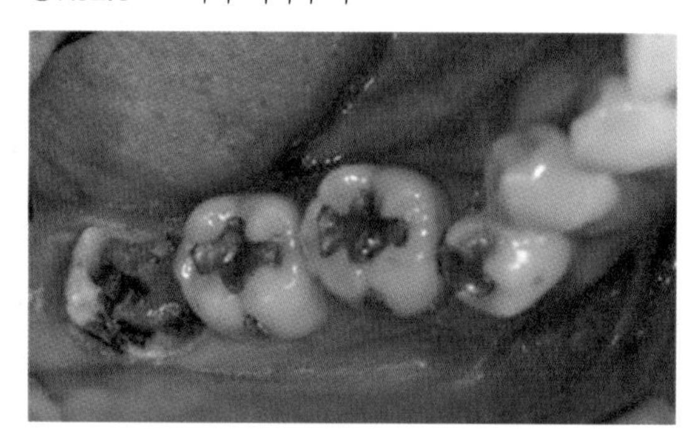

진단 위에서 분류한 것 이외의 우식증. 실제적으로는 치료가 불가능한 정도의 심한 우식증.
수복물 경계에 발생한 2차 우식증인 경우.

청구 수복물 제거, 충전, 근관치료, 발치 상병명으로도 적용 가능하다.
– 예전에 이 상병으로 헤미섹션 청구했다가 혼쭐난 기억이 있다.

●K02.9 상세불명의 치아우식

특징적으로 분류되지 않은 우식증을 말한다. 그러나 우식증은 대부분 앞에서 설명한 우식 상병명으로 적용이 가능하므로 거의 사용되지 않는다.

[K03] 치아경조직의 기타 질환 (Other diseases of hard tissues of teeth)

제외 이갈이 (F45.8)
치아우식 (K02.-)
이갈이 NOS (F45.8)

K03.0 치아의 과다한 생리적 마모 (Excessive attrition of teeth)

●K03.00 교합면마모 (Occlusal wear)

●K03.01 인접면마모 (Approximal wear)

●K03.08 치아의 기타 명시된 생리적 마모

●K03.09 치아의 상세불명의 생리적 마모

K03.0 치아의 과다한 생리적 마모 (치아의 과다 교모)

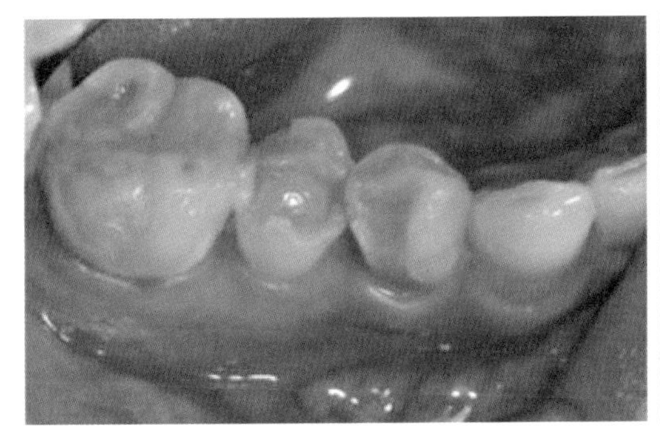

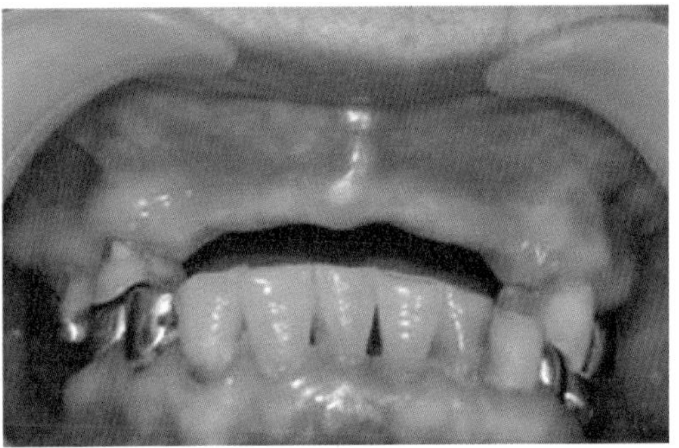

●K03.00 교합면의 마모

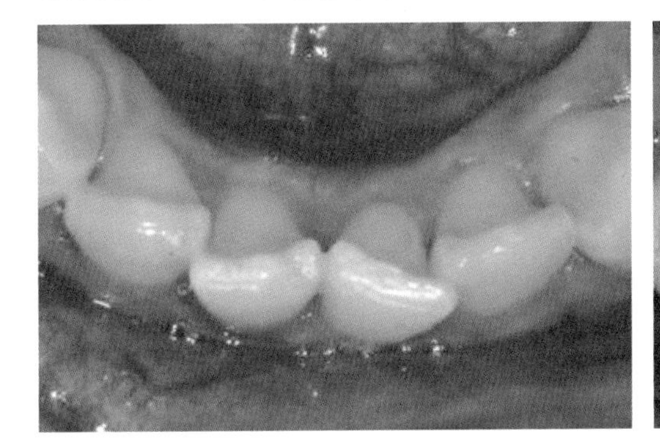

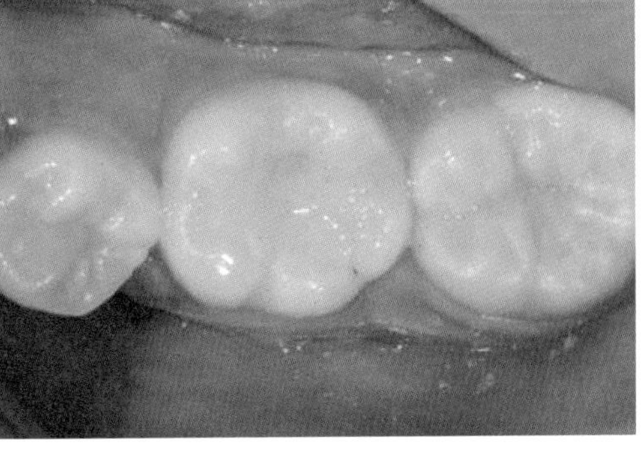

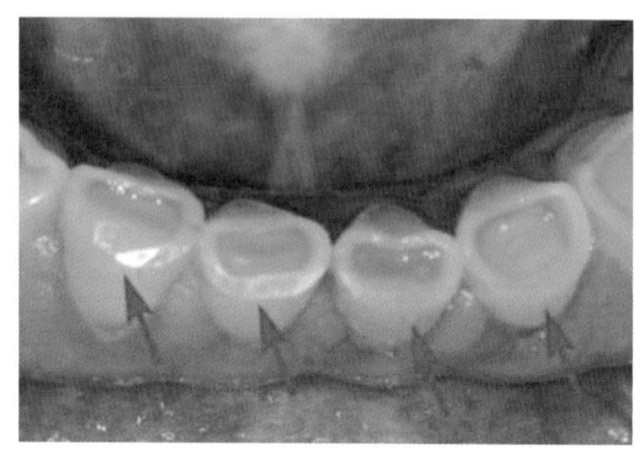

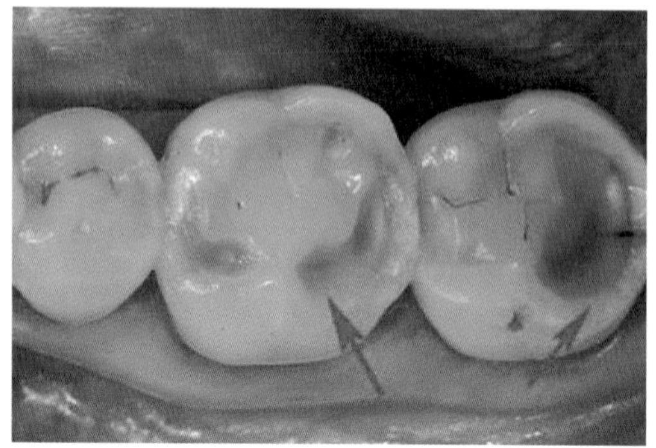

과도한 교합에 의해 치아의 교합면이 마모가 된 상태로, 치아의 옆면이 날카로워지거나 지각과민 증상이 나타날 수 있다. 지각과민증상이 심각하면 보존치료 또는 근관치료의 상병명으로도 적용 가능하다. 날카로워진 면에 의한 교합간섭의 제거를 위하여 부드럽게 하는 교합조정술에 종종 적용 가능하며 교합면의 예리한 부분을 단순히 부드럽게 하기 위한 삭제 시엔 [보통처치] 항목으로 청구한다. [교합조정술]은 교합지를 이용하여 삭제한 경우에 가능하므로, 아무런 내역 없이 과교모증으로 인하여 [교합조정술] 청구 시 [보통처치] 조정되는 사례가 있다.

"저희 치과는 교합지 안 물리고 그냥 살짝 다듬어주고 [보통처치] 청구하는데...
원장님 손에 교합지를 쥐어드린 후 [교합조정술]로 청구해 버릇해야겠네요..." 라고 누군가가 얘기를...

▶ 교합조정술과 보통처치 수가비교

		상대가치점수	진료비
U2290	교합조정술	39.51	3,450원
U0010	보통처치	11.51	1,010원

교합조정 가능한 상병

K05.31	만성 복합치주염	K13.1	볼 및 입술 물림
K07.~	TMD 관련상병	S03.20	치아의 아탈구
K07.28	치열궁 관계의 기타 명시된 이상	S03.21	치아의 함입 또는 탈출 등...

예전에는 치주치료와 교합조정술 동시 시행 시 교합조정이 50%였지만, 2011년 1월 1일부터는 각각 100% 청구 가능하다.

K03.1 치아의 마모 (Abrasion of teeth)

●K03.10 치아의 치약마모 (Dentifrice abrasion of teeth)
치아의 쐐기결손 NOS Wedge defect of teeth NOS
●K03.11 치아의 습관성 마모 (Habitual abrasion of teeth)
●K03.12 치아의 직업성 마모 (Occupational abrasion of teeth)
●K03.13 치아의 전통성 마모 (Traditional abrasion of teeth)
종교의식성 마모 Ritual abrasion of teeth
●K03.18 치아의 기타 명시된 마모
●K03.19 치아의 상세불명 마모

K03.1 치아의 마모(증)

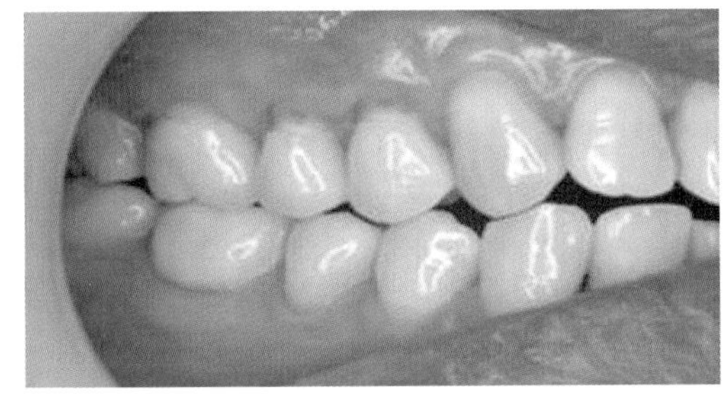
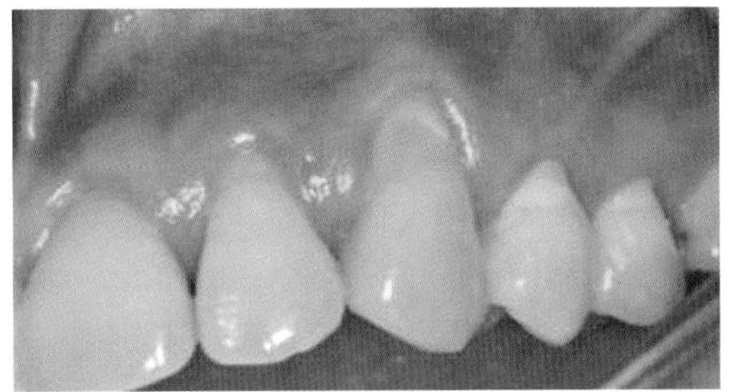

과도한 교합력 또는 부적절한 잇솔질 등으로 치아의 옆면이 파이거나 마모된 상태이다.

근본적로 과도한 교합력 또는 부적절한 잇솔질 등으로 치아의 옆면이 패이거나 마모(abrasion)된 상태라고 정의하나, 실제 거의 대부분은 교합력에 의한 마모(abfraction)인 경우이다. 그러나 교합력에 의한 마모인 abfraction은 〈치아의 굴곡파절〉 등으로 번역하나, 소수점 두 자리까지에서도 굴곡파절이라는 상병명은 없다. 굳이 「K03.11 습관성 마모」에 가장 가까운 듯하여 최근에 습관성 마모로 많이 적용한다. 그러나 치경부 마모증이 잘못된 잇솔질에 의해서 발생하는 것이라고 믿는 사람들도 많아서 대부분의 마모증을 「K03.10 치아의 치약마모」로 적용하는 사람들도 많다. 그러나 뭘 적용하든지 크게 문제되지 않는다. 주로 지각과민처치에 적용 가능하며, 5급 와동으로 보존치료(보통 G.I 충전 시)에도 적용된다. 요즘 들어 지각과민처치의 보험적용 영역이 넓어짐에 따라 상병명으로 자주 사용된다(지각과민처치 나.레이저와 상아질접착제 등).

●K03.10 치아의 치약마모
치아의 쐐기결손 NOS

위에서 설명한 대로 자주 사용되나 습관성 마모가 좀 더 적절한 상병명이 아닐까 생각한다.

●K03.11 치아의 습관성 마모

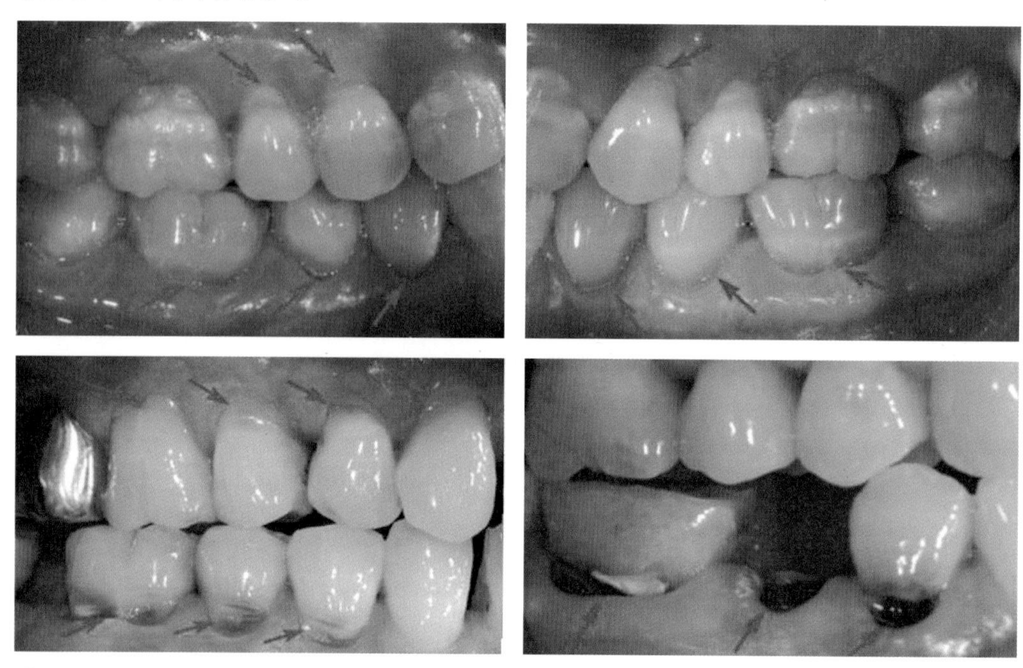

진료구분	재진
처치순번	1 2
진료의사	김영삼
상 병 명	[K03.11] 치아의 습관성 마모 주상병
내역설명	SE-bond 도포함

	구분	진료항목	회	일	금액
☑	행위	지각과민처치(레이저,상아질접착제...	1.4	1	3,836

수납 | 총진료비: 14,060원 본인부담금: 4,200원

진료구분	재진
처치순번	1 2
진료의사	김영삼
상 병 명	[K03.11] 치아의 습관성 마모 주상병
내역설명	

	구분	진료항목	회	일	금액
☑	행위	즉일충전처치	3	1	26,970
☑	행위	레진충전 1면 (GI포함)	3	1	22,050
☑	재료	G.I[FUJI II 1-1 pack](지-씨코리아)	3	1	4,209
☑	행위	충전물연마	3	1	2,220

수납 | 총진료비: 72,780원 본인부담금: 21,800원

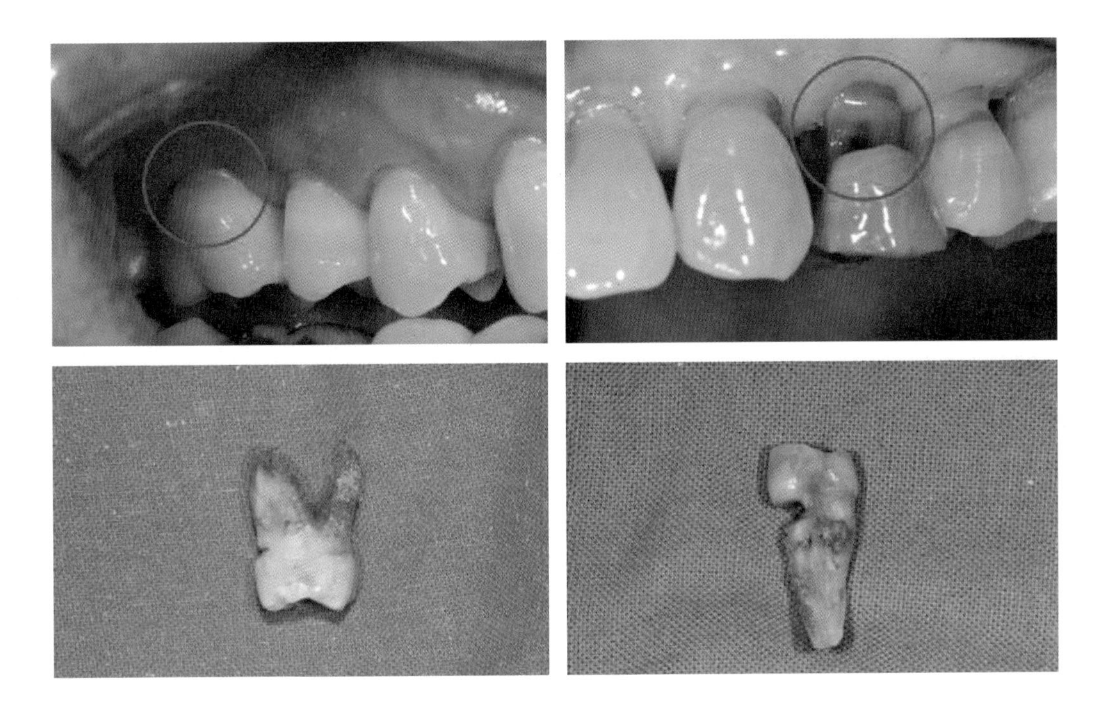

이름대로 표현하자면 이쑤시개나 담배파이프 사용 등으로 자주 사용하는 치아의 면이 마모된 것처럼 보인다. Abfraction을 가장 잘 번역한 굴곡파절이란 말과 가장 비슷하다고 생각하여, 최근에 필자는 대부분 이 상병명으로 적용하고 있다.

근관치료 후 비우식성 치아결손 치경부 마모증에 실시한 차-6 즉일충전처치 인정여부

- 심의내용
  - ○ 교과서에 의하면 비우식성 치아 결손인 마모증은 치아와 외부의 물체 사이에 발생하는 직접적인 마모력이나 마모성 매개물이 있는 상태에서 접촉으로 치아 사이에 발생하는 마찰력에 의해 발생된 비정상적인 치아표면의 결손이며, 건강보험 행위 급여·비급여 목록 및 급여 상대가치점수 행위정의에서 즉일충전처치는 수복물이 상실된 경우, 치질이 상실된 경우, 우식증으로 이환된 경우에 당일 와동형성을 완료하고 영구 충전물로 충전한 경우임.
  - ○ 이에 우식증, 마모증의 상병으로 당일에 충전처치를 완료한 경우 차-6 즉일충전처치 인정함.

* 2012년 7월 1일부터 근관치료한 치아에 시행한 치경부 마모 즉일충전처치가 인정되고 있다. 그러나 1차적으로는 삭감되며, 재심사를 통해 인정받을 수 있다.

●K03.12 치아의 직업성 마모

굳이 표현하자면 학창시절에 배운 것처럼 목수가 못을 물고 있어서 생기는 못 자국 등이 여기에 해당될 듯하다. 그러나 거의 사용하지 않을 듯하다.

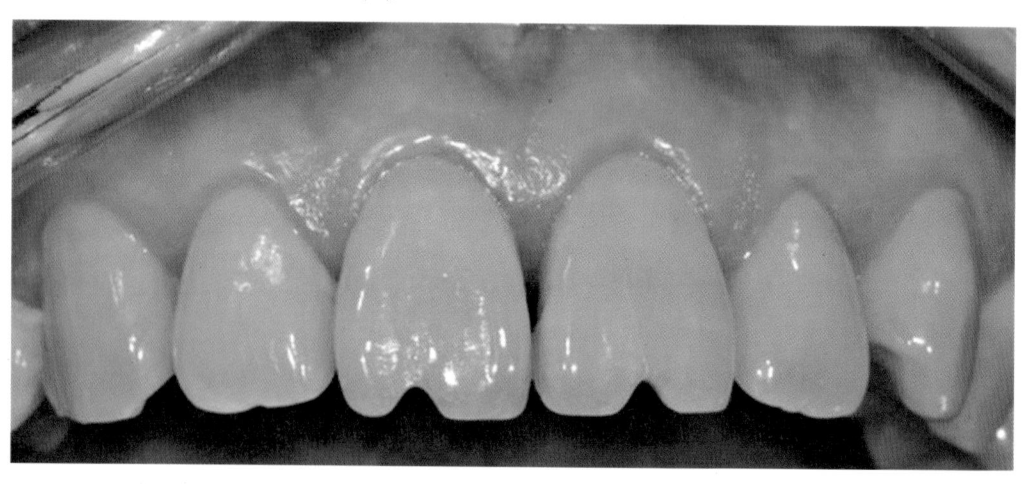

●K03.13 치아의 전통성 마모
종교의식(儀式)성 마모

아프리카 어떤 부족은 치아가 많이 갈려 있어야 미인이라는 경우도 있다고 한다. 그러나 전통문화의 영향 아래 마모된 것이라는 것은 우리나라에는 거의 없을 듯하다.

K03.2 치아의 침식 (Erosion of teeth)
●K03.20 직업성 치아의 침식
●K03.21 지속적 구토에 의한 치아의 침식
●K03.22 식사에 의한 치아의 침식
●K03.23 약물 및 약제의 의한 치아의 침식
●K03.24 특발성 치아의 침식
●K03.28 치아의 기타 명시된 침식
●K03.29 치아의 상세불명 침식

치아가 화학적으로 부식된 상태로 탄산음료나 탄산수와 같은 산성 음료를 습관적으로 음용하거나 위산의 역류 등으로 생긴다. 아주 드문 경우로 보존 및 근관치료의 상병명으로 적용 가능하지만, 실제로는 거의 사용되지 않는다. 굳이 적용하자면 아래의 내용에 해당되는 것을 고르면 될 듯하다.

K03.3 치아의 병적 흡수(증) (Pathological resorption of teeth)

●K03.30 치아의 외부 흡수 (External resorption of teeth)

●K03.31 치아의 내부 흡수[내부 육아종][분홍반점] (Internal resorption of teeth)

●K03.39 상세불명의 치아의 병적 흡수

치아가 여러 가지 이유 또는 원인 불명으로 흡수되는 증상이다. 외상이나 고농도의 미백제의 사용 등 여러 가지 이유로 발생되며, 내흡수와 외흡수로 분류된다. 질병의 정도와 형태가 다양하여 많은 치료에 적용 가능하나, 실제로는 그리 많이 사용되지는 않는다.

K03.3 치아의 병적 흡수(증) (Pathological resorption of teeth)

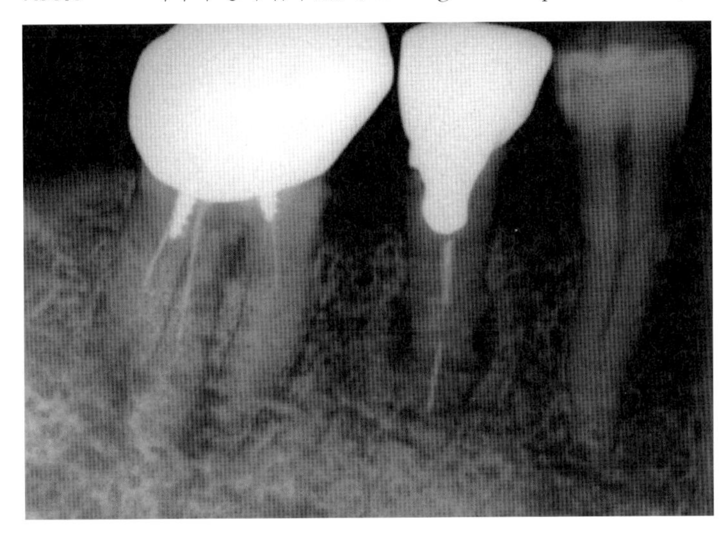

▶ 인접치에 의해 치근 흡수도ㅓ

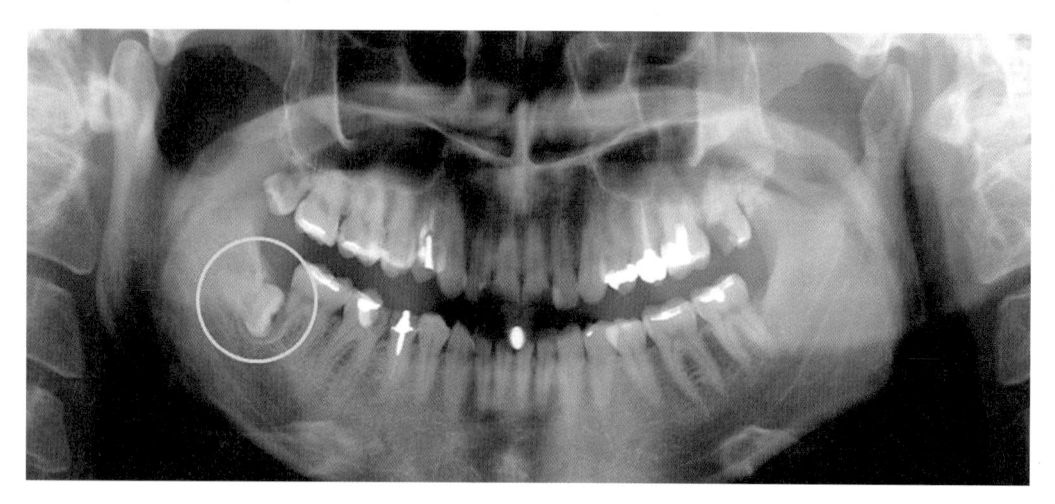

▶ 좀더 심한 치근흡수

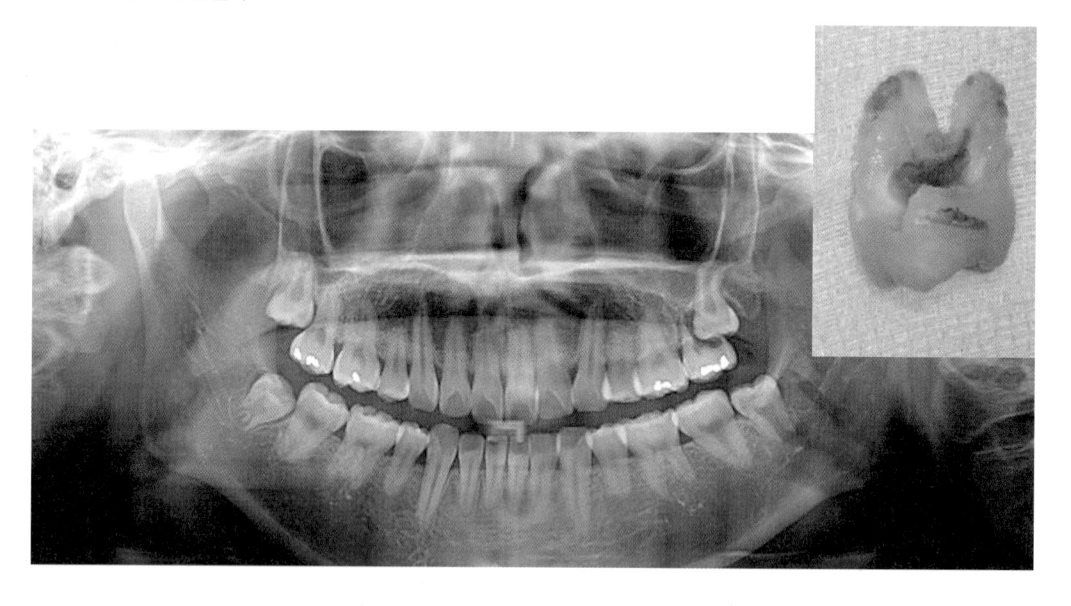

▶ 유치의 치근의 흡수

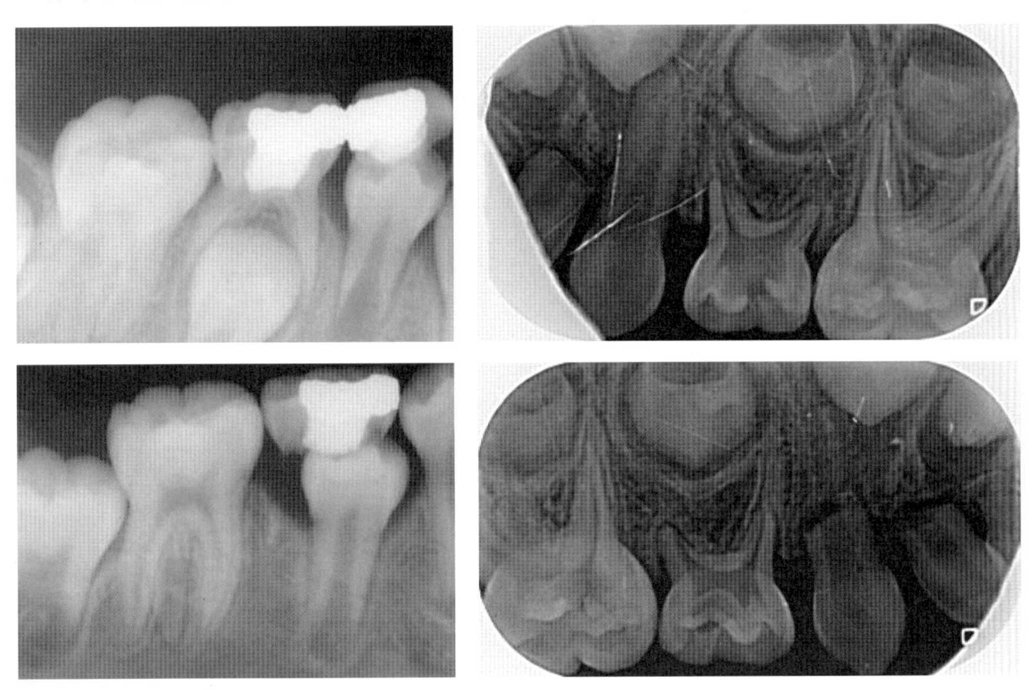

●K03.30 치아의 외부 흡수 (External resorption of teeth)

치아구조의 손실이 표면에서 시작하여 치수 안쪽으로 확장 되는 형태를 말한다. 원인으로는 치아의 재식립, 고농도의 미백제의 사용, 교정치료, 양성종양 등에 의해 치아의 외부가 흡수되는 현상을 말한다. 치료법이 명확하지 않다.

▶ 과거 외상으로 인한 치아재식술 한 Case

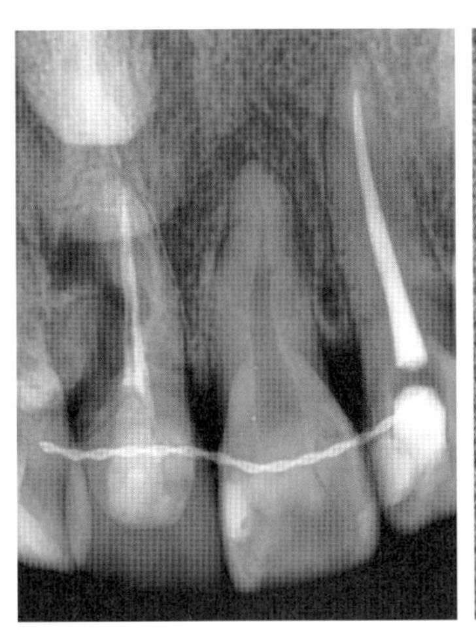

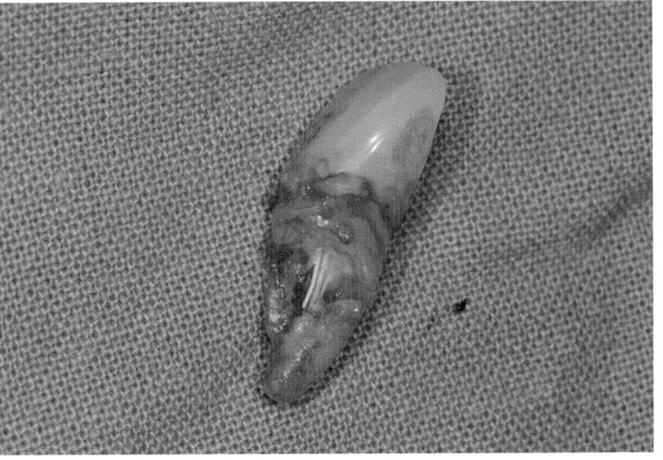

●K03.31 치아의 내부 흡수[내부 육아종][분홍반점] (Internal resorption of teeth)

치수내 혈관변화로 상아질이 흡수되는 것을 말한다. 치관이나 치근 모두에 나타날 수 있고 원인은 알려지지 않았으나, 대게 과거에 외상을 받은 내력을 가진 치아에서 볼 수 있다. 주로 상악 전치에 흔하게 나타난다(고농도의 미백제의 사용, 외상 등으로 치수가 변성되어 과증식되는 현상이 가장 큰 원인으로 분류된다).

▶ 내흡수 – 과거 미백 History 있는 환자

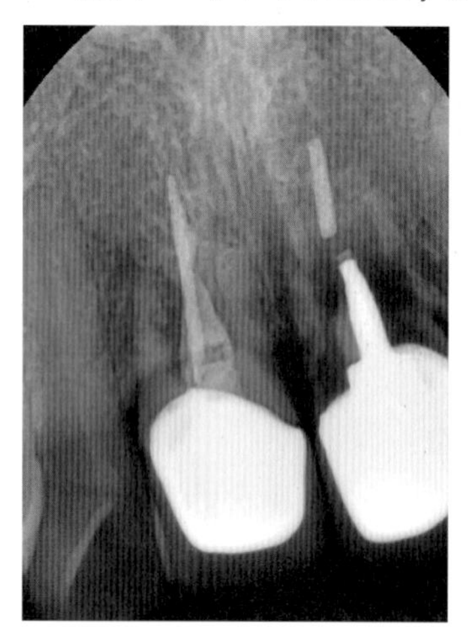

●K03.39 상세불명의 치아의 병적 흡수

▶ 원인불명… 가끔 한번씩 아프다는 C.C와 색이 변했다는 C.C로 내원함

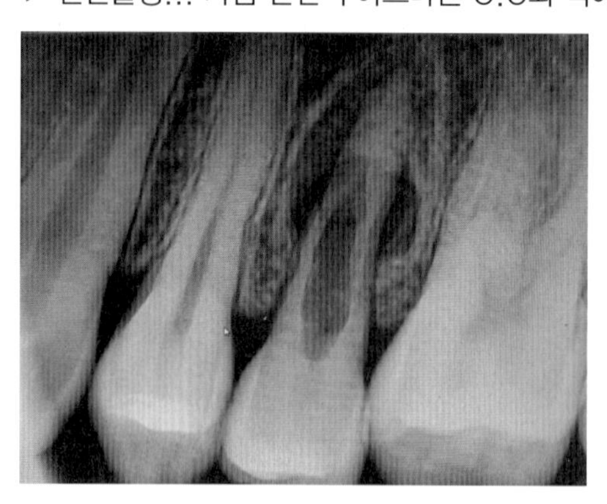

K03.4 과시멘트질증(백악질증) (Hypercementosis)

포함 시멘트화증식증 Cementation hyperplasia

제외 파젯병에서의 과시멘트질증(M88.8)

대합치의 상실, 여러 가지 치근단 염증 등으로 백악질이 이상 증식한 경우로 치료가 불필요해서 거의 사용되지 않는 상병명이다. 발치가 필요한 치아에서 과백악질증이 있는 경우 난발치를 청구하기도 한다.

K03.5 치아의 강직증 (Ankylosis of teeth)

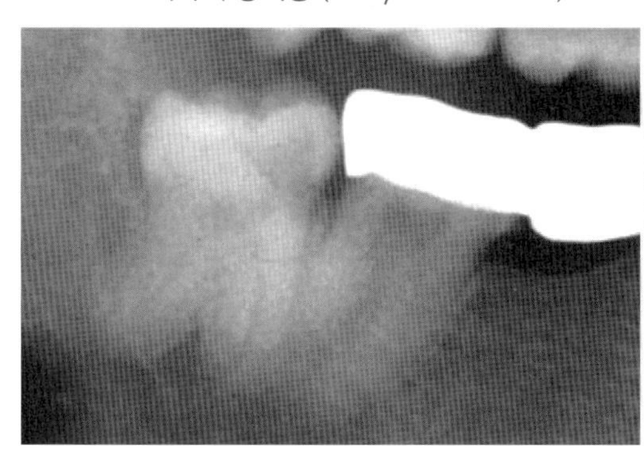

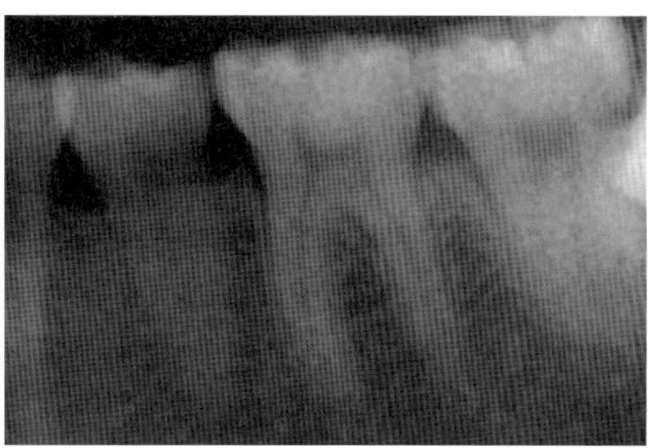

난발치 상병으로 많이 쓰는데 치근이 치조골에 강직(유착)되었다고 뽑는 건 아니지만 최근 심사 분위기가 이 상병을 쓰라는 추세라 필자도 난발치 시 주로 사용하는 상병이긴 하다.

외상이나 기타 여러 가지 이유로 치아가 치조골과 골성유착이 된 상태로 주로 근관치료된 치아나 재식립된 치아에서 나타난다.

타 병원에 비하여 난발치의 빈도가 높을 경우엔 조정 가능성이 있으므로, 골성 유착이 된 사유나 난발치의 사유를 내역설명 하는 것이 바람직하겠다.

▶ 치아의 결손 및 유착

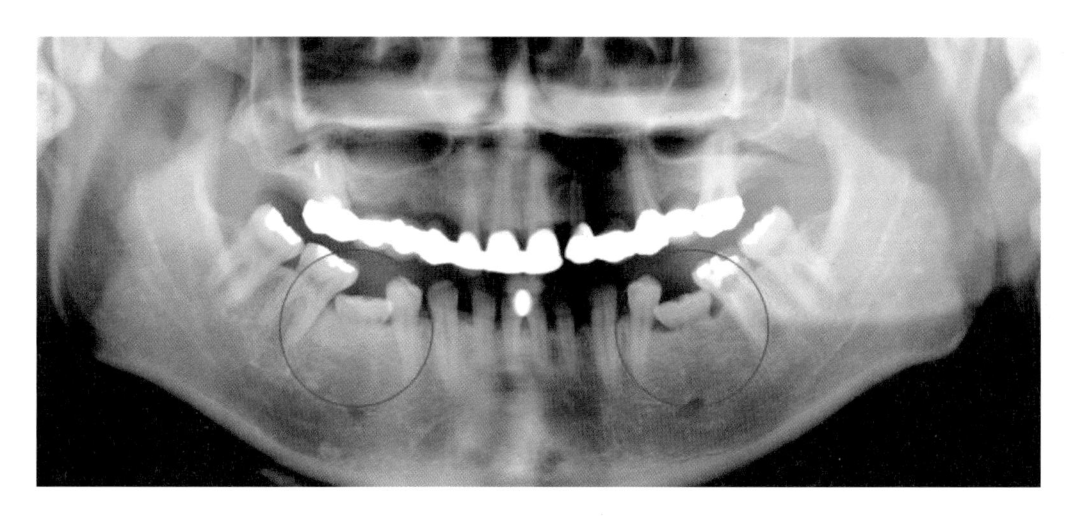

K03.6 치아의 침착물 [증식유착]

말 그대로 치아의 면에 침착물이 생긴 것으로, 특별한 상병명이라기 보다는 치아의 상태에 가깝다. 이 상병명을 치면세마에 주로 적용하는 분들이 있다. 치면세마는 치은염 상태에서 치태를 러버컵으로 제거할 때 적용하는 것으로 치아의 침착물 상병을 적용하는 것은 적당하지 않을 듯하다.

- 잇몸밑 치석 (Supragingival dental calculus)
- 잇몸위 치석 (Subgingival dental calculus)
- 베텔(씹는 후추) 치아의 침착물[유착물] (Betel depositis [accretions] on teeth)
- 흑색치아의 침착물[유착물] (Black depositis [accretions] on teeth)
- 녹색치아의 침착물[유착물] (Green depositis [accretions] on teeth)
- 백질치아의 침착물[유착물] (Materia alba depositis [accretions] on teeth)
- 오렌지색치아의 침착물[유착물] (Orange depositis [accretions] on teeth)
- 담배치아의 침착물[유착물] (Tobacco depositis [accretions] on teeth)
- 치아의 착색 NOS (Staining of teeth NOS)
- 외인성 치아의 착색 NOS (Extrinsic staining of teeth NOS)

참고

치면세마란?

치면세마를 심평원 행위 정의에서 찾아봐도 퍼미스와 러버컵을 이용하여 치아의 침착물을 제거하는 행위라고 나온다. 그러나 실제로 치아의 침착물을 치면세마로 제거한다고 해서 치면세마를 인정하지는 않는다. 오히려 쉽게 유치와 영구치에 실시한 치석제거로 생각하면 좋을 듯하다. 어린이가 치석이 많을 가능성은 없지만, 단순히 잇솔질 행위만으로 제거가 쉽지 않을 경우에 치은염의 치료를 위해서 실시하는 것이라고 알아두면 좋을 듯하다. 최근에 치면세마 삭감이 아주 많다. 특히 불소도포 당일에 실시한 치면세마는 무조건 불소도포라는 비급여 행위에 포함된 술식으로 간주하므로, 불소도포 당일에는 치면세마를 했더라도 청구를 하지 않는 것이 좋다. 다른 비급여 진료가 없을 경우에 실시해야 오히려 정당성이 더 있지 않을까 생각해본다.

▶ 전치부 스테인

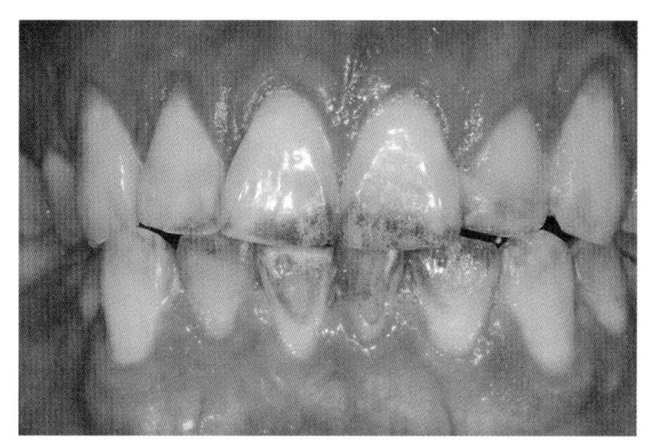

▶ 아말감 타투

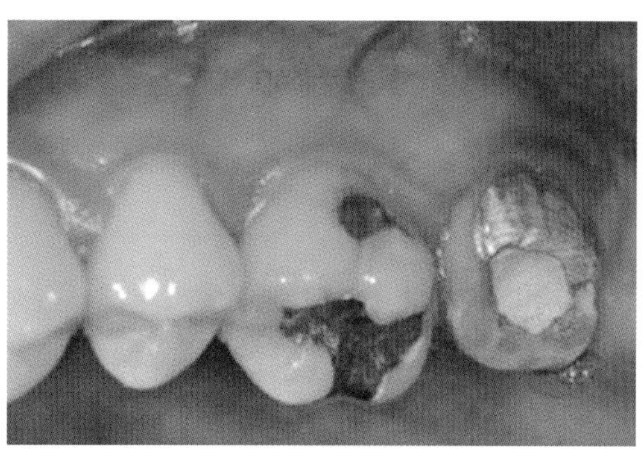

K03.7 치아경조직의 맹출 후 색조변화

제외 치아의 침착물[증식유착] (K03.6)

감별진단 자체도 어렵지만, 심미적인 내용으로 보험에는 거의 적용되지 않는다.

K03.8 치아경조직의 기타 명시된 질환

●K03.80 민감상아질 (Sensitive dentine)

●K03.81 방사선조사된 에나멜 (Irradiated enamel)

방사선유발성일 때 방사선 감별을 원한다면 추가로 외인분류번호(XX장)를 사용할 것.

●K03.88 치아경조직의 기타 명시된 질환

●K03.80 민감 상아질 (과민성 상아질)

5차 개정 이전에는 「K03.8 지각과민증」이라는 상병명이었다. 5차 개정에서 이 상병명으로 변경되어서 헷갈 리는 사람들이 많았다. 그러나 6차 개정에서 다시 소수점 둘째자리까지 구분되며 「K03.80 과민성 상아질」 이라는 상병명이 생겨서 덜 혼동될 듯하다. 예나 지금이나 상병명대로 지각과민증상이 있는 치아의 상병명에 그대로 적용하는 편이다. 그러므로 당연히 지각과민처치의 상병명으로 사용된다. 마모증에 이어 지각과 민처치 시 많이 적용되는 상병이다. 마모증도 없거나 심하지 않은 경우라도 지각과민증상이 나타날 수 있으므로 그러한 경우에 적용 가능하다. 주로 간단한 약물도포(글루머 등)나 불소이온도포 등의 상병명으로 적용되어 왔다. 하지만 2005년부터 레이저 지각과민처치와 상아질 접착제 도포에 의한 지각과민처치에도 적용 가능해졌다. 지각과민 증상이 심할 경우 근관치료를 시행할 수 있지만, 근관치료의 상병명으로는 거의 사용되지 않는다.

☆ 관련 보험진료 행위

차-4 지각과민처치

		상대가치점수	진료비
U0041	가. 약물도포, 이온도입법의 경우	13.01	1,140원
UX001	나. 레이저치료, 상아질접착제 도포의 경우	31.3	2,740원

마모, 교모, 산식증, 치은퇴축, 외상성 교합 등으로 치경부와 교합면이 마모되고 노출되어 외부 자극에 대한 치아의 반응이 정상범주를 벗어나 민감성을 나타내는 경우 시행하는 술식이다. 도포한 약물에 따라 (가)와 (나)항목으로 나누어진다. 치주치료, 충전치료, 근관치료, 보철치료 등 치료와 동시시행 했을 경우에는 청구할 수 없다.

1) 가. 약물도포, 이온도입법의 경우
- 글루머, 수퍼실, MS코트 등의 약물 도포, 불소이온도입법 등의 경우에 산정한다.
- 1일 최대 6치(600%)까지만 산정하며, 1치아 당 2~3회정도 중복 산정 가능하다.

2) 나. 레이저치료,상아질접착제 도포의 경우
- 식약처에 레이저 또는 상아질접착제를 이용하여 처치한 경우에 산정한다.
- 1일 최대 6치(200%)까지만 산정 가능하다. 1치는 행위료 100%를 산정하고, 제2치부터는 초과되는 치아 수마다 소정점수의 20%를 산정한다.
- 동일 치아에, 6개월 이내 재실시하는 경우는 산정 불가하다(진찰료만 산정 가능).

▶ 가. 약물도포, 이온도입법 ▶ 나. 레이저치료, 상아질 접착제 도포

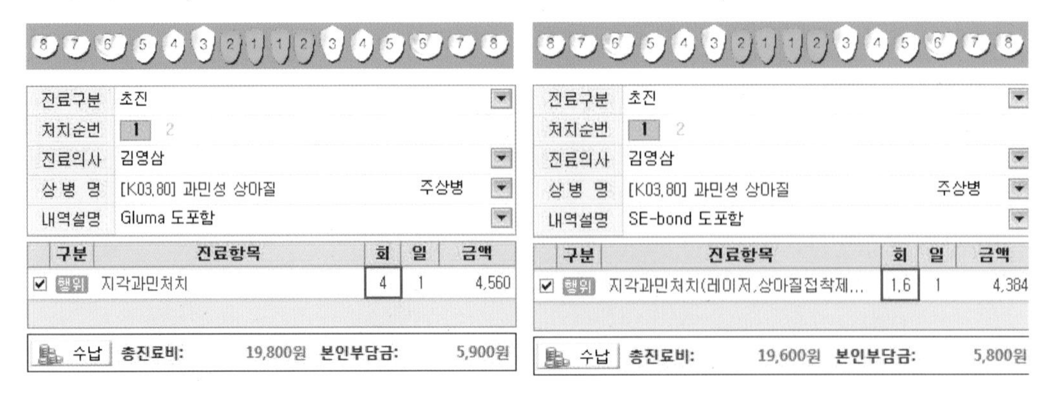

●K03.81 방사선 조사된 에나멜(법랑질)

방사선 유발성일 때 방사선 감별을 원한다면 추가로 외인분류번호(XX장)를 사용할 것.

●K03.88 치아 경조직의 기타 명시된 질환

K03.8과 K03.88의 상병명 이름이 같다. 예전에도 지각과민증에서 이 이름으로 변경되었을 때 지각과민처치를 삭감할 명분으로 이 상병명을 적용했을 경우에 지각과민처치를 삭감한 경우가 있다. 물론 지역마다 차이는 있지만, 이제는 민감 상아질이라는 상병명이 생겼으니 굳이 이 상병명까지 구체적으로 사용할 필요는 없을 듯하다. 아마도 심평원 직원들이 상병명의 명칭만 바뀐 게 아니라 내용까지 바꾼 것으로 간주했거나, 지각과민처치에 대한 심사강화 측면에서 엉뚱하게 내려진 조치인 듯하다. 실제로 치은퇴축과 치아의 마모증 없이도 지각과민증이 있는 경우가 많기 때문이다. 물론 필자는 근본원인은 교합에 있다고 본다.

만약 위의 상병명으로 지각과민처치를 청구했다가 삭감 또는 조정 당했을 경우는 위의 내용을 알고 이야기를 해보면 충분히 재청구가 가능할 듯하다.

기타명시된(not elsewhere classified) NEC	상세불명의(not otherwise specified) NOS
특정 부류의 질환 중 진단명이 존재하나 발병률이 낮아 통합하여 넣은 형태	진단이 불가능하거나, 새롭게 발견된 질환으로 명확한 진단명이 없는 경우

[K04] 치수 및 치근단주위 조직의 질환 (Disease of pulp and periapical tissues)

K04.0 치수염 (Pulpitis)

급성 치수염 Acute pulpitis

만성 (증식성)(궤양성) 치수염 Chronic (hyperplastic)(ulcerative) pulpitis

●K04.00 가역적 치수염 (Reversible pulpitis)

●K04.01 비가역적 치수염 (Irreversible pulpitis)

●K04.09 상세불명의 치수염

- 치수에 염증이 생긴 상태로 일반적인 근관치료의 상병명으로 가장 많이 사용된다.
- 진단에 따라 주로 [K04.00 가역적 치수염]과 [K04.01 비가역적 치수염]으로 구분하여 적용한다.
- 상아질 우식증의 경우 치수복조까지만 인정되므로, 치아우식증으로 인해 근관치료를 할 경우는 상병명을 치수염으로 적용하는 것이 좋다. 하지만 대부분의 근관치료가 상병명을 치수염만을 적용하는 경우가 많아 삭감이 되는 경우가 발생하므로, 여러 가지 근관치료와 관련된 다른 상병명 등을 잘 알아두어, 적절히 적용 하는 것이 좋다.
- 항생제 처방에 약간의 내역설명 등 제한이 있으므로, 무분별하게 항생제를 처방하는 것은 좋지 않다. 치수염으로 치료를 진행하는 중 항생제 처방이 필요한 경우 중간에 상병명을 변경하여 처방할 수도 있다.

●K04.00 가역적 치수염 (Reversible pulpitis)

치수충혈(Pulpal hyperemia) 상태로 온도반응에 대해 매우 민감하며, EPT에서 정상보다 낮은 전류에 반응한다. 대부분 충치가 깊거나, 충전이 깊고 절연이 안 되는 경우나, 수복물의 변연에 미세한 누출이 있는 등의 상태에 흔하게 발생한다. 일반적으로 자극이 있을 때만 통증을 느끼는 것으로 보통은 원인을 제거하면 원상태로 돌아오기도 하므로, 반드시 근관치료를 할 필요는 없다.

적용 가능한 진단명

• 치수충혈

치수가 혈관의 충혈로 과잉의 혈액이 축척하는 것을 말한다. 냉자극에 민감하고, 단기간(1분 이내)의 격통(sharp pain)이 온다. 자발통(자극이 자해지지 않더라도 통증을 느끼는 것)은 없으며, 자극이 제거되면 통증이 소실된다.

●K04.01 비가역적 치수염 (Irreversible pulpitis)

비가역적 치수염은 아래의 내용에 해당되나 실제로 아직도 그저 근관치료를 위한 가장 초기 상병명으로 간주한다.

적용 가능한 진단명

- 급성 치수염 (Acute pulpitis) : 치수충혈의 다음단계로 열 자극에 매우 극심한 통증을 느끼게 되며, 자극을 제거해도 완화되지 않는다. 주로 큰 충치가 있거나 수복물이 있는데서 발생하며, 욱신욱신 쑤시는 형태로 점차적으로 열자극에 심하게 반응해 간다. 근관치료 또는 발치를 시행하며 유치의 경우 치수절단술을 시행하기도 한다.
  치수염의 초기상태로, 증상으로는 초콜릿과 사탕 등의 단 것과 냉수 등에서 강한 통증이 일어난다. 이 통증은 자극이 가해졌을 때에만 일어나며, 그 후에는 없어진다(일과성의 동통). 또한, 우식와에 음식물이 압입되는 경우에도 통증을 느낀다(압입통).
- 급성 화농성 치수염 (Acute suppurative pulpitis) : 급성염증이 치수전체로 확대되어 액화되거나 괴사된 경우이다. 열자극에 극심한 통증을 호소할 수 있으며, 항생제 처방이 종종 필요할 수 있다(ex. 찬물을 머금고 있어야 안 아파요). 급성치수염에서 속발하는 경우가 많으며, 깊은 우식와를 볼 수 있다. 증상은 매우 강한 통증(격통), 자발통, 박동통(맥박과 일치하는 동통), 방산통(이환치아와 주변까지 확산된 동통, 상악 치아의 경우 눈가 측두부로 통증이 확산되고, 하악 치아의 경우 이통을 느끼기도 한다. 따라서 하악이 이환치아인데도 상악 치아가 아프다고 호소하는 경우가 많다)과 지속통으로 나타난다. 체온의 상승과 관련이 있고 야간 취침 시에는 더욱 심해진다(야간통).
  초기에는 냉자극에 통증이 강하지만, 시간이 지남에 따라 뜨거운 것에 강한 반응을 나타낸다.
  염증이 치아 전체에 파급되면 치아의 정출감과 타진통이 심해진다.
- 만성 치수염 (Chronic pulpitis) : 급성 치수염 이후의 정지 상태로 자극에 대한 반응이 매우 낮다. 처음부터 급성 단계를 거치지 않고 만성으로 진행할 수 있으며, EPT에서 매우 높은 전류에 반응하거나 반응하지 않는다.
- 만성 과형성 치수염 (Chronic hyperplastic pulpitis) : 만성적인 염증으로 치수가 과증식된 경우로 신경이 없어 통증은 없으나, 절단 시 출혈이 심할 수 있다. 크고 개방성 충치를 가진 어린이나 젊은이에 호발 된다. 핑크빛 돌기모양으로 충치내부로 잇몸이 과증식한 것과 감별해야 한다.
- 만성 궤양성 치수염 (Chronic ulcerative pulpitis) : 급성 화농성 치수염이 만성화된 것으로 이해하면 좋을 듯하다. 보통 증상이 나타나지 않고, 음식물 잔사, 변성된 적혈구, 세균, 혈구로 구성된 퇴색 찌꺼기 층과 노출된 치수를 덮고 있는 것이 보이며, 치수 표면은 부식되어 있다. 이 부입에서 부패되어 악취가 나며, 위에 덮여 있는 상아질을 제거하는 동안 탐침으로 탐침하거나 치수에 충격을 가하면 심층 치수조직에 도달할 때까지 동통이 나타나지 않는다.

K04.1 치수의 괴사 (Necrosis of pulp)

혹시나 아플까봐 마취를 하지만 마취 없이도 발수 가능한 상병은 치수의 괴사이다.

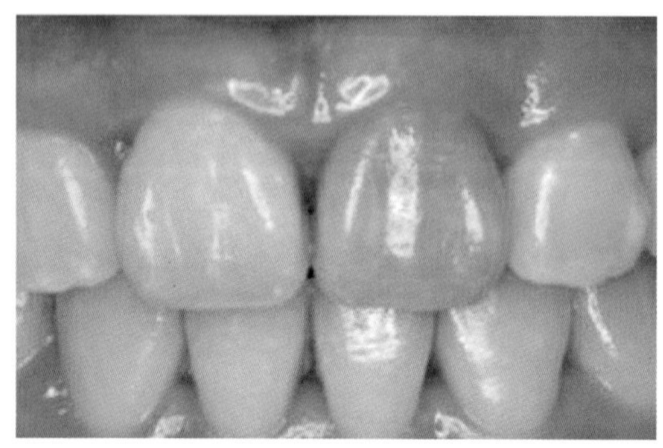

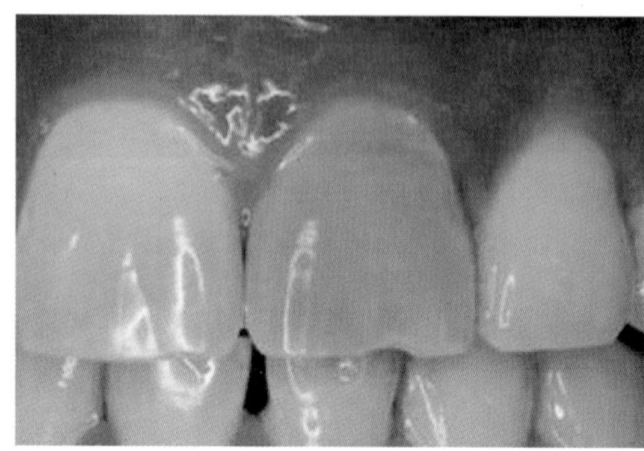

- 치수의 생활력을 상실한 상태이다.
  치수에 유해한 어떤 자극도 원인이 될 수 있으며, 특히 세균성 감염과 외상, 화학적 자극 등에 의해 치아의 생명력을 상실한 경우이다. 외상에 의해 발생한 세균성 치아의 변색이 동반되는 경우가 많다. 방사선 사진 상에서는 치근단에 이상소견이 없는 경우가 대부분이다.
- 실제 치수의 괴사는 그 비율이 낮지만 발수 시 마취를 청구하지 않는다는 점 때문에 청구가 많아지는 경우가 있다. 예전에 디펄핀과 같은 약제를 사용하고 치수강 개방을 시행하고 보통처치를 청구하고 이후 내원 시 발수를 하면서 마취를 시행하지 않는 진료를 하는 경우가 있는데, 이런 경우 발수 시 마취가 시행되지 않았다는 점 때문에 진단명에 맞는 상병명이 아니라 치수의 괴사가 적용되는 예가 많다.

적용 가능한 진단명

- 치수괴저 (Pulpal gangrene) : 허혈과 세균의 감염에 의한 치수 조직의 괴사된 상태이다. 간혹 건조성으로 나타나는 경우도 있다.

K04.2 치수변성 (Pulp degeneration)

- 겉으로 보기에는 아무런 변화가 없으나 성인이 되어 치아가 서서히 노화되면서 퇴행성변화나 위축성 변화 등이 발생하는 현상이다. 보통은 치수의 생명력은 유지한 채 석회화되는 것이 일반적이다.
- 근관치료의 상병명으로 적용 가능하지만, 진단이 거의 불가능하고 특히 다른 질환과는 병리학적으로만 감별진단이 가능하므로 진단 자체가 어렵다. 정상적인 치아와 마찬가지로 기능하므로 치료가 필요하지 않을 수도 있다. 치료가 필요해도 대부분 다른 상병명으로 대체할 수 있기 때문에 많이 사용되지는 않는다.

적용 가능한 진단명

- 상아질석(상아립) (Denticles)
- 치수 석회화 (Pulpal calcifications)
- 치수 결석 (Pulpal stones)

K04.3 치수내의 이상경조직형성 (Abnormal hard tissue formation in pulp)

제외 치수 석회화 (K04.2)

치수 결석 (K04.2)

치수내에 이상 경조직이 형성된 것으로 이로 인해 치수강이 작아지고 근관이 폐쇄되는 경우가 있다. 이 상병명 자체가 근관치료(발수)의 상병명으로 많이 사용되지는 않지만, 치수절단이나 이미 시작한 근관치료의 경우 근관치료를 중단할 경우에 상병명으로 가끔 적용할 수 있다.

적용 가능한 진단명

- 이차성 또는 불규칙적 상아질 (Secondary or irregular dentine)

K04.4 치수기원의 급성 근단치주염 (Acute apical periodontitis of pulpal origin)

급성 근단 치주염 NOS (Acute apical periodontitis NOS)

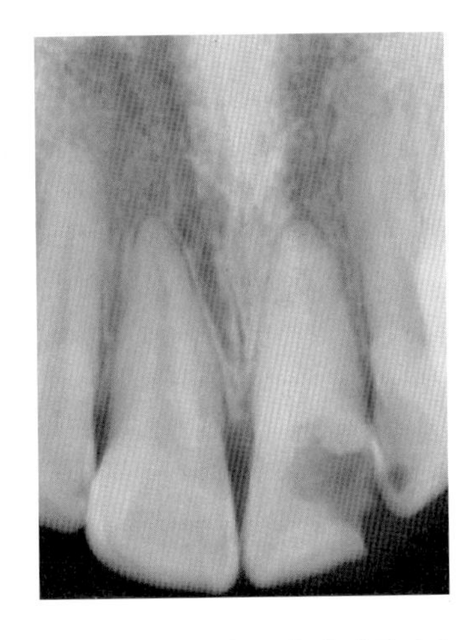

치수염이나 만성 근단성 치주염이 근원이 된다.

극심한 통증을 호소할 수 있으며, 방사선 사진상에서 근단부위의 치근막이 비후되거나 치조백선의 연속성 상실이 나타난다. 초기에는 치수의 생명력이 있는 경우도 있고, 골수로 확산될 경우 골수염이 될 수도 있다. 일반적으로 교합면 삭제(교합조정술로 인정 안 됨)로 대합치와 맞닿지 않게 하고, 근관치료를 시행한다. 응급근관처치의 상병명으로 가장 많이 사용된다. 하지만, 치수절단 상병명으로는 적용 불가하다. 심할 경우 발치를 시행할 수도 있다.

K04.5 만성 근단치주염 (Chronic apical periodontitis)

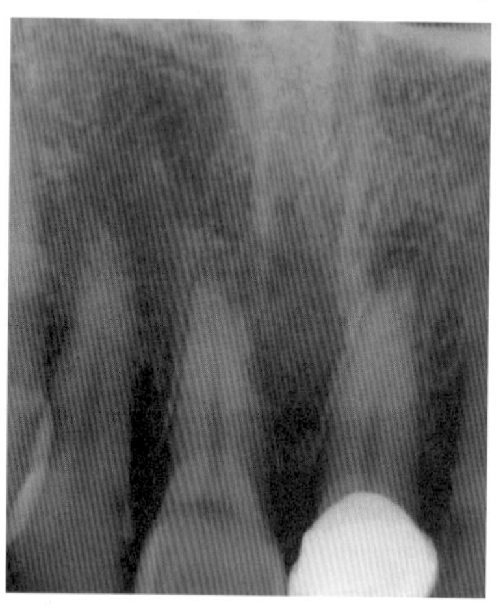

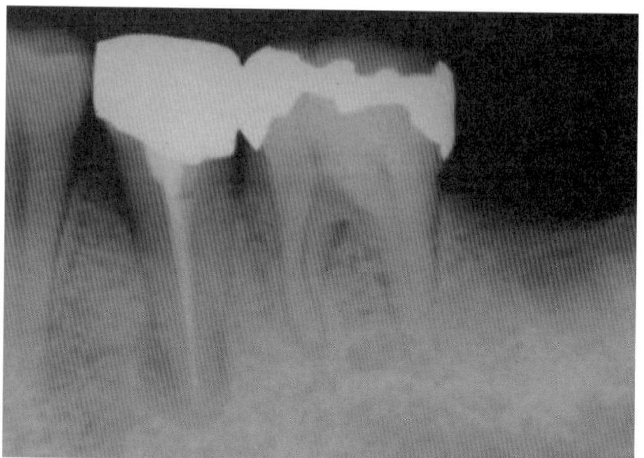

일반적으로 농양의 누출 없이 방사선 사진상에 근단부위에 방사선 투과상이 나타나는 경우이다. 만성이므로 어느 정도 방사선 투과상의 윤곽이 형성되어 있는 경우가 많다. 치근단 낭 등의 다른 질환과 감별진단하기는 쉽지 않으며, 증상이 없거나 약간의 만성적인 통증이 있을 수 있다. 일반적으로 증상이 심하지 않으며 치근단 방사선 투과상을 갖고 있는 치아에 근관치료 시 적용 가능하며, 특히 재근관치료 시 많이 적용된다.

적용 가능한 진단명

- 만성 근단치주염 (Chronic apical periodontitis)
- 근단 또는 근단주위 육아종 (Apical or periapical granuloma)

▶ 근단 치주염 NOS (Apical periodontitis NOS)

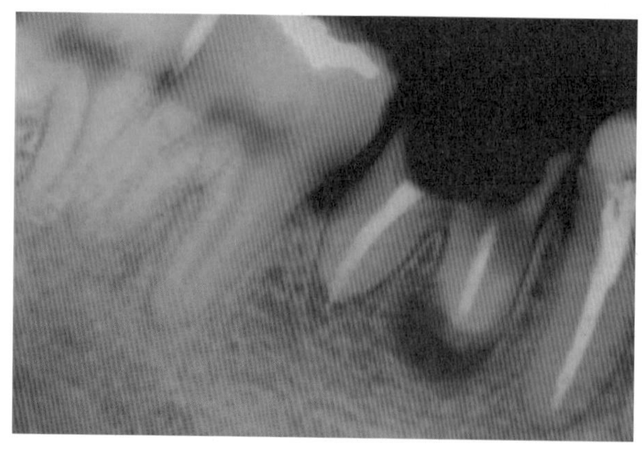

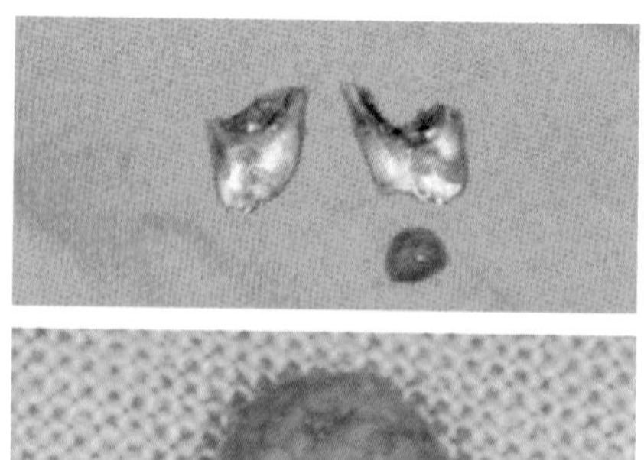

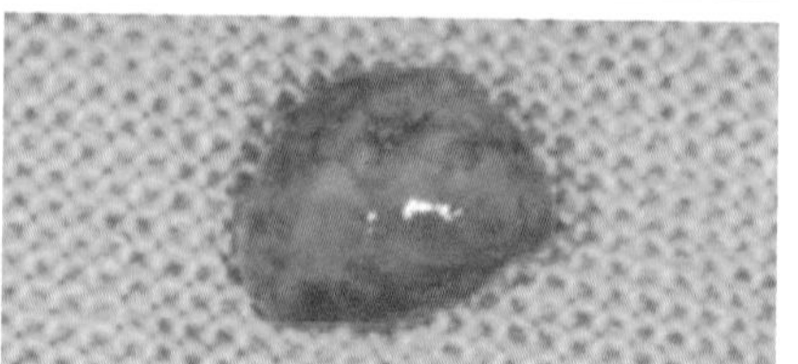

▶ 근단 치주염 NOS (Apical periodontitis NOS)

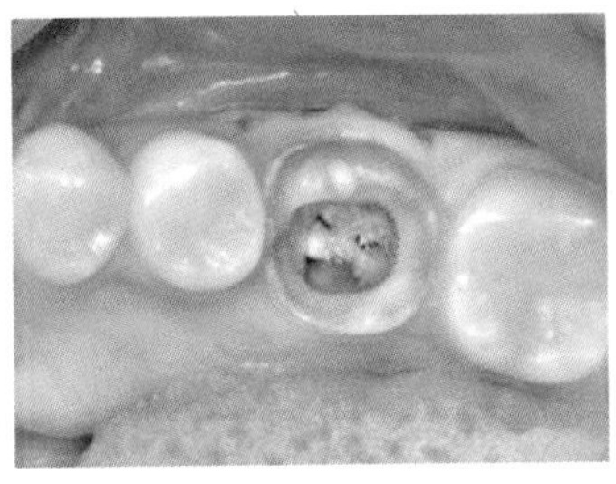
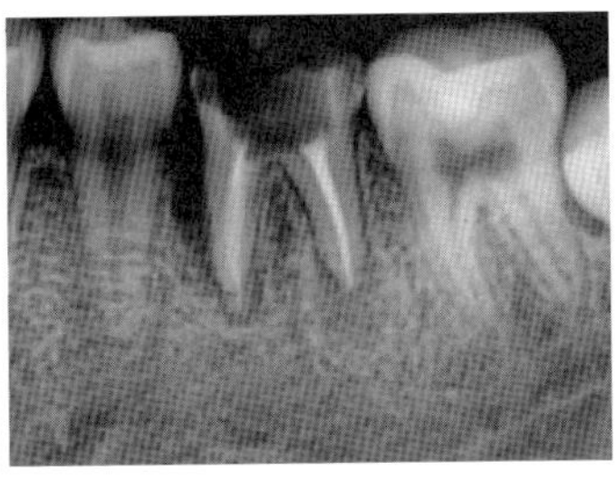
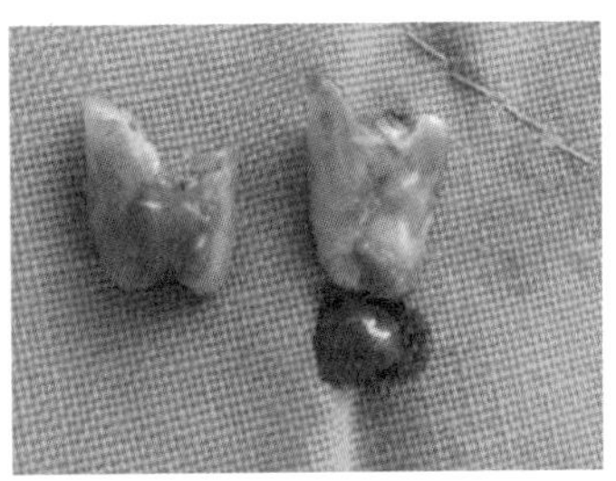

K04.6 동이 있는 근단주위농양 (Periapical abscess with sinus)

치아농양 Dental abscess with sinus

치아치조농양 Dentoalveolar abscess with sinus

치수기원의 치주농양 Periodontal abscess of pulpal origin

●K04.60 상악동으로 연결된 동이 있는 근단주위농양

●K04.61 비강으로 연결된 동이 있는 근단주위농양

●K04.62 구강으로 연결된 동이 있는 근단주위농양

●K04.63 피부로 연결된 동이 있는 근단주위농양

●K04.69 상세불명의 동이 있는 근단주위농양

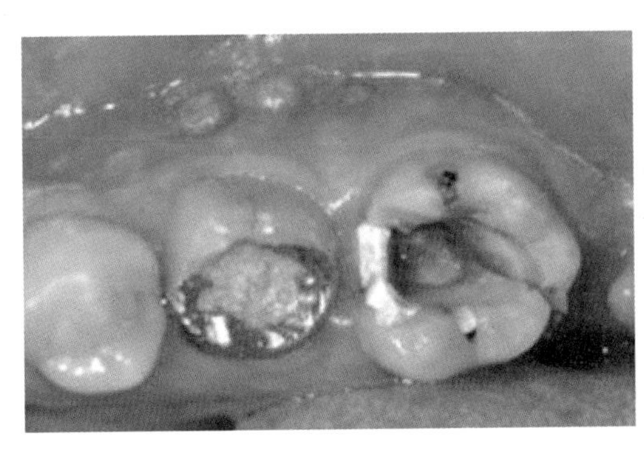
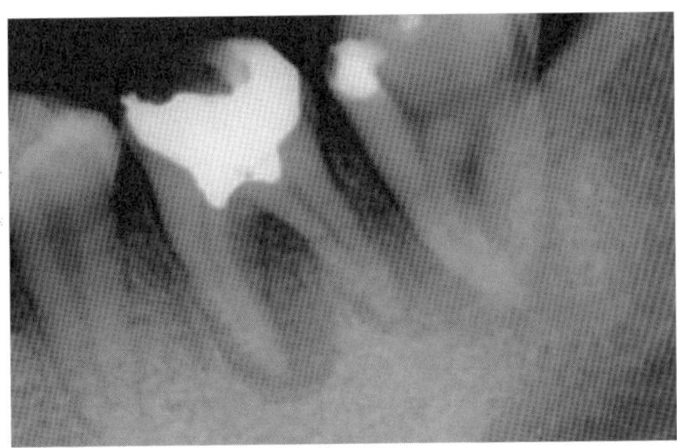

- 보통 근단부위에 방사선 투과상이 있고, 주로 협측 전정에 누공이 형성되어 있는 상태이다. 일반적인 근관치료에는 적용 가능하며, 주로 「K04.62 구강으로 연결된 동이 있는 근단주위농양」이 사용되나, 다른 부위일 경우에는 누공이 있는 부위를 위 상병 중에 골라서 사용하면 된다. 이미 누공이 있으므로 〈절개 및 배농〉에는 적용이 불가하다.

▶ 전치부 트레이싱

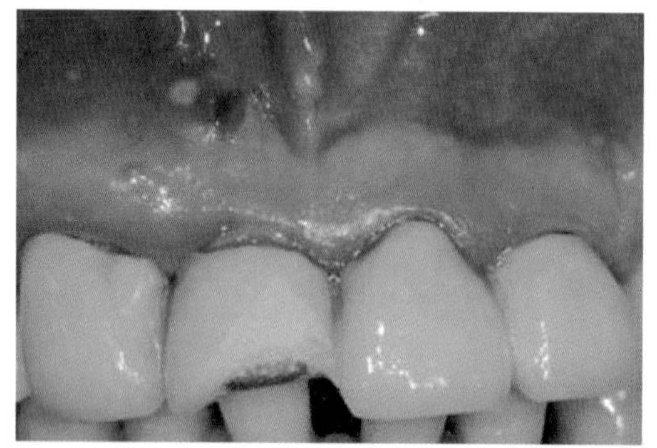

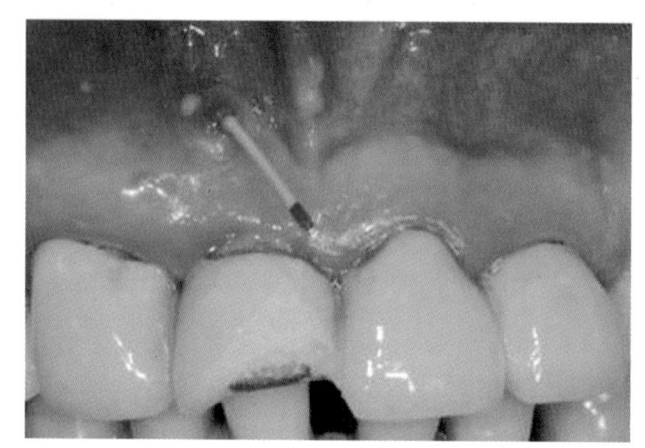

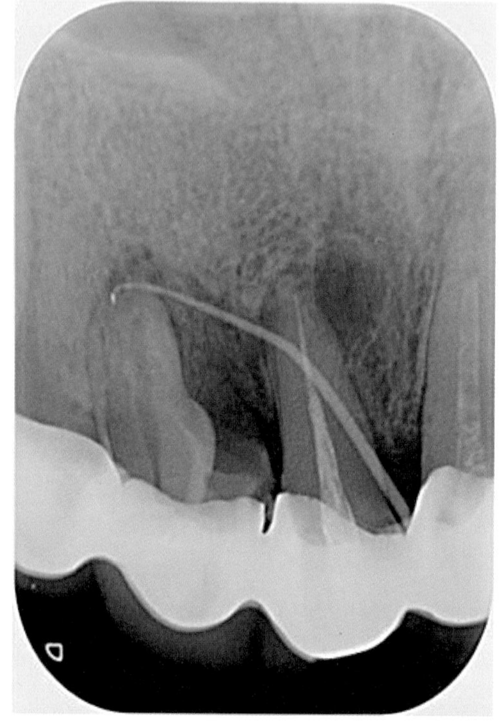

▶ 구치부 트레이싱

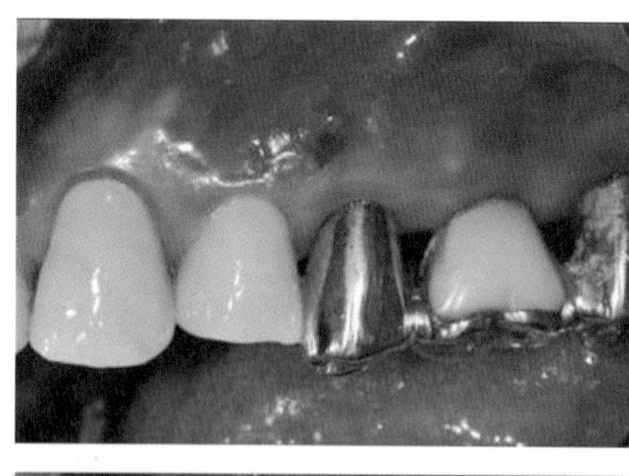

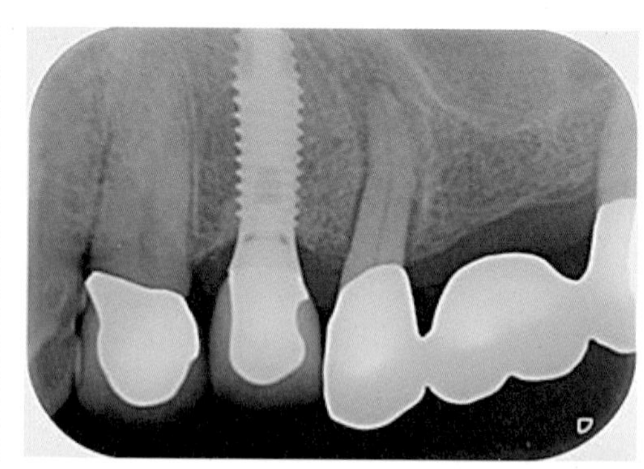

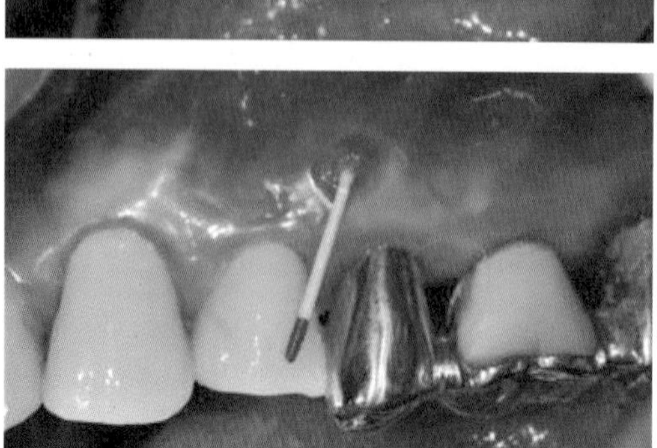

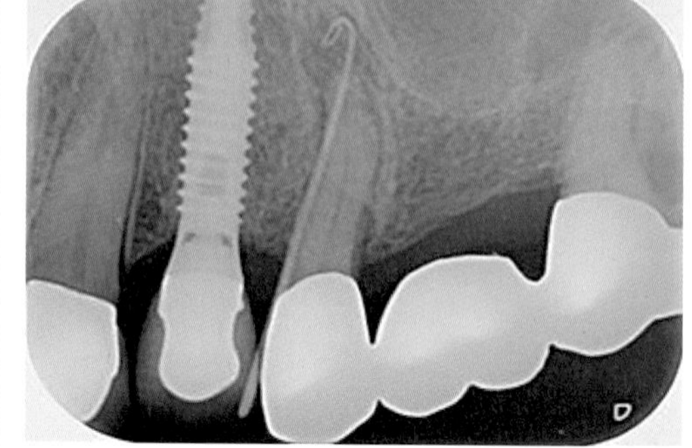

K04.7 동이 없는 근단주위농양 (Periapical abscess without sinus)

치아농양 NOS Dental abscess NOS

치아치조농양 NOS Dentoalveolar abscess NOS

근단주위농양 NOS Periapical abscess NOS

- 보통 근단부위에 방사선 투과상이 있으나, 누공 없이 근단부위 치주조직이 부풀어져 있는 형태이다. 심한 경우 얼굴, 턱, 목까지 붓는다. 배농이 되지 않고 있으므로, 절개 및 배농을 통해서 [구강내 소염술]을 했을 때 적용 가능하다. 물론, 근관 치료에도 적용 가능하다.

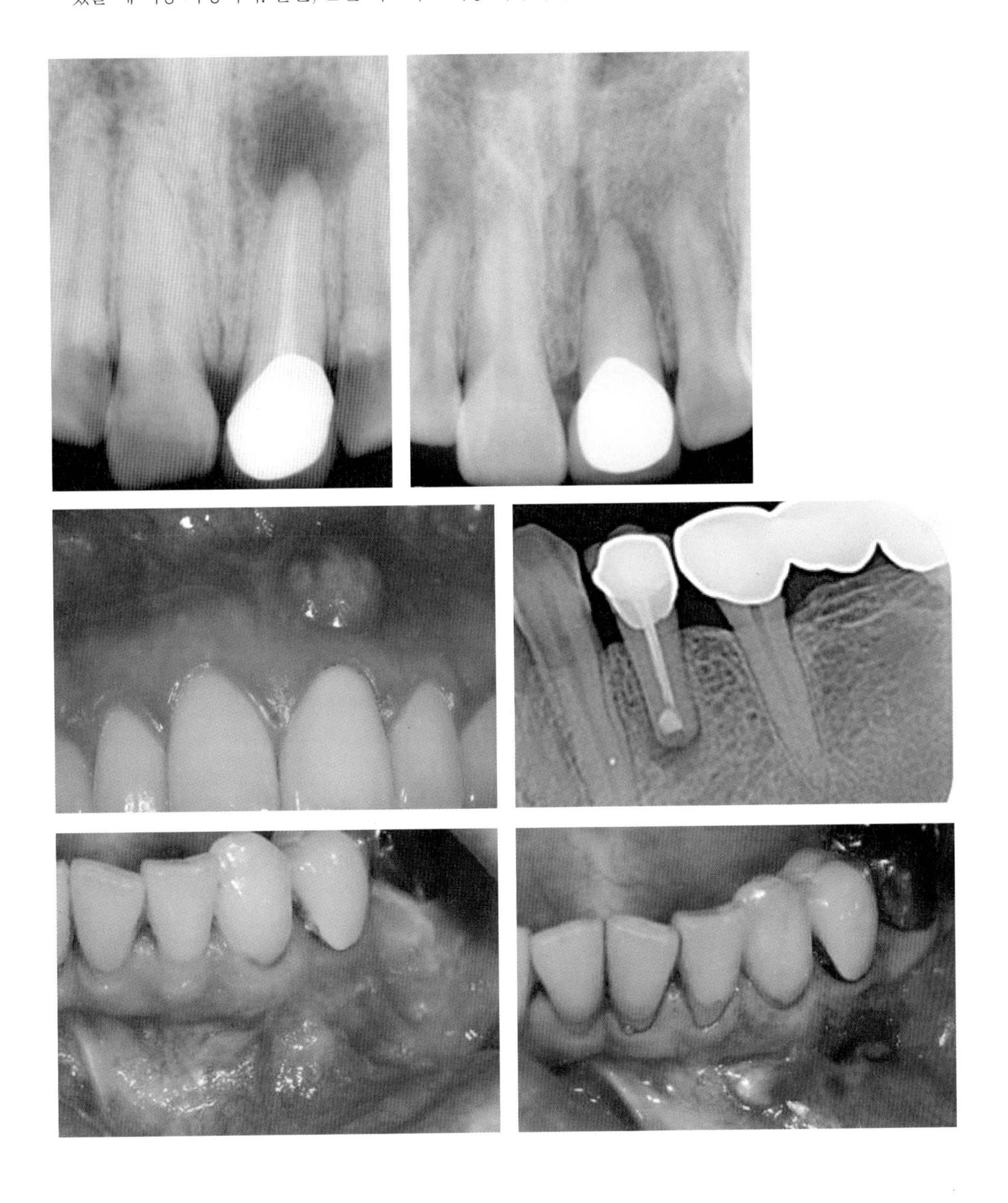

☆ 관련 보험진료 행위

차-45 구강내소염수술

		상대가치점수	진료비
U4454	가. 치은농양, 치관주위농양 절개 등	93.3	8,150원
U4455	나. 치조농양 또는 구개농양의 절개 등	96.9	8,470원

1) 가. 치은농양, 치관주위농양 절개 등

급성으로 치은이나 치주조직 등에 염증이 생긴 경우로 Incision을 통해서 배농

2) 나. 치조농양 또는 구개농양의 절개 등

치조골 내나 구개부위에 급성 염증이 생긴 경우로 Incision을 통해서 배농

▶ 가. 치은농양, 치관주위농양

진료구분	초진
처치순번	1 2
진료의사	김영삼
상 병 명	[K04.7] 동이 없는 근단주위농양 주상병
내역설명	

구분	진료항목	회	일	금액
행위	구강내소염수술(치은농양, 치관주위...	1	1	8,150
행위	전달마취(가) - 후상치조신경블록크	1	1	3,610
약재	리도카인(1:10만)(광명)	1	1	356
행위	의약품관리료 1일분 (의원)	1	1	200
행위	치근단 촬영판독	1	1	3,540

수납 총진료비: 32,710원 본인부담금: 9,800원

▶ 나. 치조농양 또는 구개농양

진료구분	초진
처치순번	1 2
진료의사	김영삼
상 병 명	[K04.7] 동이 없는 근단주위농양 주상병
내역설명	palatal 절개

구분	진료항목	회	일	금액
행위	구강내소염수술(치조농양 또는 구개...	1	1	8,470
행위	전달마취(가) - 후상치조신경블록크	1	1	3,610
약재	리도카인(1:10만)(광명)	1	1	356
행위	의약품관리료 1일분 (의원)	1	1	200
행위	치근단 촬영판독	1	1	3,540

수납 총진료비: 33,070원 본인부담금: 9,900원

- 상병명 : 「K04.7 동이 없는 근단주위농양」, 「K05.20 동이 없는 잇몸기원의 치주농양」
- 마취 필수 (마취 없이 청구했을 경우 기본진료로 조정가능)
- Curette이나 Explorer로 배농을 했을 경우 원칙적으로 구강내소염술 청구 불가
- Blade를 이용한 Incision 후 Drain을 했을 경우 적용 (진료기록부에도 기록)
- 발치와 동시 시행한 경우 발치료만 산정
- 응급근관처치와 동시 시행한 경우 높은 수가 100 : 낮은 수가 50
- 발수와 동시 시행한 경우 높은 수가 100 : 낮은 수가 50
- 근관세척과 동시 시행한 경우 높은 수가 100 : 낮은 수가 50
- Dressing 또는 Stitch out은 수술 후 처치(간단)으로 산정
- 봉합사 산정 가능

K04.8 치근낭 (Radicular cyst)

근단(치주)낭 (Apical(periodontal) cyst)

근단주위낭 (Periapical cyst)

제외 외측치주낭(K09.0)

●K04.80 근단 및 외측의 치근낭 (Radicular cyst of apical and lateral)

●K04.81 잔류성 치근낭 (Radicular cyst of residual)

●K04.82 염증성 치주의 치근낭 (Radicular cyst of inflammatory paradental)

제외 발달성 외측치원성 낭(K09.0)

▶ 치근낭 (Radicular cyst)

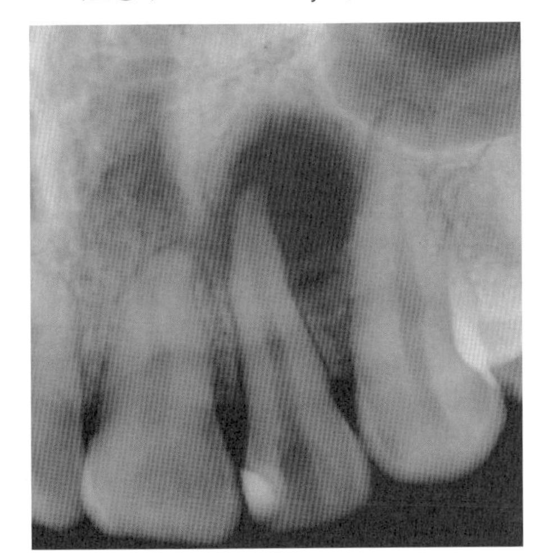

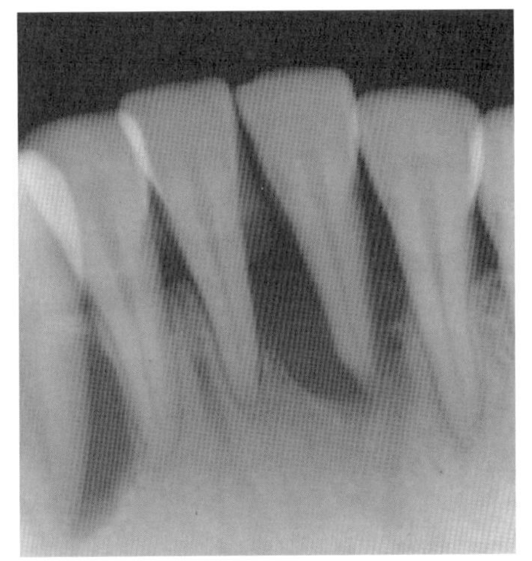

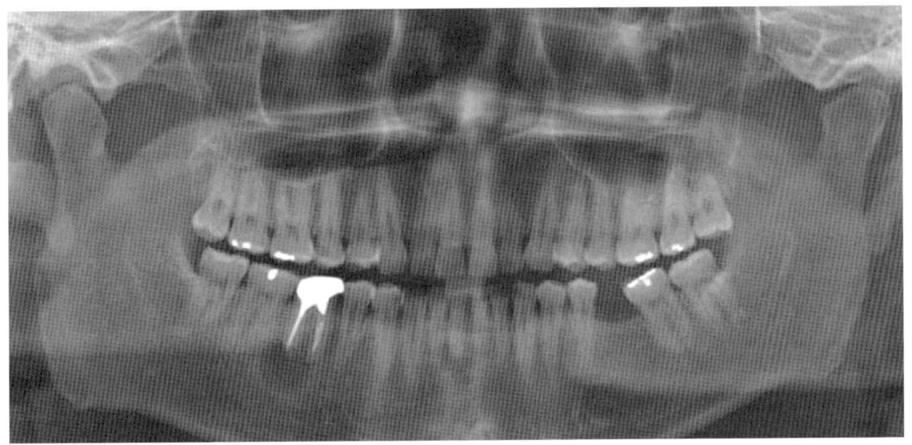

- 조직학적으로는 중앙부는 액체로 차 있고 내측은 상피조직, 외측은 섬유성 결합조직으로 덮여 있는 분리된 주머니형이다. 증상이 없으나 낭종이 커지면 부종이 나타나며, 골파괴가 심하면 치아의 동요도를 나타내고 악골 부위까지 팽창할 수 있다.

- 보통 치근단 농양과 같은 근단부위 방사선 투과상으로 나타나지만, 보다 크고 한 치아 또는 여러 치아에 걸쳐서 나타날 수도 있다. 주로 「K04.80 근단 및 외측의 치근낭」이 사용 된다.
- 크기가 작을 경우 경계선 부위의 골밀도 등에 의해서 감별진단을 시행하나 치료내용에는 크게 변화가 없으므로 적절하게 적용하면 된다. 크기가 큰 경우에는 크기에 따라 외과적 치료가 필요하고, 근관치료에도 모두 적용 가능하다.
- 초기에 잇몸이 부어 「K04.7 동이 없는 근단주위농양」으로 근관치료를 했다가 치근낭적출술을 시행하게 되는 경우 반드시 「치근낭」 상병으로 변경해야 한다.

☆ 관련 보험진료 행위

차-56 치근낭적출술

		상대가치점수	진료비
U4561	가. 1/2치관크기 이상	255.44	22,330원
U4562	나. 1치관크기 이상	311.71	27,240원
U4563	다. 2치관크기 이상	407.66	35,630원
U4564	라. 3치관크기 이상	1436.85	125,580원

치근의 주위에 생긴 치근낭을 제거하는 술식으로 치근낭의 크기에 따라 위와 같이 분류되어 있으니 그에 맞게 적용한다.

- 방사선 사진 필수이다.
- 다발성 낭종의 경우 동일 절개선 하에 치근낭적출술 시행 시 제2수술 부위부터는 50%만 산정한다.
- 다른 절개선 하에 시행된 시술의 경우 각각 100% 산정할 수 있다.
- 치근단절제술과 동시에 시행 시 높은 수가 100%, 낮은 수가 50%만 산정한다.
- 발치술과 동시에 시행 시 높은 수가 100%, 낮은 수가 50%만 산정한다.
- 후처치 : [가]와 [나]는 수술후처치(간단), [다]와 [라]는 대수술후처치로 산정한다.
- 사용한 Bur는 Burr(가) 항목으로 청구 가능하다.
- Bone graft를 했을 경우, 행위료는 산정불가하고 사용한 Bone이 보험 등재되어 있다면 최대 3cc까지 재료대 신고 후 청구 가능하다.
- 재심사조정청구를 위한 증빙자료(X-ray, Photo 등) 준비해두는 것을 습관화하는 것이 좋다.

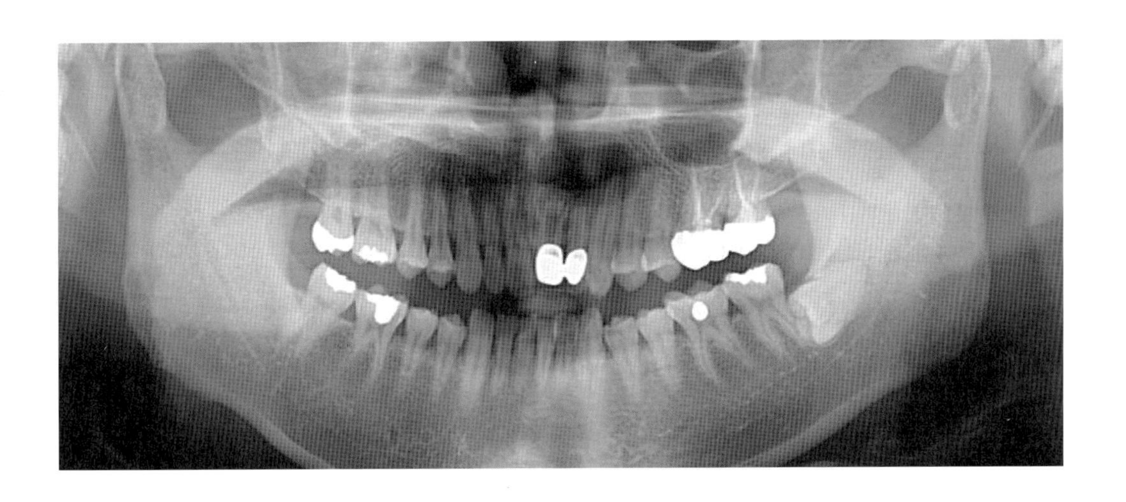

▶ 치근낭종적출술

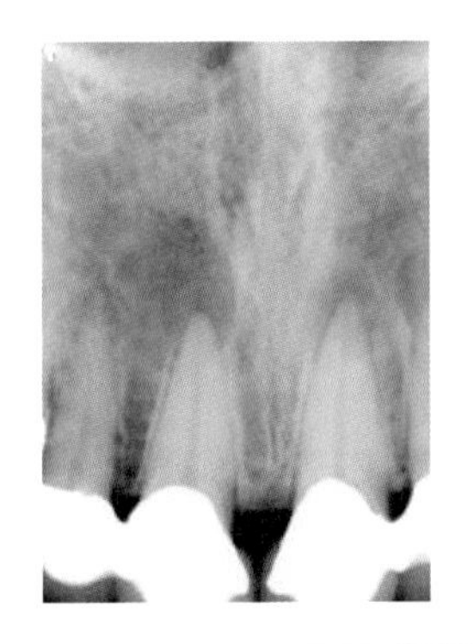

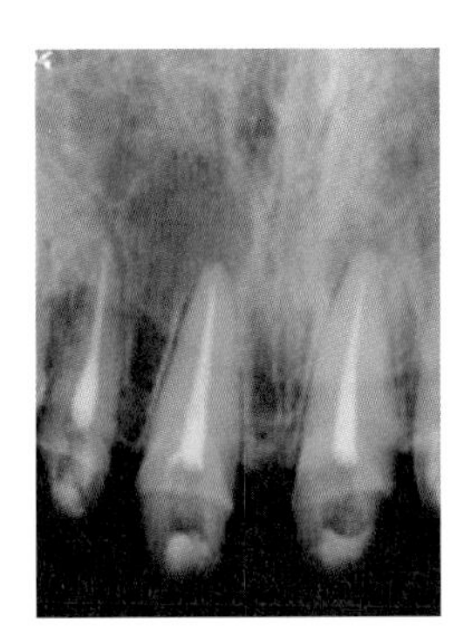

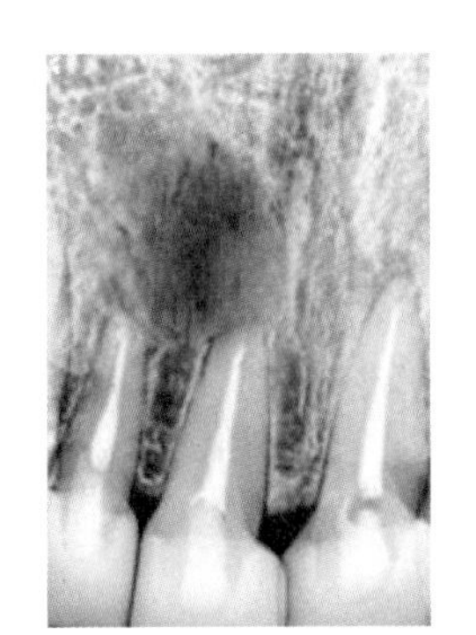

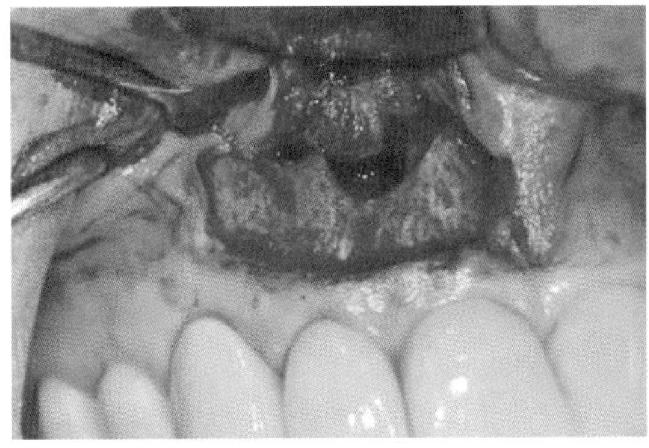

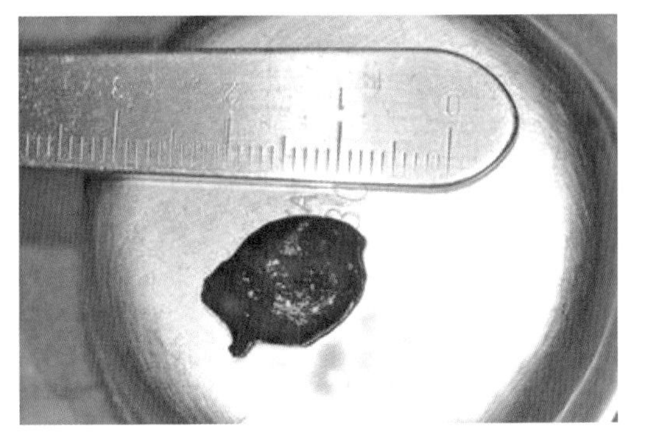

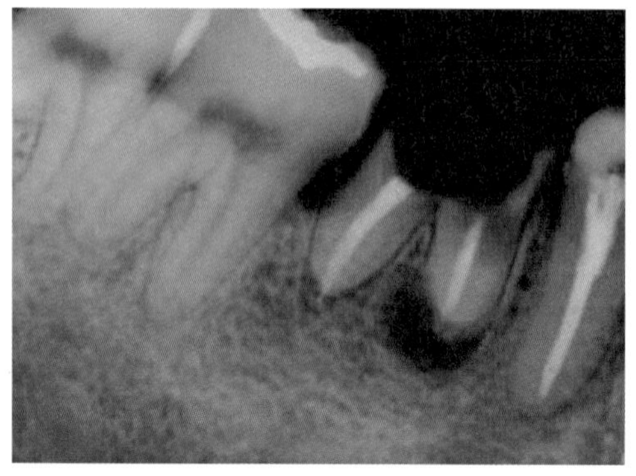

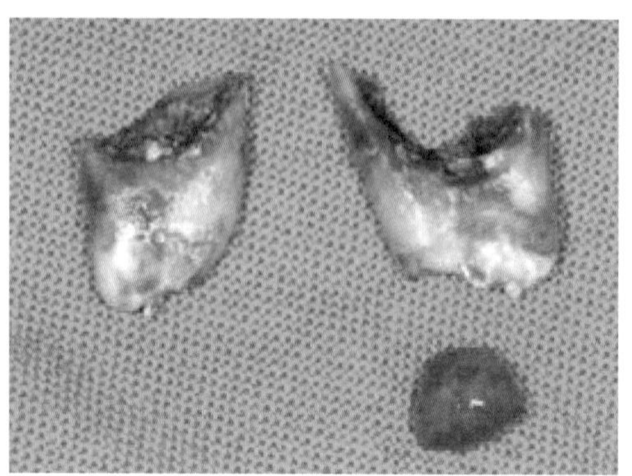

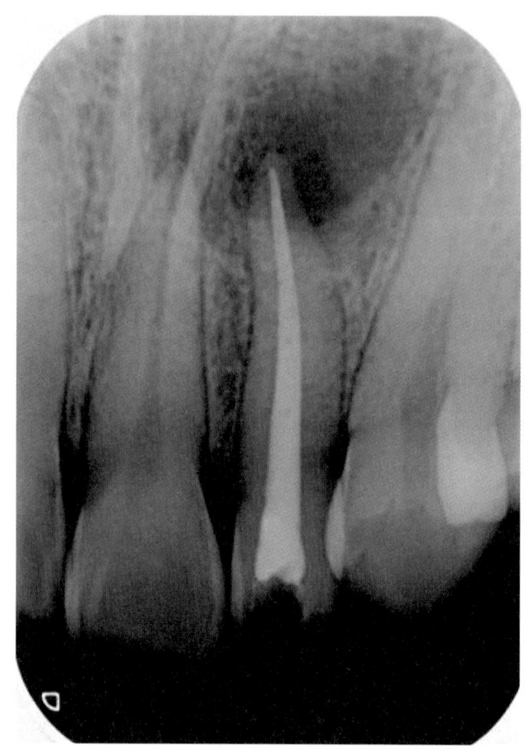

▶ 〈두번에〉 각각 입력 /100:50으로 조정

진료구분	재진
처치순번	1 2
진료의사	김영삼
상 병 명	[K04.80] 근단 및 외측의 치근낭 주상병
내역설명	발치 + 치근낭적출술 동시시행

	구분	진료항목	회	일	금액
☑	행위	치근낭종적출술(치관1/2)	1	1	22,330
☑	행위	구치발치	0.5	1	4,185
☑	행위	전달마취(나) - 하치조신경블록크	1	1	4,610
☑	약제	리도카인(1:10만)(광명)	2	1	712
☑	행위	의약품관리료 1일분 (의원)	1	1	200
☑	재료	100:100 발치, 치근, 치조골성형술 B...	1	1	6,980
☑	행위	치근단 촬영판독	2	1	7,080

수납 | 총진료비: 61,470원 본인부담금: 18,400원

▶ 〈두번에〉 만들어진 설정버튼 적용

진료구분	재진
처치순번	1 2
진료의사	김영삼
상 병 명	[K04.80] 근단 및 외측의 치근낭 주상병
내역설명	발치 + 치근낭적출술 동시시행

	구분	진료항목	회	일	금액
☑	행위	치근낭종적출술(치관1/2)	1	1	22,330
☑	행위	구치발치(50%산정)	1	1	4,190
☑	행위	전달마취(나) - 하치조신경블록크	1	1	4,610
☑	약제	리도카인(1:10만)(광명)	2	1	712
☑	행위	의약품관리료 1일분 (의원)	1	1	200
☑	재료	100:100 발치, 치근, 치조골성형술 B...	1	1	6,980
☑	행위	치근단 촬영판독	2	1	7,080

수납 | 총진료비: 61,480원 본인부담금: 18,400원

▶ 낭포적출술 처치버튼

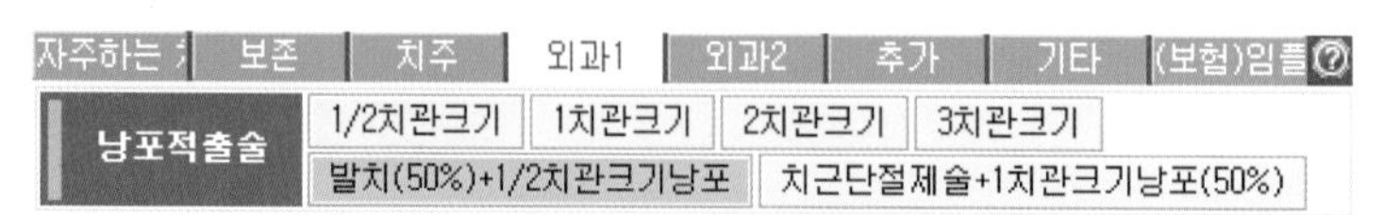

[K05] 치은염 및 치주질환 (Gingivitis and periodontal diseases)

K05.0 급성 치은염 (Acute gingivitis)

제외 급성 치관주위염(K05.22)

급성 괴사궤양성 치은염(A69.1)

헤르페스바이러스[단순헤르페스]치은구내염(B00.2)

(치주에 생기기는 하지만 발생원인 및 기전이 달라서 별도 구분하는 듯하다.)

●K05.00 급성 연쇄구균치은구내염 (Acute streptococcal gingivostomatitis)

●K05.08 기타 명시된 급성 치은염 (Other specified acute gingivitis)

●K05.09 상세불명의 급성 치은염 (Acute gingivitis, unspecified)

간단한 치주치료 시 더 많이 적용하고 있는 상병명은 치은염일까? 치주염일까? 심평원에서 나온 자료들을 보면 치은염 상병의 사용이 더 높다. 통상적으로 치석제거, 치근활택술, 치주소파술 정도까지는 치은염, 치주염 등 상태에 맞게 적용하면 되지만 치은박리소파술 이상의 치주수술 시에는 치주염 상병이 적절하다.

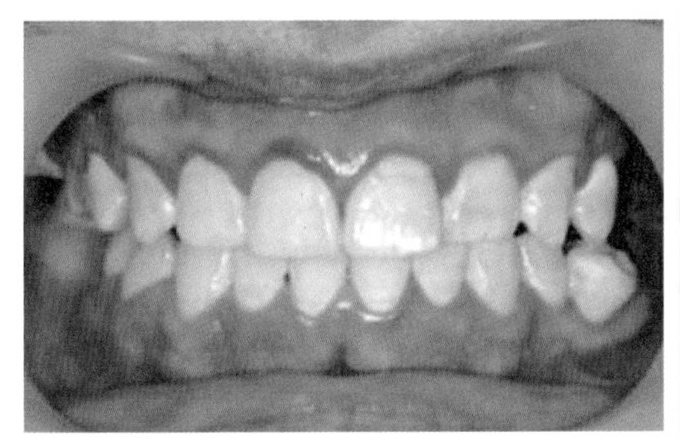

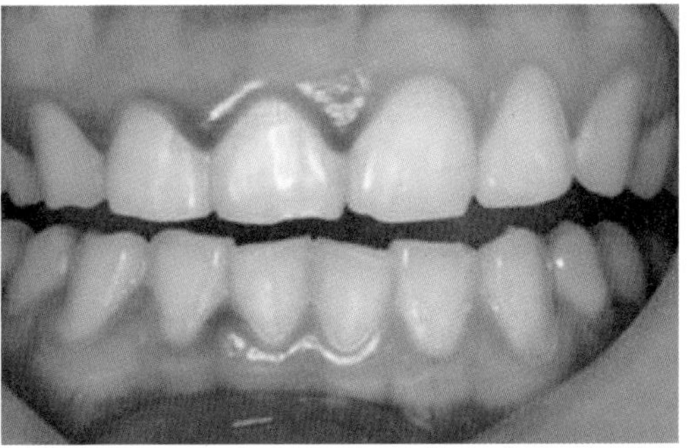

치은부위만 급성으로 염증이 생긴 것으로 보통은 국소적으로 나타나는 경우가 많다. 유치의 치면세마와 성인의 치석제거에도 적용가능하나, 성인의 경우는 거의 적용하지 않는다. 굳이 예전의 급성치은염에 해당하는 상병명으로 하자면 「K05.08 기타 명시된 급성 치은염」을 적용하면 될듯하다.

K05.1 만성 치은염 (Chronic gingivitis)

●K05.10 만성 단순 변연부 치은염 (Chronic simple marginal gingivitis)

●K05.11 만성 증식성 치은염 (Chronic hyperplastic gingivitis)

●K05.12 만성 궤양성 치은염 (Chronic ulcerative gingivitis)

제외 괴사성 궤양성 치은염(A69.1)

●K05.13 만성 박리성 치은염 (Chronic desquamative gingivitis)

●K05.18 기타 명시된 만성 치은염 (Other specified chronic gingivitis)

●K05.19 상세불명의 만성 치은염 (Chronic gingivitis, unspecified)

– 치은부위에 만성으로 염증이 있는 경우로 보통은 여러 부위에 발생한다.

– 유치의 치면세마와 성인의 치석제거에도 적용가능하나, 성인의 경우는 대부분 만성치주염으로 적용한다.

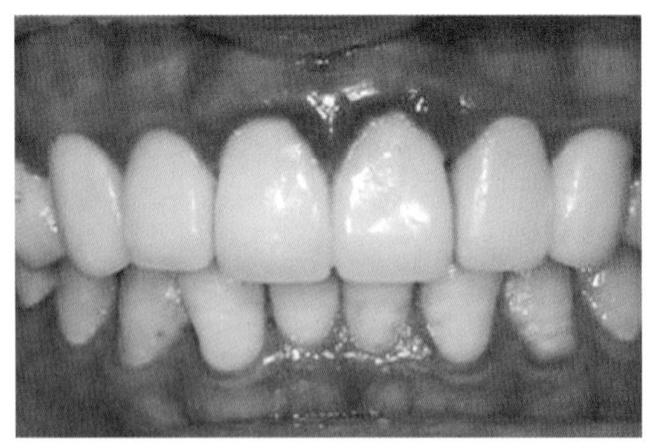

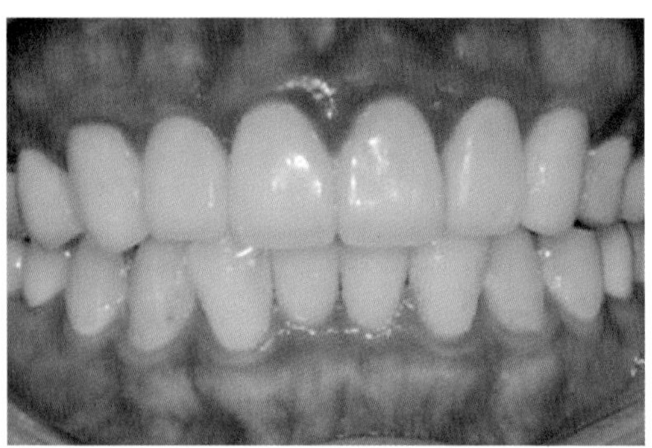

●K05.10 만성 단순 변연부 치은염 (Chronic simple marginal gingivitis)
치은이 변연을 따라서 물결모양으로 염증이 있는 형태

●K05.11 만성 증식성 치은염 (Chronic hyperplastic gingivitis)
치은이 과증식된 형태

●K05.12 만성 궤양성 치은염 (Chronic ulcerative gingivitis
특정 부위에 궤양성으로 나타나는 형태

●K05.13 만성 박리성 치은염 (Chronic desquamative gingivitis)
고유질환이 아니라 다른 질환이 치은에 나타나는 경우가 흔하다. 수포성 또는 치은이 떨어져 나가는 형태

K05.2 급성 치주염 (Acute periodontitis)

●K05.20 동이 없는 잇몸 기원의 치주농양
(Periodontal abscess [Parodontal abscess] of gingival origin without sinus)

제외 치수기원의 급성 근단치주염(K04.4)

제외 근단주위농양(K04.7)

제외 동이 있는 근단주위농양(K04.6–)

●K05.21 동이 있는 잇몸 기원의 치주농양
(Periodontal abscess [Parodontal abscess] of gingival origin with sinus)

제외 치수기원의 급성 근단치주염(K04.4)

제외 근단주위농양(K04.7)

제외 동이 있는 근단주위농양(K04.6-)

●K05.22 급성 치관주위염 (Acute pericoronitis)

●K05.28 기타 명시된 급성 치주염 (Other specified acute periodontitis)

●K05.29 상세불명의 급성 치주염 (Acute periodontitis, unspecified)

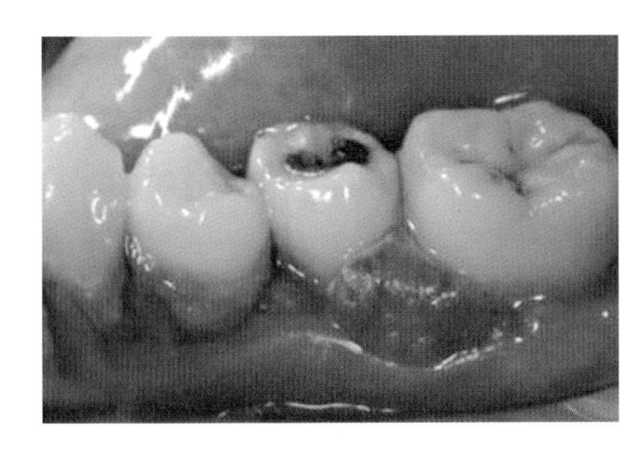

일반적인 치주치료에 모두 적용 가능할 수도 있겠지만, 급성상병으로는 본격적인 치주수술보다는 응급치료나 수술 전 약 처방이나 방사선촬영 또는 간단한 연조직처치(Saline irrigation)에서 많이 적용된다. 통증이 심한 경우 통증을 완화시키기 위해 〈절개 및 배농〉을 시행하는 경우가 있는데 이때 적용 가능하다. 급성 지치주위염도 여기에 해당한다. 급성 근단치주염, 만성 근단주위농양, 동이 없는 근단주위농양 등과 감별진단해야 한다.

●K05.20 동이 없는 잇몸 기원의 치주농양 (Periodontal abscess [Parodontal abscess] of gingival origin without sinus)

통증을 완화시키기 위해 〈절개 및 배농〉을 시행하는 구강내소염술 청구 시 적용 가능하다. 염증이 빠져나갈 수 있는 길이 있는 '동이 있는~ ' 상병은 구강내소염술로 인정되지 않고 조정될 수 있으니 주의해야 한다.

●K05.21 동이 있는 잇몸 기원의 치주농양 (Periodontal abscess [Parodontal abscess] of gingival origin with sinus)

〈동이 있는~ 〉 말은 염증이 빠져나갈 수 있는 길이 있다는 뜻으로, 굳이 절개 및 배농을 할 필요가 없다. 따라서 구강내소염술의 상병명으로는 적절하지 않다.

●K05.22 급성 치관주위염 (Acute pericorontitis)

주로 사랑니 주변에 발생하기 때문에, 사랑니주변의 통증을 호소하여 약처방을 나가거나 발치시에 적용가능하다. 그러나 매복치 발치인 경우에는 치주염이 있어도 매복치 상병을 사용하는 것이 좋다.

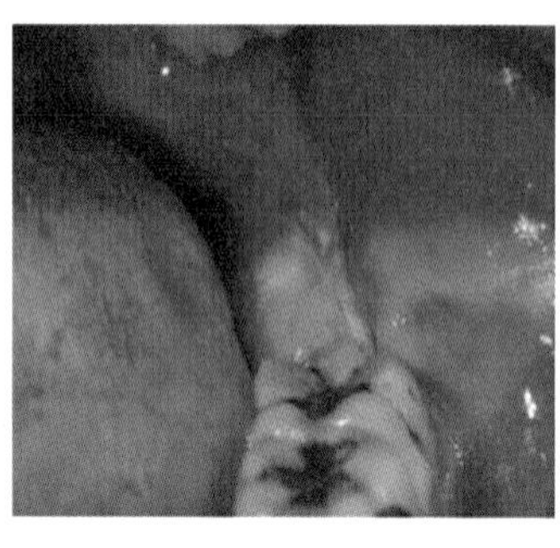
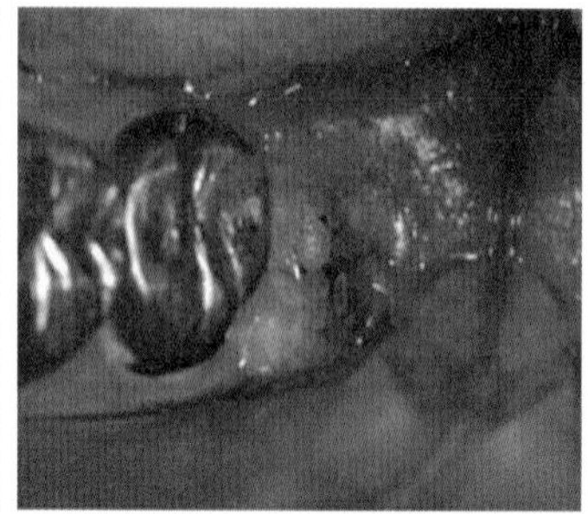
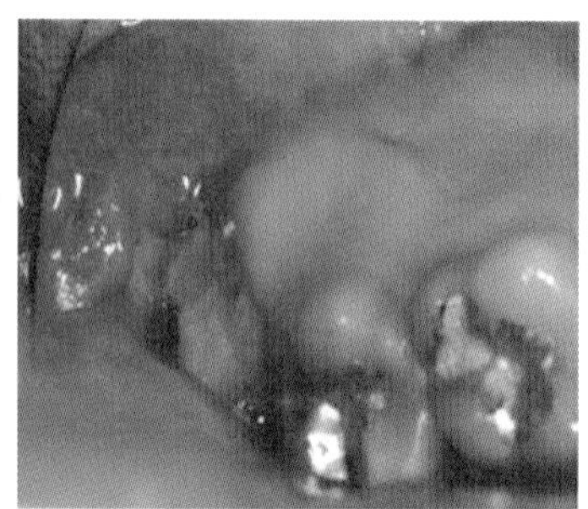

K05.3 만성 치주염 (Chronic periodontitis)

- ●K05.30 만성 단순치주염 (Chronic simplex periodontitis)
- ●K05.31 만성 복합치주염 (Chronic complex periodontitis)
- ●K05.32 만성 치관주위염 (Chronic pericoronitis)
- ●K05.38 기타 명시된 만성 치주염 (Other specified chronic periodontitis)
- ●K05.39 상세불명의 만성 치주염 (Chronic periodontitis, unspecified)

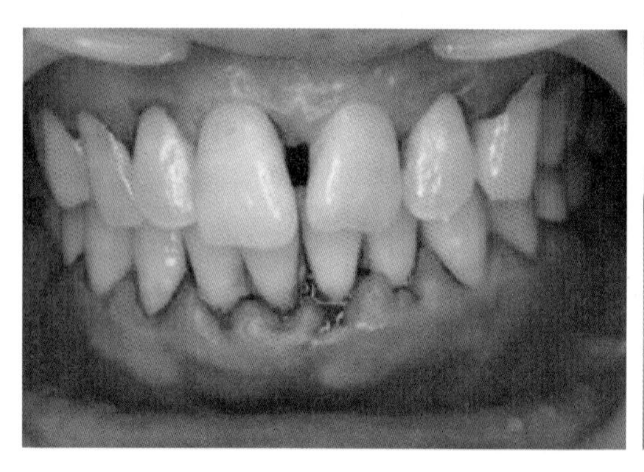
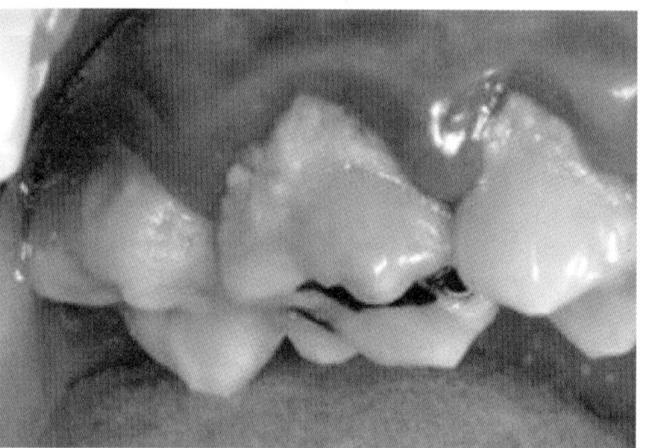

일반적인 치주염이 여기에 속한다. 보통은 치석이 많이 존재하며 치주낭이 형성되어 있다. 극심한 통증은 없으나, 불편함을 호소하는 정도이고, 심하면 농양이 나오는 경우도 많다. 대부분의 치주치료에 적용가능하나, 〈절개 및 배농〉에는 적용 불가능하다.

사랑니의 발치라 하더라도 매복치 상병명이 아닌 맹출 상황에 따라 만성 치주염에 의해 발치하는 경우라면 위의 상병명을 적용 하는 것이 바람직하다. 실제로 매복치발치가 많은 경우와 치주치료가 많은 경우, 우식증 치료가 많은 경우 등 각각의 치과에서 해당 상병에 대한 지표를 낮추기 위해 일부러 조정하는 경우도 많았었다.

●K05.30 만성 단순치주염 (Chronic simplex periodontitis)

예전에 사용하던 만성치주염 관련된 내용은 여기에 해당된다고 보면 된다. 간단한 치주치료나 발치 등 상병에 사용해도 된다. 그러나 골이식술 같은 치료에는 「K05.31 만성 복합치주염」 상병이 더 적절하다.

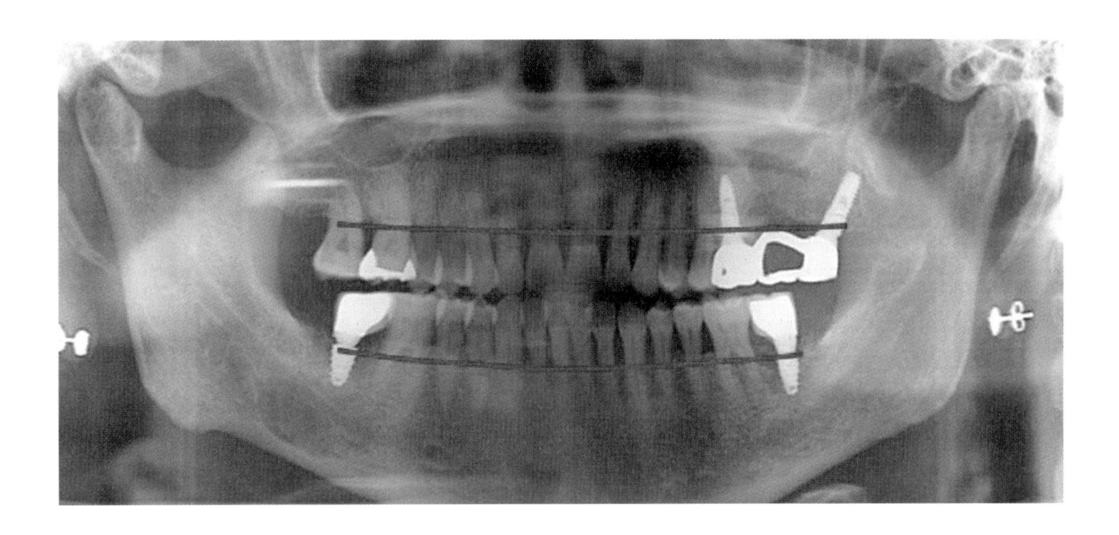

●K05.31 만성 복합치주염 (Chronic complex periodontitis)

임상적 소견은 단순성 치주염과 거의 비슷하지만, infrabony pocket의 발생이 높고 수평적 골소실보다는 각을 지며 수직적 골소실이 일어나는 양상이 단순성 치주염과 다르다. 치아의 동요도는 더욱 심하다.

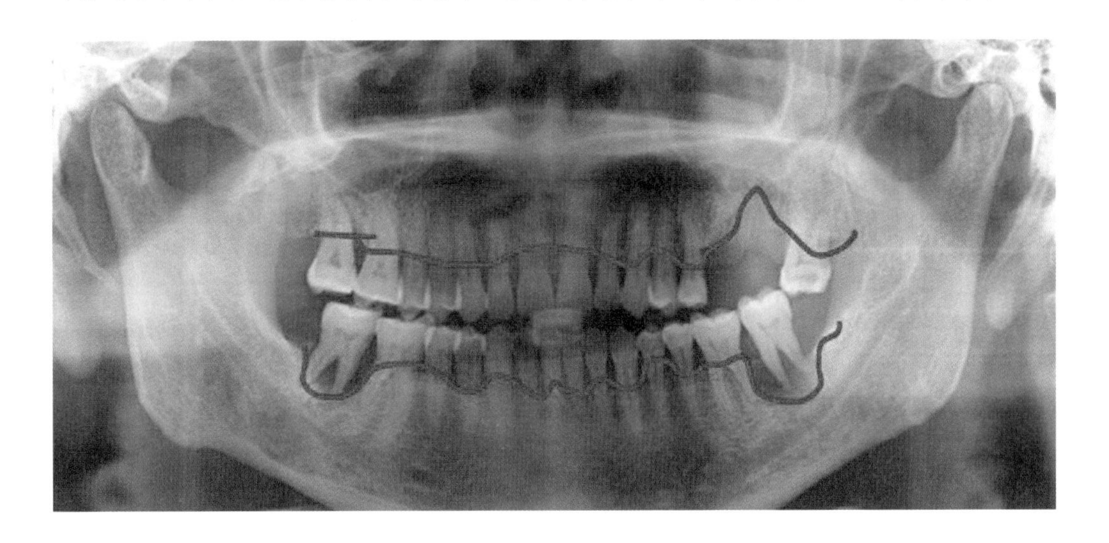

예전에 골이식 등의 치주치료에는 기타 치주질환 등의 상병을 사용하였으나, 치주염이 세분화되었으므로 치은박리소파술 이상의 치주치료가 필요한 경우라면 「K05.31 만성 복합치주염」의 상병을 사용하는 것이 바람직할 것으로 보인다.

실제 환자 상태에 따라 치은박리소파술 이상의 진단이 나왔다면 전처치인 치석제거 또는 치근활택술을 할 때부터 「K05.31 만성 복합치주염」의 상병을 적용할 수 있다. 전 처치인 치석제거, 치근활택술 시에는 「K05.30 만성 단순치주염」을 적용하고 치은박리소파술, 골이식술할 때 「K05.31 만성 복합치주염」을 적용하는 것보다는 처음부터 「K05.31 만성 복합치주염」을 적용하는 것이 좋다.

▶ 치주질환의 치료 범위

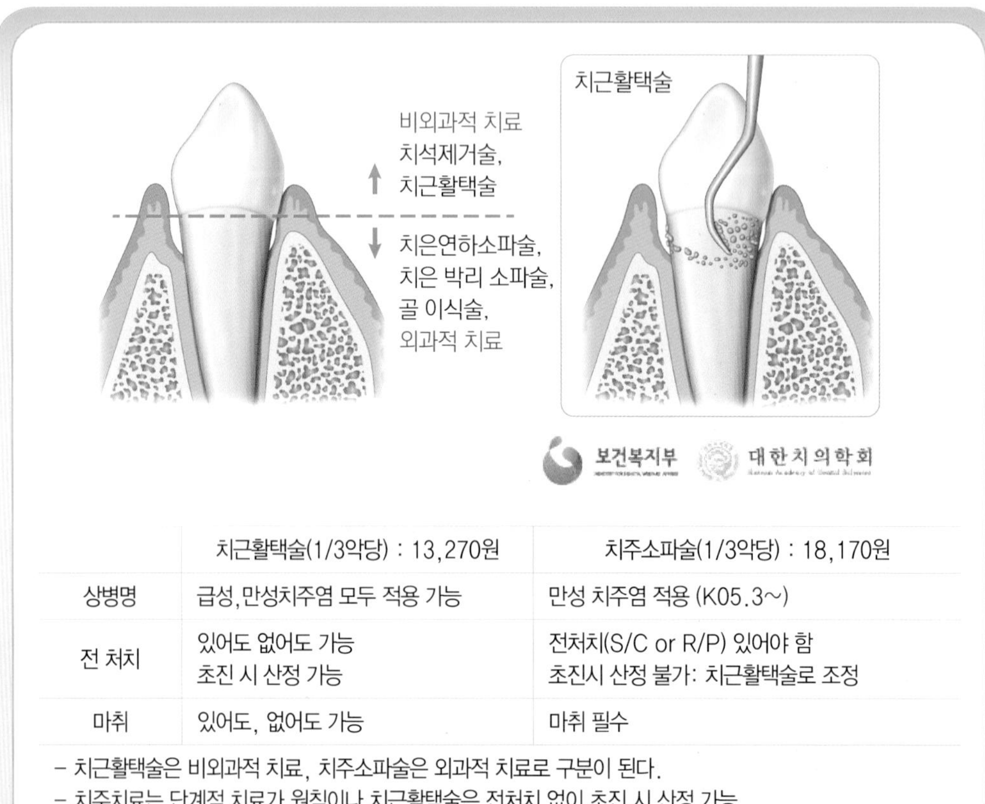

	치근활택술(1/3악당) : 13,270원	치주소파술(1/3악당) : 18,170원
상병명	급성,만성치주염 모두 적용 가능	만성 치주염 적용 (K05.3~)
전 처치	있어도 없어도 가능 초진 시 산정 가능	전처치(S/C or R/P) 있어야 함 초진시 산정 불가: 치근활택술로 조정
마취	있어도, 없어도 가능	마취 필수

- 치근활택술은 비외과적 치료, 치주소파술은 외과적 치료로 구분이 된다.
- 치주치료는 단계적 치료가 원칙이나 치근활택술은 전처치 없이 초진 시 산정 가능
- 치주소파술은 외과적 처치로 마취 필수이다. (만성 상병 적용)

치과의원급 야간·토요일·공휴일 수술 6월부터 건보수가 30% 가산 적용

안정미 기자 등록 2018.04.27.

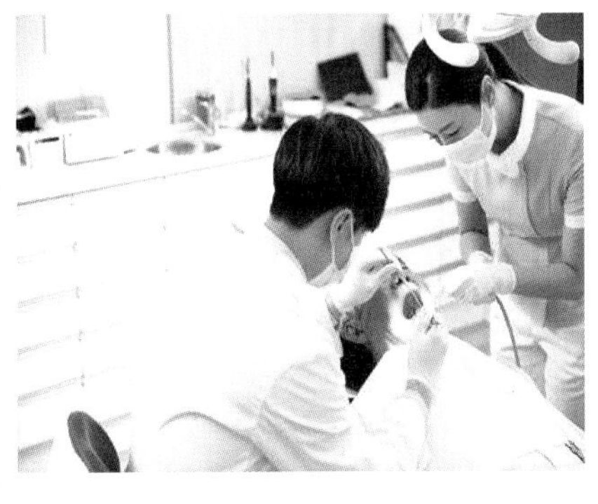

오는 6월부터 치과의원급 의료기관에서 야간 또는 토요일·공휴일에 시행되는 수술은 30% 가산이 적용된다.

보건복지부는 지난 4월 24일 '제7차 건강보험정책심의위원회(이하 건정심)'을 개최하고 이 같이 의결했다.

이날 건정심에서는 의원급 의료기관에서 이뤄지는 야간 및 토요일·공휴일 외래진료를 활성화하고자 해당 시간에 이뤄지는 간단한 수술적 치료에 대해 건강보험 수가를 30% 가산하기로 했다. 이에 치과의원급도 동일하게 수가 30% 가산을 적용받는다.

치과의원에서 수가 30% 가산이 적용되는 행위는 ▲제10장 제3절 구강악안면 수술 ▲제10장 제4절 치주질환 수술 항목이며, 이들 항목에 대해 마취를 행한 경우 ▲마취료도 가산에 포함된다.

출처 데일리덴탈 2018.4.27

위 기사의 주요 내용은 이러하다.

[치과의원] 30% 가산이 적용되는 행위

▲ 제10장 제3절 구강악안면 수술

▲ 제10장 제4절 치주질환 수술

▲ 마취료도 가산에 포함된다. (* 공휴일, 토요일, 야간진료 진찰료 가산율도 그대로 적용)

제10장 4절 치주질환 수술은 [차-101 치주소파술]부터 시작이니, 참고하면 되겠다.

개최일/시행일	2016.12.21	일련번호	105-01	관련근거	
구분	전산심사 사례	심사지침개최일			
제목	만성 치주염 상병으로 사유 없이 초진에 실시한 치주소파술(차101)				
결정사항/복지부 행정해석 내용					

■ 청구내역(남/48세)(외래)

- 상병명: 기타 명시된 만성 치주염
- 청구내역

1회투약×일투×총투

[진찰료] 가1가 초진진찰료 1×1×1

[마취료] 바9마 치과전달마취(하치조신경블록) 1×1×1

[처치및수술] 차101 치주소파술[1/3악당] 1×1×1 ▶ 치근활택술로 인정

* 특정내역 기재사항 없음

[원외처방] 114 록소날정 1×3×2

618 아목틴정 1×3×2

■ 심사결과

○ 치주질환치료는 상병에 따라 치료방법이 다를 수 있으나, 일반적으로 단계적으로 치료하는 것을 원칙으로 함. 동사례는 초진에 특정내역 미기재로 인정할만한 진료소견이 확인되지 않으므로 치근활택술로 인정함.

〈관련근거〉

○ 차101 치주소파술의 인정기준 (고시 제2007-92호, 2007.11.1.)
차101 치주소파술은 마취하에 치주 pocket내의 육아조직을 제거하는 외과적 수술로서 대부분 치석제거 또는 치근활택술 후에 실시하므로 급성(acute) 상태의 치주질환에 시술시 인정하지 아니함

○ 치주질환치료시 단계별처치에 대한 원칙 (고시 제2000-73호, 2000.12.30.)
치주질환치료는 상병에 따라 치료방법이 다를 수 있으나, 일반적으로 치주치료 초기과정에서 치석제거를 실시한 후 치주소파술을 실시하는 등 단계적으로 치료하는 것을 원칙으로 함

●K05.32 만성 치관주위염 (Chronic pericoronitis)

매복치가 아닌 사랑니 발치에 사용하면 될듯하다.

매복치를 발치할 경우에는 매복치 그대로의 상병을 사용하는 것이 좋다. 만약 부분 맹출 부위에 충치가 있어도 매복 발치를 했다면 충치상병이 아닌 매복치 상병을 적용해야 한다.

K05.4 치주증(齒周症) (Periodontosis)

- 염증을 동반하지 않은 골흡수와 치은 퇴축 등을 나타내나 거의 사용되지 않는다.

적용 가능한 진단명 : 연소성 치주증(유연기 치주염 (Juvenile periodontosis)

- 유년기 치주염 (Juvenile periodontosis) : 상악전치와 상·하악 제 1대구치에 특징적으로 심한 골파괴상을 나타내는 질환으로, 특정 세균 등에 의해 발병한다고도 한다. 유전적인 면도 있으며, 다른 질환에 비해 예후가 좋지 않다. 최근에는 치주질환에 대한 견해가 많이 바뀌고 있어서 특정질환으로 분류되지 않기도 한다.

K05.5 기타 치주질환 (Other periodontal diseases)

- 기타 분류되지 않은 질환을 말하나, 일반적으로는 조직유도재생술이나 치조골이식술 등이 필요한 복합적인 치주질환으로 간주한다.
- 난이도 있는 치주치료를 많이 시행하는 치과의 경우는 사용빈도가 높았으나 7차 개정이후 「K05.31 만성 복합치주염」이 있기 때문에 거의 사용되지 않는다.

K05.6 상세불명의 치주질환 (Periodontal disease, unspecified)

- 거의 사용되지 않음

[K06] 잇몸 및 무치성 치조융기의 기타 장애 (Other disorders of gingiva and edentulous alveolar ridge)

제외 무치성 치조융기의 위축(K08.2)
치은염 NOS(K05.1-)
급성 치은염(K05.0-)
만성 치은염(K05.1-)

K06.0 치은퇴축 (Gingival recession)

●K06.00 국소적 치은퇴축 (Localized gingival recession)
●K06.01 전반적 치은퇴축 (Generalized gingival recession)
●K06.09 상세불명의 치은퇴축 (Gingival recession, unspecified)
치은퇴축(감염후, 수술후) (Gingival recession(postinfective, postoperative)

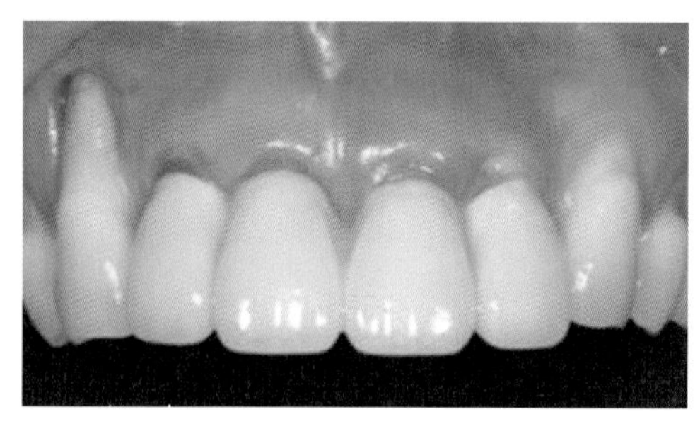
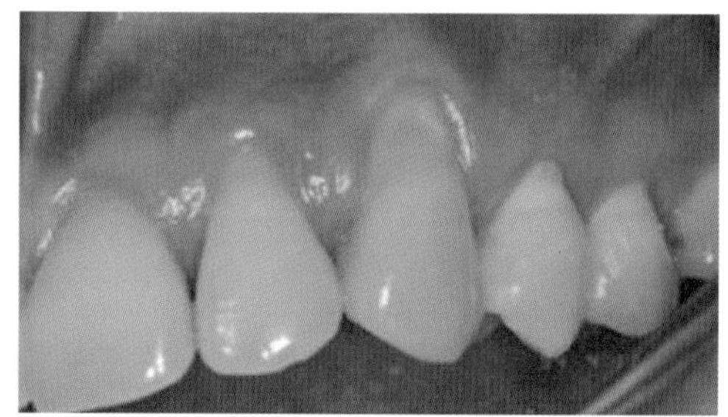

치은퇴축은 감염 후나 수술 후에 전반적으로 나타나기도 하고, 국소적으로 나타나기도 한다. 여러 가지 원인에 의해 정상적인 수준보다 치은이 퇴축된 경우 치은이식술을 시행한 후 적용다.
종종 [치은측방변위 판막술]이나 [치은치관변위 판막술] 등의 치료에도 적용가능하다.
치은퇴축 된 치아 수에 따라 아래에서 국소적 치은퇴축과 전반적 치은퇴축 가운데서 고르면 된다. 예전에 치은퇴축에 의해 지각과민증상을 호소할 경우 지각과민처치의 상병명으로도 종종 사용 했었다. 그러나 지각과민처치 청구가 너무 많아지자, 치주치료와 동시 시행 시 인정되지 않고, 치주치료 완료 후 최소 7일 이상은 지나야 청구 가능하다.

치석제거 등 치주치료 후에 시행되는 차4 지각과민처치 나 [레이저치료, 상아질접착제 도포의 경우] 요양급여 인정여부

■ 심의내용

- 현행 지각과민처치[레이저치료, 상아질접착제 도포의 경우]의 인정기준(고시 제2008-149호,2008.12.01)에 의거 차4 지각과민처치(나. 레이저치료, 상아질접착제도포의 경우, 이하 생략)와 치아질환처치(충전 등), 치주조직의 처치(치석제거 등), 보철치료를 동일치아에 시행한 경우 차4 지각과민처치는 인정하지 않고 있음.
- 이에, 치석제거 등 치주치료 후 청구되는 차4 지각과민처치의 적정 시행시기에 대하여 관련 교과서 및 학회 의견 등을 참조하여 논의한 결과, 치주치료 후 치은출혈이나 염증이 있는 치은조직이 치유가 된 후에 지각과민처치를 해야 효과가 있으며, 치석제거(Scaling) 등 비외과적 치주치료(Root Planning, Subgingival Curettage)시 치태, 치석 그리고 내독소(endo-toxin)가 제거될 때 상아세관(dentinal tubule)이 노출됨으로써 상아질 지각과민현상이 나타나게 되고 이러한 과민현상은 치료 1~2일 후에 가장 심하며, 그 후 점차 증상이 완화되면서 7일 이내에 정상적으로 돌아온다고 명시되어 있음.
- 따라서, 치주치료 후 차4 지각과민처치는 치주치료에 따른 출혈 및 치은열구액 증가가 정상으로 돌아와 치근면을 적절히 건조시킬 수 있을 정도의 치유기간이 필요하므로 통상적인 치은부위의 치유기간인 일주일이 경과한 후에 시행하는 것이 타당함.

[2013-03-29 공개심의사례]

▶ 국소적 / 전반적 치은퇴축 비교

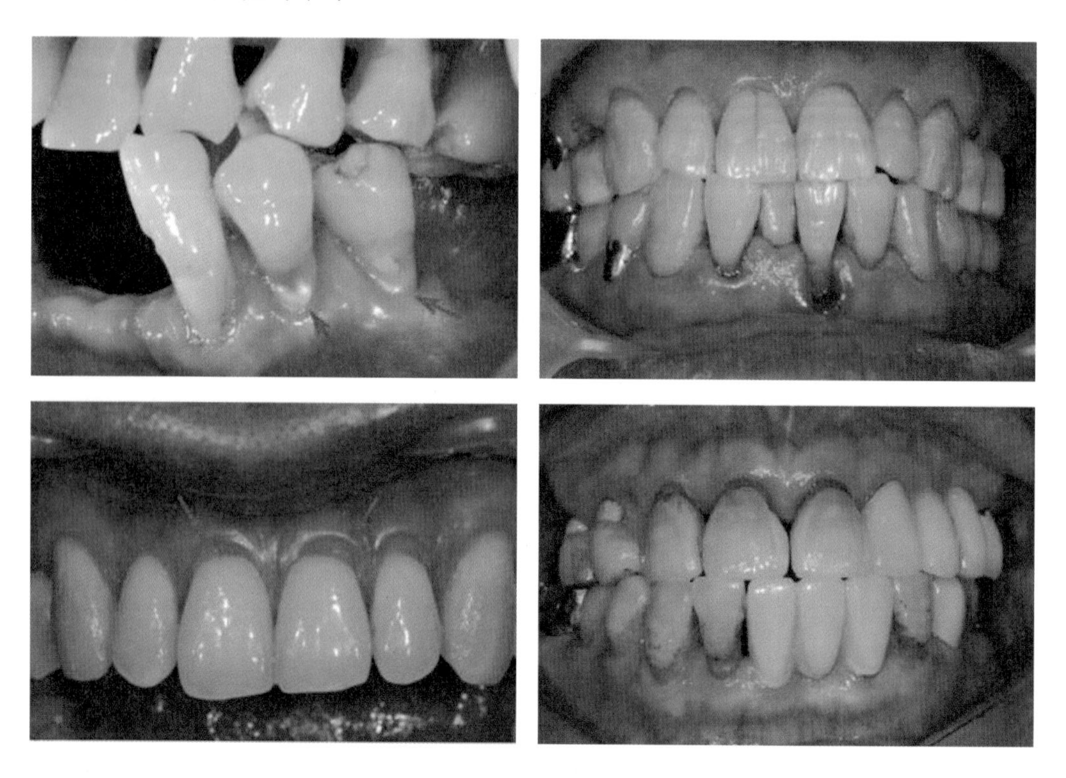

▶ 치주치료 후에 관리 중인 환자

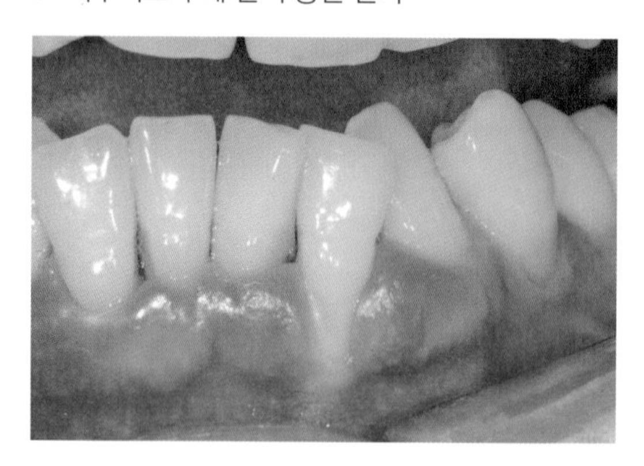

☆ 관련 보험진료 행위

차-111 치은이식술 (Gingival Graft)

진료비 : 112,300원

부착치은이 부족하거나 치은퇴축에 의해 치근이 노출되었을 때 시행하는 술식이며, 보통 상악 구개부에서 치은을 잘라내서 이식할 부위에 이식하는 경우가 대부분이다. 종종 구강전정성형술 시에도 사용된다.

- 치석제거 등의 전처치가 필요
- 사용한 봉삽사는 별도 산정 가능
- 술 후 후처치는 치주수술후처치로 산정
- 공여부(이식할 피부조각을 떼어낼 곳) 조직 채취비용은 별도 산정 가능하며, 자16가(1)(나)피판작성술-피부-국소(기타) 비용의 50%를 산정한다.

▶ 치은이식술 청구건수

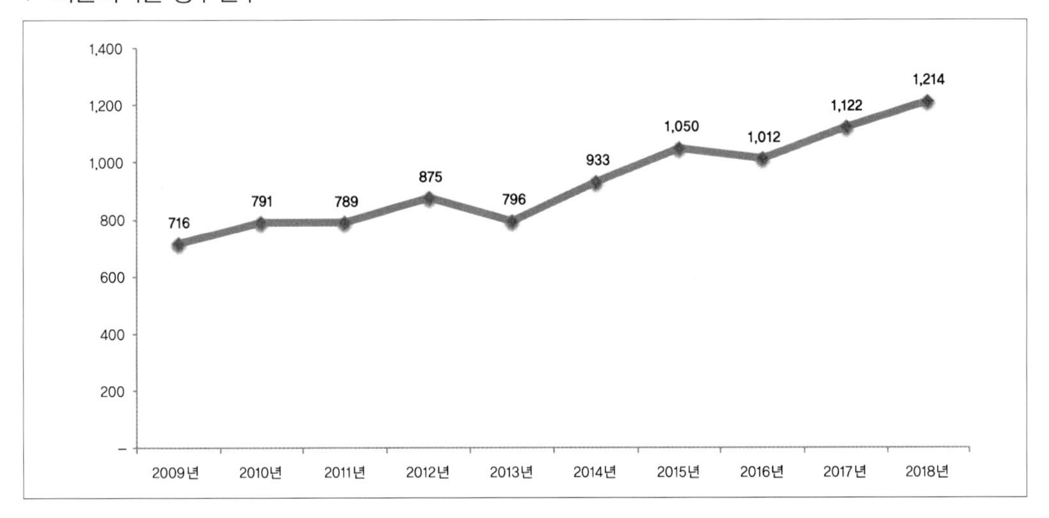

▶ 치은이식술

진료구분	재진
처치순번	1 2
진료의사	김영삼
상 병 명	[K06.00] 국소적 치은퇴축 주상병
내역설명	

구분	진료항목	회	일	금액
행위	치은이식술	1	1	112,300
행위	전달마취(가) - 후상치조신경블록크	1	1	3,610
약제	휴온스리도카인염산염수화물-에피네...	3	1	1,260
행위	의약품관리료 1일분 (의원)	1	1	200
재료	SILK	1	1	1,910

수납 | 총진료비: 146,310원 본인부담금: 43,800원

▶ 치은이식술 + 구강전정성형술

진료구분	재진
처치순번	1 2
진료의사	김영삼
상 병 명	[K08.88] 기타 치아 및 지지구조의 장애 주상병
내역설명	의치를 위한 점막이식전정성형술 같이 시행함

구분	진료항목	회	일	금액
행위	치은이식술	1	1	112,300
행위	전달마취(가) - 후상치조신경블록크	1	1	3,610
약제	휴온스리도카인염산염수화물-에피네...	3	1	1,260
행위	의약품관리료 1일분 (의원)	1	1	200
행위	피판작성술-피부-국소(기타)	0.5	1	178,460
행위	상고정장치술	1	1	69,260
재료	SILK	1	1	1,910

수납 | 총진료비: 431,190원 본인부담금: 129,300원

☆ 관련 보험진료 행위

차-110 치은측방변위판막술, 치관변위판막술 (Laterally Positioned Flap, Coronally Positioned Flap)

진료비 : 104,995원

치은 퇴축에 의해 노출된 치근을 다시 치주조직으로 피개하는 술식이다.

- 치은이식술과 함께 시행하기도 하고, 단독적으로 시행하기도 한다.
- 사용한 봉삽사는 별도 산정 가능
- 술 후 후처치는 치주수술후처치로 산정

▶ 치은측방변위판막술

진료구분	재진
처치순번	1 2
진료의사	김영삼
상 병 명	[K06.00] 국소적 치은퇴축 주상병
내역설명	

	구분	진료항목	회	일	금액
☑	행위	치은측방변위판막술,치관변위판막술	1	1	104,990
☑	행위	전달마취(가) - 후상치조신경블록크	1	1	3,610
☑	약제	휴온스리도카인염산염수화물-에피네,...	2	1	840
☑	행위	의약품관리료 1일분 (의원)	1	1	200
☑	재료	SILK	1	1	1,910

수납 | 총진료비: 137,490원 본인부담금: 41,200원

▶ 술 후 Dressing

진료구분	재진
처치순번	1 2
진료의사	김영삼
상 병 명	[K06.00] 국소적 치은퇴축 주상병
내역설명	

	구분	진료항목	회	일	금액
☑	행위	치주치료후처치(치주수술후)	1	1	3,380

수납 | 총진료비: 13,530원 본인부담금: 4,000원

K06.1 치은비대 (Gingival enlargement)

●K06.10 치은섬유종증 (Gingival fibromatosis)

●K06.18 기타 명시된 치은비대 (Other specified gingival enlargement)

●K06.19 상세불명의 치은비대 (Gingival enlargement, unspecified)

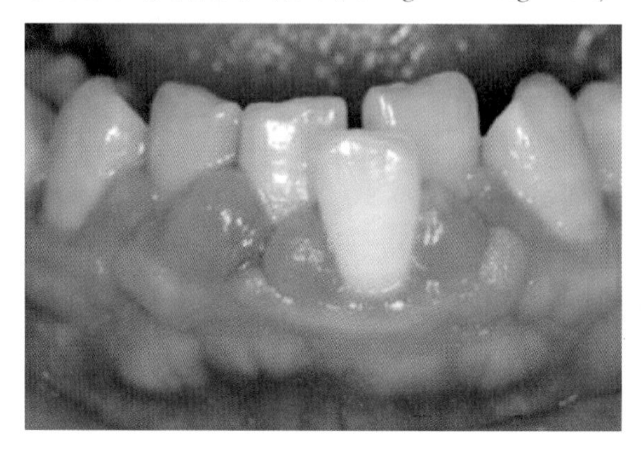

- 비정상적으로 잇몸이 자라난 경우로 만성적인 염증에 의하거나, 특정 약물에 대한 반응 등으로 나타난다. 주로 전치와 사랑니의 경우 치은판절제술에 많이 적용되었으나, 2010년부터는 치은절제술(1/3악당)의 인정이 쉬워져 약물복용이나 임신성 원인으로 증식된 치은을 제거한 경우 적용 가능하다. 예전에는 치은절제술은 거의 인정되지 않는 술식이었으나, 치관확장술 청구가 급증하자, [치관확장술 가.치은절제술]에 해당되는 진료를 치은절제술로 조정하기도 했다.
- 2012년엔 [치관확장술 가.치은절제술]의 상대가치 점수(359.42)를 낮추면서 치관확장술(가)를 1치일 경우 인정을 해주는 추세였으나, 산정기준이 1치당이기 때문에 다수 치아를 치관확장 목적으로 치은절제 했을 경우는 1/3악당 기준인 치은절제술로 조정되는 경우가 대부분이였다.
- 2017년 7월부터 2차 상대가치점수 개편이 이루어지면서 [치관확장술 가.치은절제술 (289.36)]의 수가 변동이 크게 있었다. 2020년 1월 1일 기준 80.14점, 7,000원으로 대폭 낮아졌다. [치관확장술 가.치은절제술]은 치주 상병보다는 근관치료 상병명을 추천한다. 심미적 치관형성술은 비급여항목이니 구별해야 한다.

●K06.10 치은섬유종증 (Gingival fibromatosis)

만성자극 등의 이유로 치은이 종양처럼 자라난 경우로 치은절제술에 사용가능하다. 그러나 종양으로 판단하여 종양적출술등에 적용하지는 않아야 한다. 실제로 우리가 조직검사를 의뢰해서 보내지 않기 때문에 정확한 병리학적 진단하기 어렵다. 굳이 종양적출술등을 적용하려면 종양과 관련된 상병을 사용하는 것이 옳다고 본다.(D10.3 상병 참고)

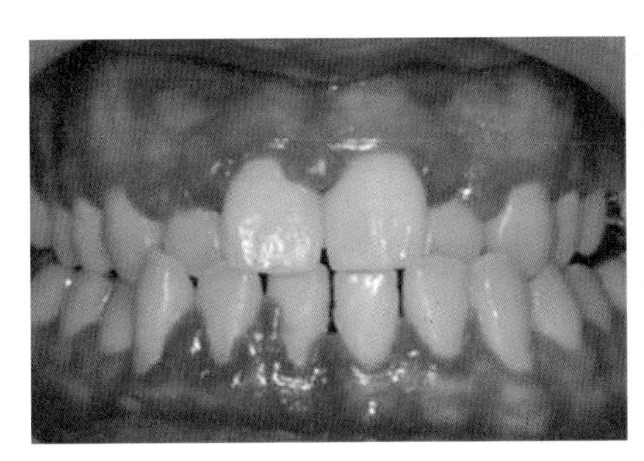

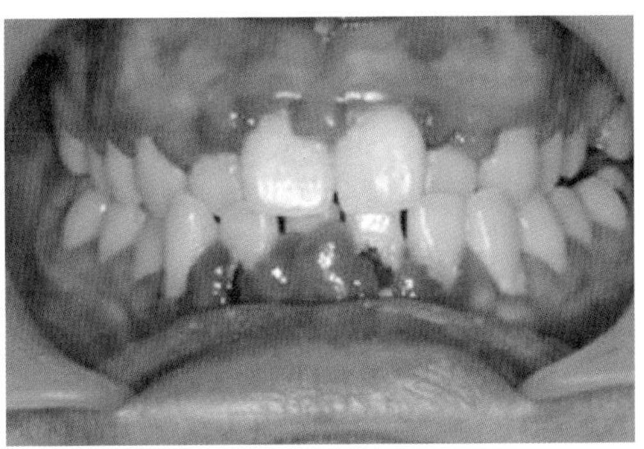

●K06.18 기타 명시된 치은비대 (Other specified gingival enlargement)

치은절제술에 가장 많이 적용할 만한 상병이다.

▶ 치은절제술 증례

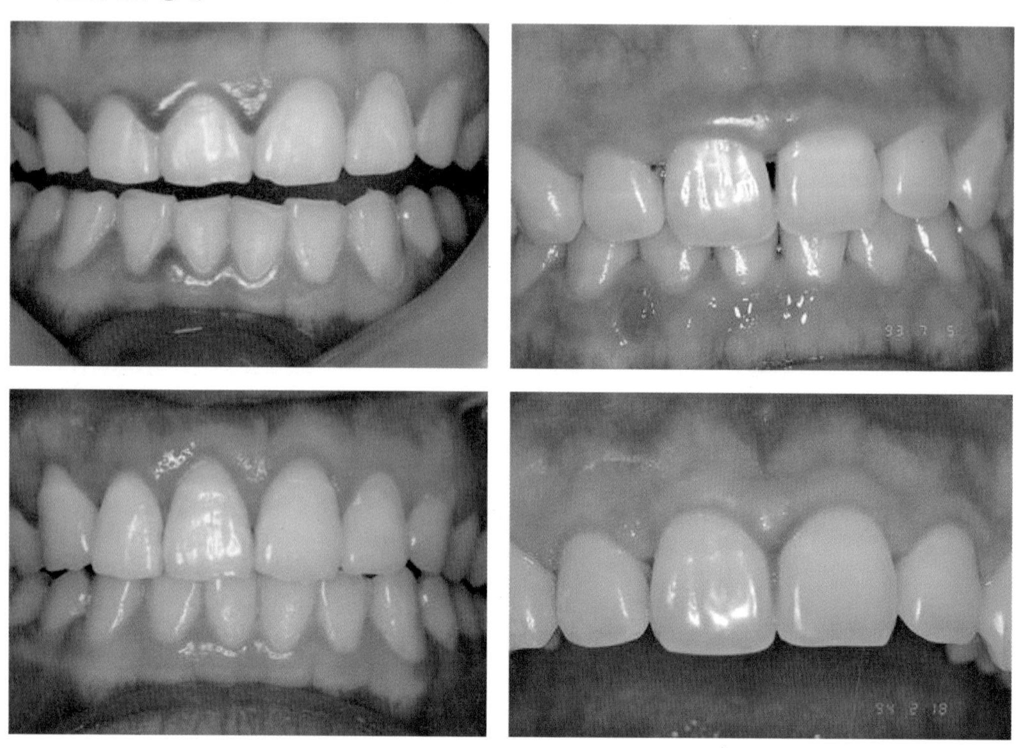

▶ 하악 7번 치은절제술

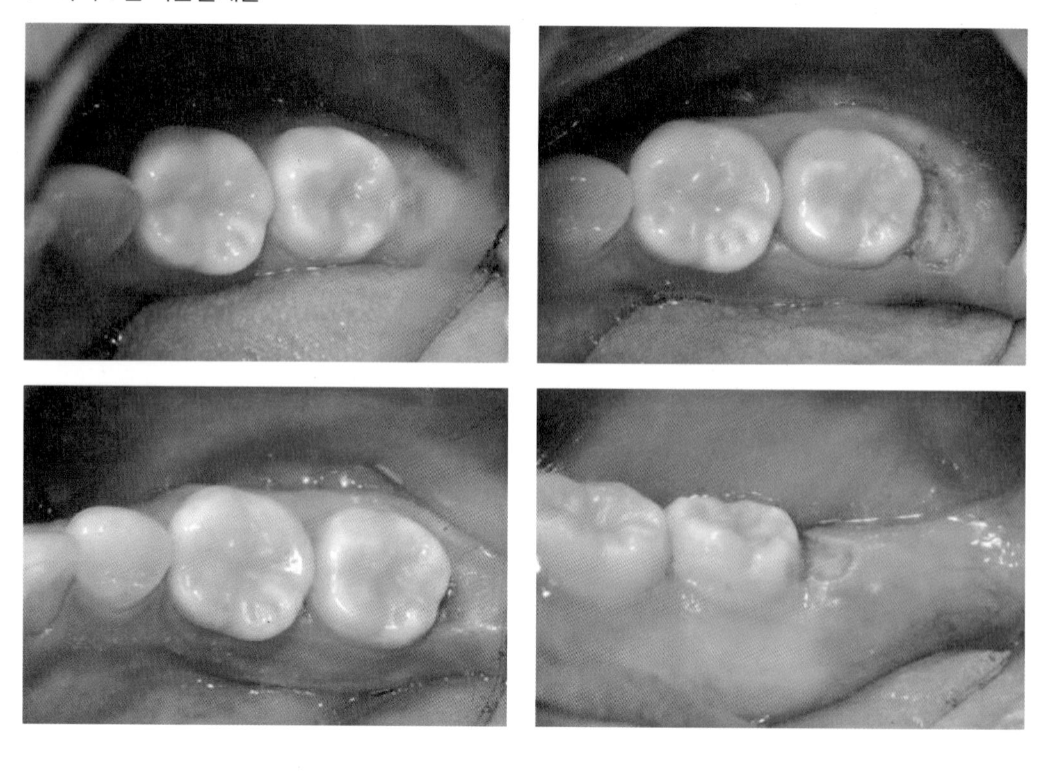

▶ 치은절제술 or 치은판절제술

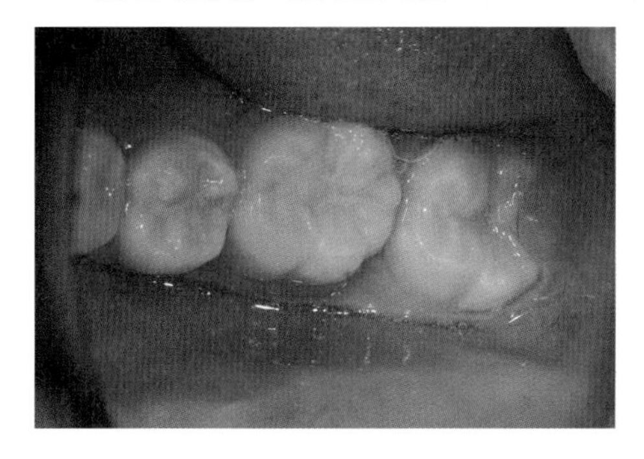

치은판절제술은 치은증식보단 맹출 상병을 적용해야 한다. 보여지는 건 비슷하나 환자 나이를 참고할 필요가 있다. 맹출이 끝났을 나이라면 치은절제술로 청구하는 것이 옳고, 맹출중인 나이라면 맹출 상병으로 치은판절제술로 청구해야 한다. 다만 사랑니는 나이와 상관없이 일반적으로 맹출 상병으로 치은판절제술로 청구하는 것이 맞다.

치은조직절제를 다음과 같이 실시한 경우에는 [차66 치은판절제술]의 소정점수를 산정함.

\- 다 음 -

가. 오래된 치아우식와동 상방으로 증식된 치은식육 제거
나. 파절된 치아 상방으로 증식된 치은식육 제거
다. 치아맹출을 위한 개창술
라. 부분 맹출 치아 또는 유치의 우식치료를 위한 치은판 제거
마. 급성 또는 만성 지치주위염 치아의 치관 상방을 덮고 있는 치은판 제거

고시 제2016-30호 (2016년 3월 1일 시행)

K06.2 외상과 연관된 잇몸 및 무치성 치조융기의 병변
(Gingival and edentulous alveolar ridge lesions associated with trauma)

●K06.20 외상성 교합에 의한 잇몸 및 무치성 치조융기의 병변 (Gingival and edentulous alveolar ridge lesions due to traumatic occlusion)

●K06.20 칫솔질에 의한 잇몸 및 무치성 치조융기의 병변 (Gingival and edentulous alveolar ridge lesions due to toothbrushing)

●K06.20 마찰성(기능성) 각화증 (Frictional [functional] keratosis)

●K06.20 자극성 증식증[의치성 증식증] (Irritative hyperplasia[denture hyperplasia])
무치성 융선의 자극성 증식증[의치성 증식증] (Irritative hyperplasia of edentulous ridge[denture hyperplasia])

외상으로 생긴 잇몸의 상처나 비특이적인 염증을 말한다. 일반적인 약물도포 등으로 치료하므로 기본처치에 해당되는 상병이다. 의치성 증식으로 [치은,치조부 병소 또는 종양절제술] 시행 시 적용되기도 한다.

☆ 관련 보험진료 행위

차-64 치은, 치조부 병소 또는 종양절제술 [Epulis 포함] (Excision of Lesion or Benign Tumor of Gingiva or Alveolar Portion)

진료비 : 31,250원

구강내에 병적으로 증식된 조직이나 양성종양(Papilloma 등)을 제거하는 간단한 수술이다.
통상의 경우 mess를 사용하나, 요즘은 레이저를 사용하여 수술하기도 한다. 하지만 레이저를 사용해도 추가로 환자에게 비용을 부담하여서는 안 된다.
– 마취 산정 가능
– 사용한 봉삽사는 별도 산정 가능

▶ 의치성 증식증

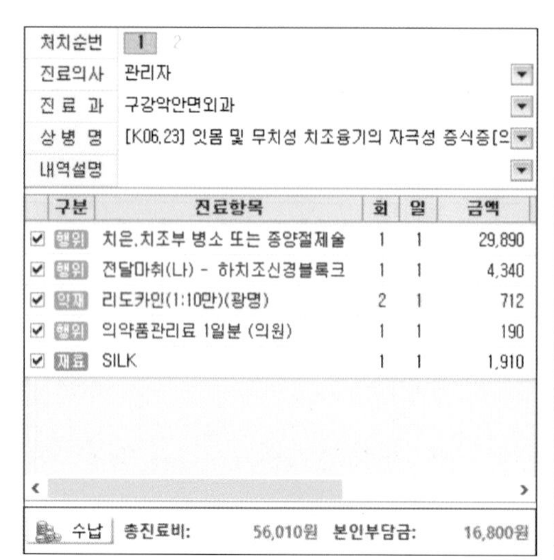

처치순번 1 2
진료의사 관리자
진 료 과 구강악안면외과
상 병 명 [K06.23] 잇몸 및 무치성 치조융기의 자극성 증식증[의
내역설명

구분	진료항목	회	일	금액
행위	치은,치조부 병소 또는 종양절제술	1	1	29,890
행위	전달마취(나) - 하치조신경블록크	1	1	4,340
약제	리도카인(1:10만)(광명)	2	1	712
행위	의약품관리료 1일분 (의원)	1	1	190
재료	SILK	1	1	1,910

수납 | 총진료비: 56,010원 본인부담금: 16,800원

▶ 미국, 동남아에 많음

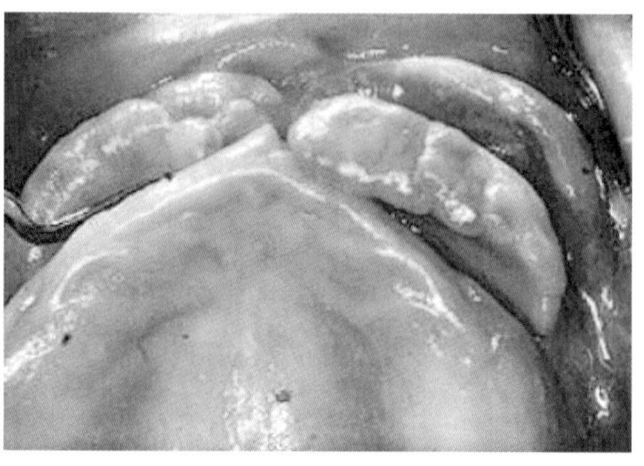

K06.8 잇몸 및 무치성 치조융기의 기타 명시된 장애
(Other specified disorders of gingiva and edentulous alveolar ridge)

예전에 치은성 낭종에 사용된 상병명이었으나, 적용대상이 명확하지 않아 이름을 바꾸었지만 여전히 거의 사용되지 않는다. 실제로 발병률 자체도 매우 낮고, 감별진단자체도 어렵기 때문이다.

K06.9 잇몸 및 무치성 치조융기의 상세불명 장애
(Disorders of gingiva and edentulous alveolar ridge, unspecified)

거의 사용되지 않음

적용 가능한 진단명

- 섬유성 치은종 (Fibrous epulis) : 종양적출술이나 치은, 치조부 종양 절제술항목으로 청구가능하다.
- 가동성 융기 (Flabby ridge)
- 거대세포성 치은종 (Giant cell epulis)
- 말초 거대세포 육아종 (Peripheral giant cell granuloma)
- 잇몸의(치은의) 화농성 육아종 (Pyogenic granuloma) : 사춘기소녀 또는 임신기 여성에서 호르몬의 변화 또는 구강위생관리 소홀, 국소적 자극 등으로 생기기 쉽다.

[K07] 치아얼굴이상[부정교합 포함]
(Dentofacial anomalies[including malocclusion])

제외 반쪽얼굴 위축 또는 비대(Q67.4)
한쪽 관절돌기 증식증 또는 형성저하(K10.8)

K07.0 턱크기의 주요 이상 (Major anomalies of jaw size)

제외 말단비대증(E22.0)
로빈증후군(Q87.0)

●K07.00 상악의 대악증[상악의 증식증] (Maxillary macrognathism[Maxillary hyperplasia])
●K07.01 하악의 대악증[하악의 증식증] (Mandibular macrognathism[Mandibula hyperplasia])
●K07.02 양악의 대악증 (Macrognathism, both jaws)
●K07.03 상악의 소악증[상악의 형성저하] (Maxillary micrognathism[Maxillary hypoplasia])
●K07.04 하악의 소악증[하악의 형성저하] (Mandibular micrognathism[Mandibula hypoplasia])
●K07.05 양악의 소악증 (Micrognathism, both jaws)
●K07.08 턱크기의 기타 명시된 이상 (Other specified jaw size anomalies)
●K07.09 턱크기의 상세불명 이상 (Anomaly of jaw size, unspecified)

턱의 크기가 정상보다 작거나 큰 경우로 상·하악 모두 또는 단독으로 나타난다. 일반적인 치료는 일반교정이나 턱교정수술 등이므로 치료에 적용될 가능성은 거의 없다. 보험청구에서 적용될 수 있는 범위는 진단목적으로 두부규격(Cephalo) 촬영의 상병으로 종종 적용된다. 최근에는 대학병원 몇 건 정도만 인정될 뿐 일반 치과의원급은 거의 인정되지 않는다.

참고

악안면교정수술도 급여대상이 있다!

외모개선 목적이 아닌 저작 또는 발음 기능개선 목적으로 시행한 경우에 보험급여하되, 다음중 하나에 해당되는 경우로 한다.

– 다 음 –

가. 선천성 악안면 기형으로 인한 악골발육장애(구순구개열, 반안면왜소증, 피에르 로빈 증후군, 크루즌 증후군, 트리쳐 콜린스 증후군 등)

나. 종양 및 외상의 후유증으로 인한 악골발육장애

다. 뇌성마비 등 병적 상태로 인해 초래되는 악골 발육장애

라. 악안면교정수술을 위한 교정치료전 상하악 전후 교합차가 10 mm 이상인 경우

마. 양측으로 1개 치아씩 또는 편측으로 2개 치아 이하만 교합되는 부정교합

바. 상하악 중절치 치간선(Dental midline)이 1 0mm 이상 어긋난 심한 부정교합

2007년 5월 1일부터 시행

양악수술이 유행하면서, 일반 환자들로부터 공단이나 심평원에도 문의가 많다고 한다. 물론 치과에서도 많이 문의하지만, 그냥 없다고 생각하라는 정도의 답변이다. 필자도 치과병원에서 근무하던 시절 몇 번 시도해 본적 있으나, 무시당하는 정도였다. 돈이 문제가 아니라 법을 지키겠다고 문의를 하는데도 답변은 성의 없었다. 대학병원에서는 몇 년 전에는 인정받았다는 이야기를 들어 본적은 있지만, 최근에는 없다.

K07.1 턱-두개골저의 관계이상 (Anomalies of jaw-cranial base relationship)

- K07.10 턱의 비대칭 (Asymmetry of jaw)
- K07.11 하악돌출증 (Mandibular prognathism)
- K07.12 상악돌출증 (Maxillary prognathism)
- K07.13 하악후퇴증 (Mandibular retrognathism)

●K07.14 상악후퇴증 (Maxillary retrognathism)

●K07.18 턱-두개골저의 기타 명시된 관계이상 (Other specified anomalies of jaw-cranial base relationship)

●K07.19 턱-두개골저의 상세불명 관계이상 (Anomaly of jaw-cranial base relationship, unspecified)

상하악의 골격성 부정교합을 나타내는 말로, 치료는 턱교정 수술이 주를 이룬다. 실제로 치료는 보험청구 시에는 거의 적용되는 경우가 없다.

적용 가능한 진단명

- 턱골의 비대칭 (Asymmetry of jaw)
- 상하악 악골의 전돌 (Prognathism)
- 상하악 악골의 후퇴 (Retrognathism)

K07.2 치열궁관계의 이상 (Anomalies of dental arch relationship)

●K07.20 원심교합 (Disto-occlusion)

●K07.21 근심교합 (Mesio-occlusion)

●K07.22 과도한 수평겹침[수평적 겹침] (Excessive overjet[horizontal overlap])

●K07.23 과도한 수직겹침[수직적 겹침] (Excessive overbite[vertical overlap])

●K07.24 개방교합 (Open bite)

●K07.25 교차교합 (Crossbite (anterior, posterior))

●K07.26 정중편위 (Midline deviation)

●K07.27 하악치의 후방설측교합 (Posterior lingual occlusion of mandibular teeth)

●K07.28 치열궁 관계의 기타 명시된 이상 (Other specified anomalies of dental arch relationship)

●K07.29 치열궁관계의 상세불명 이상 (Anomaly of dental arch relationship, unspecified)

Angle의 분류(Class I II III)에 의한 상하악 관계이상으로 생각하면 된다.
상하악 관계이상으로는 일반적으로 교정시술이 주이므로 보험청구 부분에서는 거의 적용되는 사례가 없다. 하지만 소수의 치아에 관계이상을 나타낼 경우 보험청구 항목 중 교합조정술의 상병으로 적용된다.

K07.3 치아위치의 이상 (Anomalies of tooth position)

제외 위치이상이 없는 매몰치 및 매복치(K01.-)

●K07.30 치아의 밀집 (Crowding of teeth)

●K07.31 치아의 전위(轉位) (Displacement of teeth)

●K07.32 치아의 회전 (Rotation of teeth)

●K07.33 치아의 간격 (Spacing of teeth)

치아의 간극(间隙) (Diastema of teeth)

●K07.34 치아의 전위 (Transposition of teeth)

●K07.35 위치이상을 동반한 매몰치 또는 매복치 (Embedded or impacted teeth with abnormal position)

●K07.38 치아위치의 기타 명시된 이상 (Other specified anomalies of tooth position)

●K07.39 치아위치의 상세불명 이상 (Anomaly of tooth position, unspecified)

치아가 정상적인 위치가 아닌 곳에 위치한 경우로 주로 소구치에서 많이 나타난다.
덧니형태로 견치에서 나타나는 경우도 많지만, 주로 교정치료를 하게 되는 경우가 많으므로 보험적용을 하는 경우가 드물다. 구치나 전치에서 치아 위치이상으로 인해 과도한 교합이 되는 경우 교합조정술 항목의 상병으로 주로 적용된다. 소구치의 경우 설측에 치열궁을 이탈하여 따로 맹출 해 있는 경우가 종종 있으며, 인접치아와의 사이에 음식물이 자주 끼어 충치나 잇몸질환이 생길 가능성이 많으므로 발치를 하게 되는 경우가 많다. 이럴 경우 보통은 치주질환이나 치아우식을 상병으로 적용하나, 예방목적으로 미리 발치하는 경우는 치아위치이상으로도 적용가능하다.

●K07.30 치아의 밀집 (Crowding of teeth)

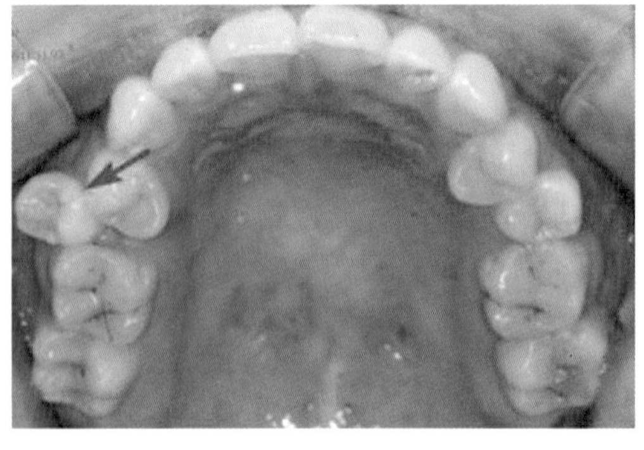

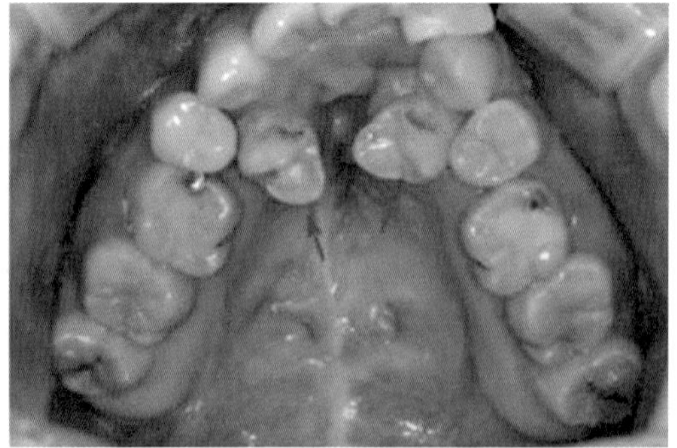

●K07.31 치아의 전위(轉位) (Displacement of teeth)

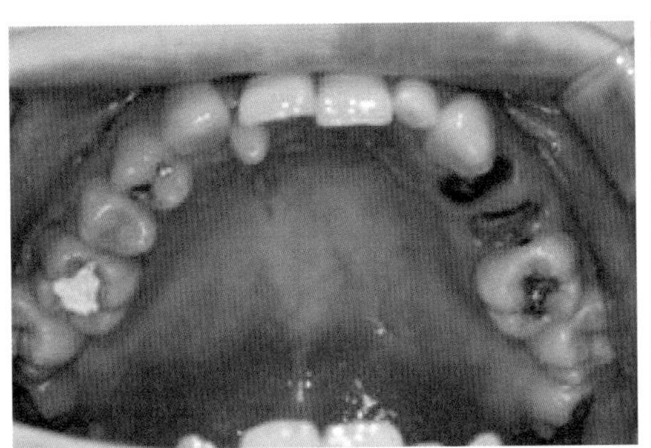

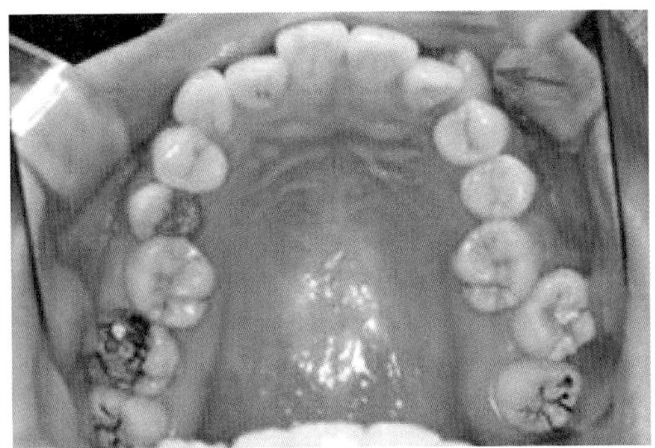

●K07.32 치아의 회전 (Rotation of teeth)

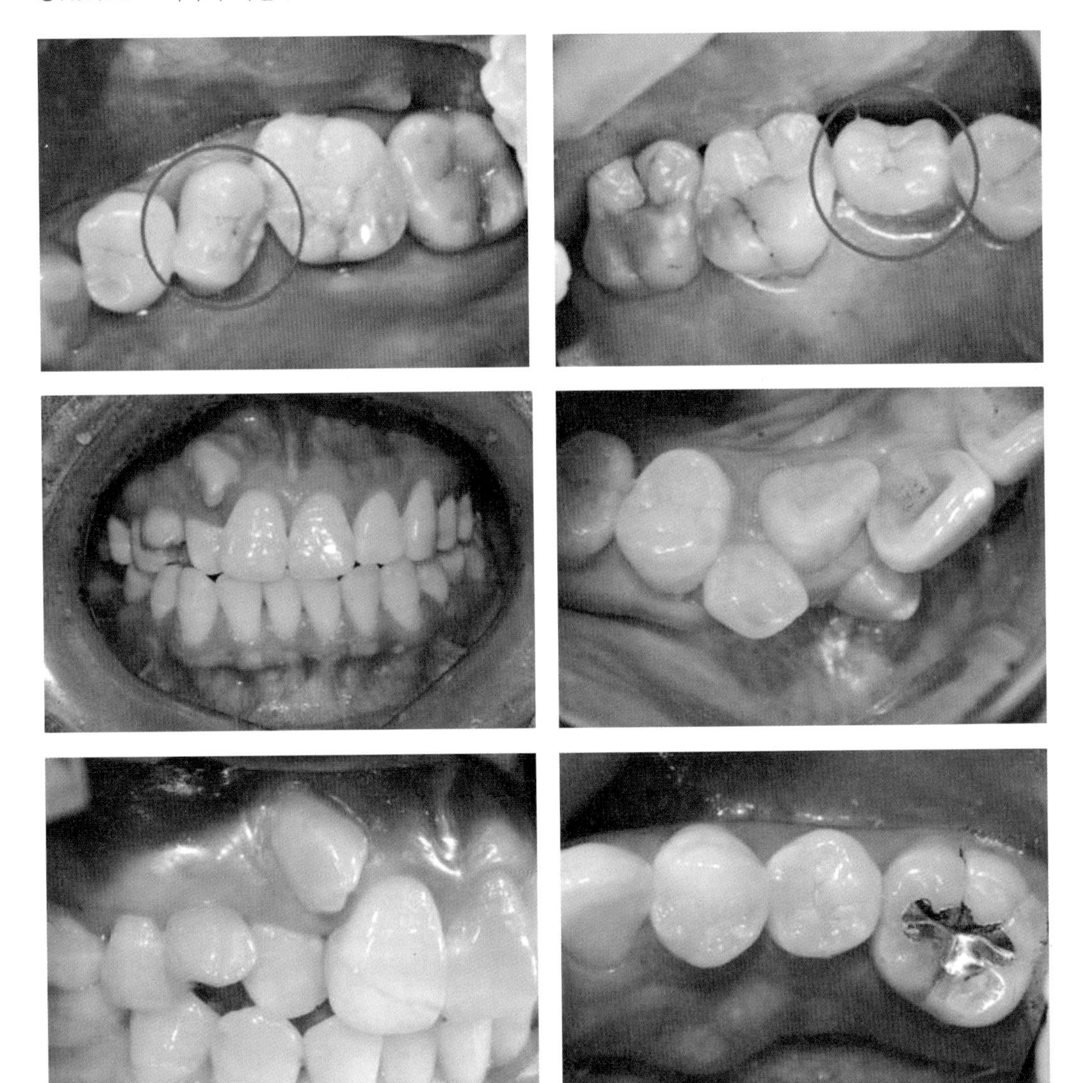

K07.4 상세불명의 부정교합 (Malocclusion, unspecified)

특별한 정의는 없다. 교합조정술의 상병으로 적용 할 것이 마땅치 않을 때 종종 적용할 뿐이다.

K07.5 치아얼굴의 기능이상 (Dentofacial functional abnormalities)

제외 이갈이(F45.8)

이갈이 NOS(F45.8)

●K07.50 턱닫힘이상 (Abnormal jaw closure)

●K07.51 삼킴이상에 의한 부정교합 (Malocclusion due to abnormal swallowing)

●K07.52 입호흡에 의한 부정교합 (Malocclusion due to mouth breathing)

●K07.53 혀, 입술 또는 손가락의 습관에 의한 부정교합 (Malocclusion due to tongue, lip or finger habits)

●K07.58 기타 명시된 치아얼굴의 기능이상 (Other specified dentofacial functional abnormalitiesh)

●K07.59 상세불명의 치아얼굴이상 (Dentofacial abnormality, unspecified)

말 그대로 치아 및 안면의 기능적 이상을 말하는 것으로, 너무 포괄적이다. 치료는 턱교정수술 또는 안면성형이므로 보험항목의 상병으로 적용되는 경우는 거의 없다.

적용 가능한 진단명

- 연하이상 (Abnormal swallowing)
- 구호흡 (Mouth breathing)
- 부적절한 습관에 의한 기능적 이상 : 이갈이를 제외한 혀 내밀기나 손가락을 빠는 습관에 의한 기능이상을 말한다.

K07.6 턱관절장애 (Temporomandibular joint disorders)

제외 현존 턱관절의 탈구(S03.0)

현존 턱관절의 긴장(S03.4)

●K07.60 턱관절내장증 (Internal derangement of temporomandibular joint)

●K07.61 턱관절잡음 (Snapping jaw)

●K07.62 턱관절의 재발성 탈구 및 아탈구 (Recurrent dislocation and subluxation of temporomandibular joint)

●K07.63 달리 분류되지 않은 턱관절의 통증 (Pain in temporomandibular joint, not elsewhere classified)

●K07.64 달리 분류되지 않은 턱관절의 경직 (Stiffness of temporomandibular joint, not elsewhere classified)

●K07.65 턱관절의 퇴행성 관절병 (Degenerative joint disease of temporomandibular joint)

●K07.66 저작근장애 (Masticatory muscle disorders)

●K07.68 기타 명시된 턱관절장애 (Other specified temporomandibular joint disorder, not elsewhere classified)

●K07.69 상세불명의 턱관절장애 (Temporomandibular joint disorder, unspecified)

턱관절부분의 통증이나, 개구장애, clicking sound, 디스크 변이 등을 모두 포함하는 상병
턱관절 장애로 내원한 환자의 진단목적으로 촬영한 파노라마, 파노라마 특수촬영 또는 측두하악관절규격촬영시 상병으로 적용할 수 있으며, 턱관절 장애 검사항목인 측두하악장애 분석검사, 하악운동궤적검사, 관절음도 검사, 동기능적 교합검사 시 적용할 수 있다.
가장 많이 사용되는 경우는 단순히 악관절의 불편을 호소하여 진찰만하거나 투약 후 기본진료비를 산정하는 경우이다.

▶ 파노라마 특수 촬영

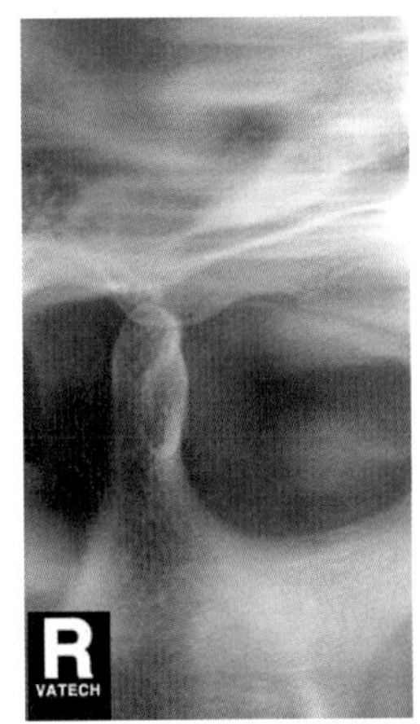

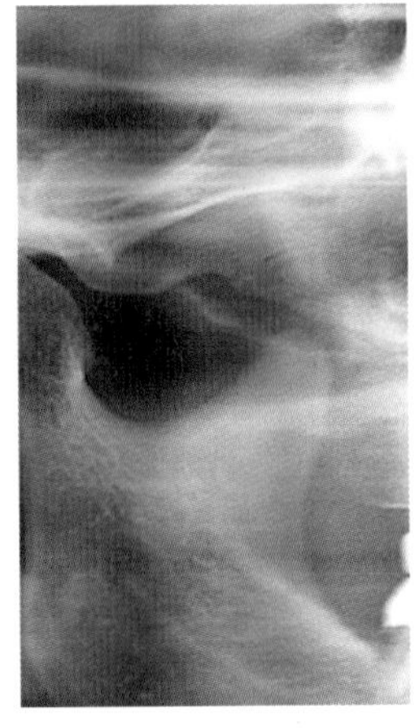
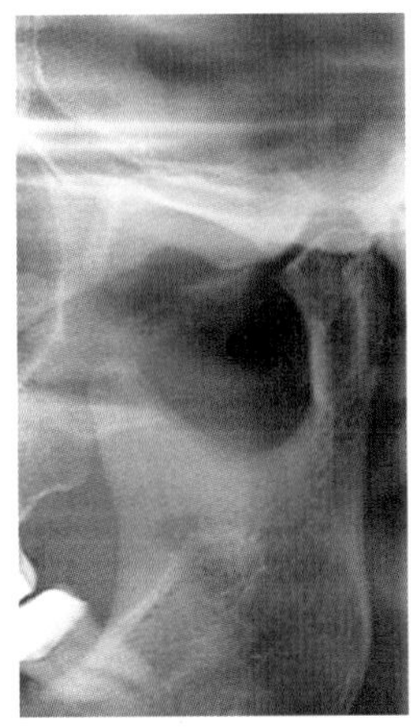
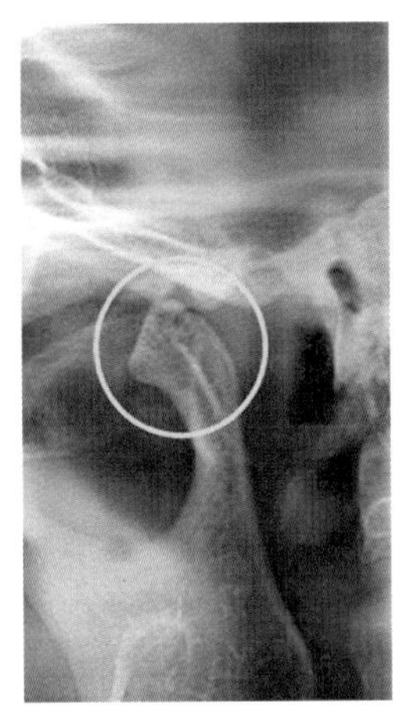

파노라마(일반)과 파노라마(특수) 촬영 동시 시행 시 각각 100% 산정 가능하다.

☆ 관련 보험진료 행위

나-904 측두하악장애분석검사
(Analytical Assessment of Temporomandibular Disorders)

진료비 : 33,210원

측두하악장애를 정밀진단하기 위하여 표준화된 도구(검사지)를 이용하여 악운동측정분석검사, 악관절촉진검사, 구강내교합검사, 저작근촉진검사 등의 검사를 치과의사가 직접 실시하고 분석하는 경우에 한하여 치료기간 중 1회만 산정한다 .(*악안면동통 분야 교육을 이수하지 않아도 청구 가능).

차-38 측두하악관절자극요법 [1일당]

		상대가치점수	진료비
U2381	가. 악관절단순자극요법	36.04	3,150원
U2382	나. 악관절전기자극요법	57.80	5,050원
U2383	다. 악관절복합자극요법	70.35	6,150원

치근의 주위에 생긴 치근낭을 제거하는 술식으로 치근낭의 크기에 따라 위와 같이 분류되어 있으니 그에 맞게 적용한다.

- 가. 표층열치료, 심층열치료, 한냉치료 등을 포함
- 나. 경피적 전기신경자극치료, 저주파자극요법, Myomonitor, SSP 등을 포함
- 다. 측두하악장애운동요법, 재활저출력레이저치료, 자기제어치료, 이온삼투요법, 근막동통유발점 주사자극치료 등을 포함
- 하루에 가. 나. 다 동시 산정 가능
- 재료대는 소정점수에 포함되어 별도 산정 불가
- 해당 항목의 치료를 실시할 수 있는 일정한 면적의 해당 치료실과 실제 사용할 수 있는 장비를 보유하고 있는 요양기관에서 '안면동통 분야 교육'을 이수한 치과의사가 측두하악장애분석검사에서 측두하악장애로 진단된 환자에게 실시한 경우 청구할 수 있다.

▶ 측두하악장애분석검사 청구건수 증가 추이

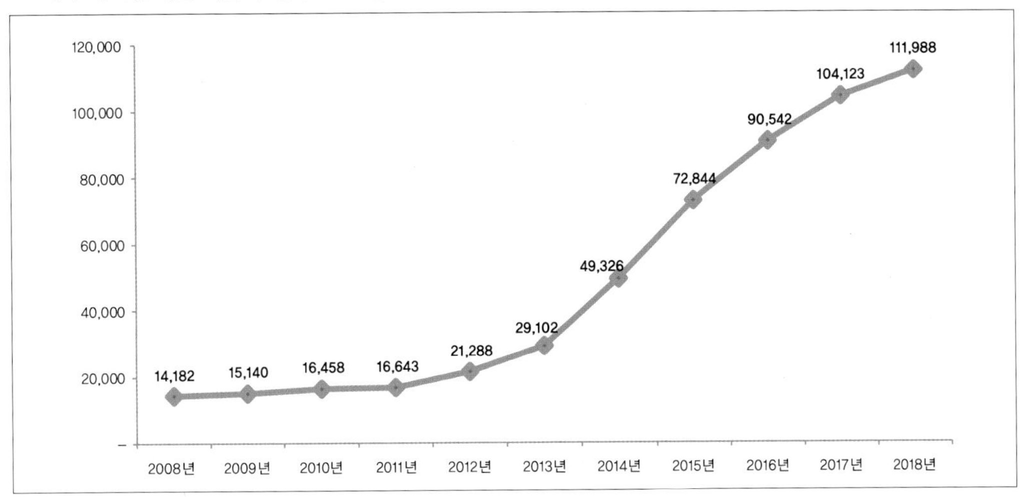

▶ 악관절 자극요법 청구건수(물리치료)

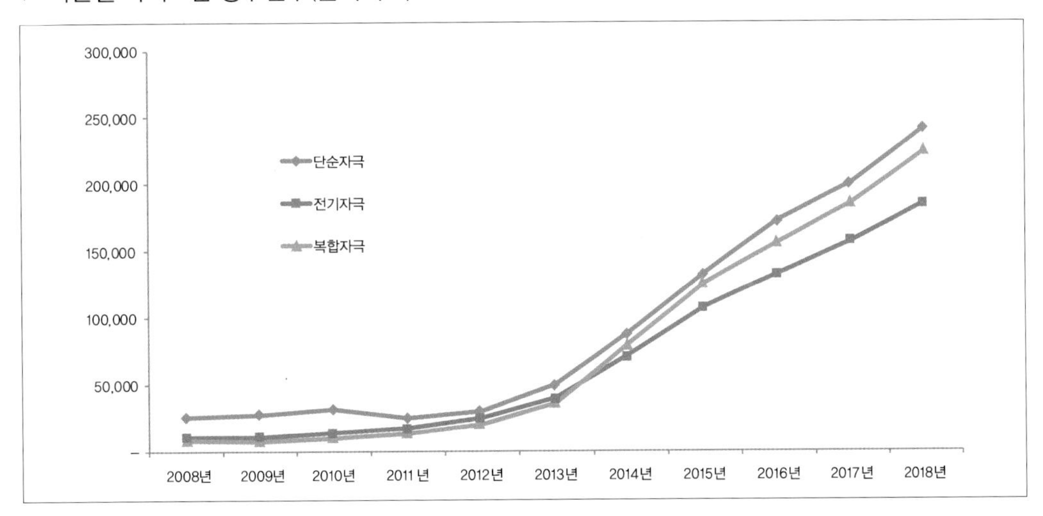

[턱관절장애로 처방하는 약]

일반적으로 평소에 처방하는 것과 달리 진통소염제도 반감기가 긴 것으로 처방하여 먹는 횟수 줄인다(관절염쪽에서 주로 그러하다).

* 진통소염제

– 나프록센 제재(반감기 12~17시간. 1일 2회 복용) 등

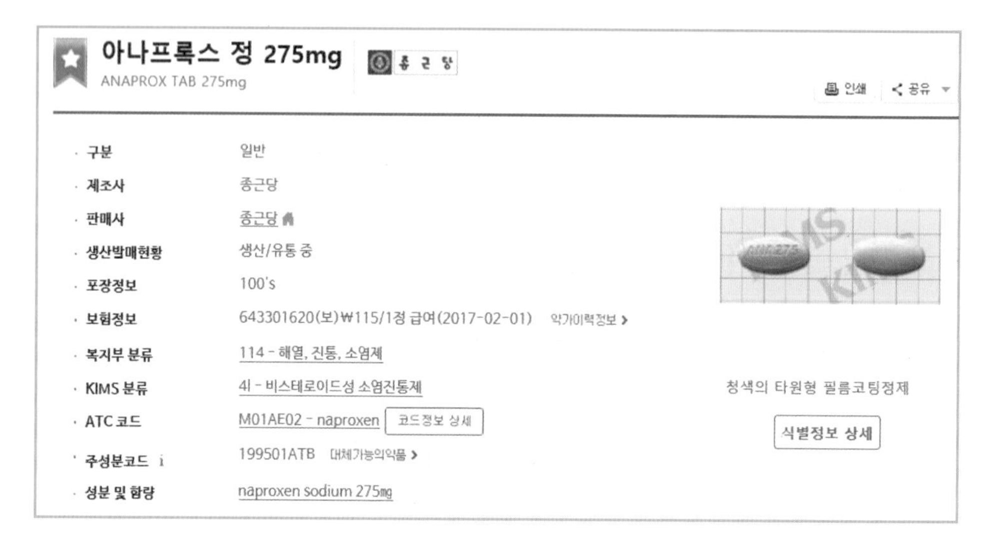

아나프록스 정 275mg
ANAPROX TAB 275mg

구분	일반
제조사	종근당
판매사	종근당
생산발매현황	생산/유통 중
포장정보	100's
보험정보	643301620(보)₩115/1정 급여(2017-02-01) 약가이력정보
복지부 분류	114 - 해열, 진통, 소염제
KIMS 분류	4l - 비스테로이드성 소염진통제
ATC 코드	M01AE02 - naproxen 코드정보 상세
주성분코드	199501ATB 대체가능의약품
성분 및 함량	naproxen sodium 275㎎

청색의 타원형 필름코팅정제

식별정보 상세

용법/용량:

1. 류마티양 관절염, 골관절염, 강직성 척추염 : 성인 나프록센나트륨으로서 1회 275~550 mg 1일 2회(12시간마다) 경구투여합니다.
2. 급성통풍 : 성인 나프록센나트륨으로서 초회량으로 825 mg을 경구투여하고 발작이 소실될 때까지 8시간 간격으로 275 mg을 경구투여합니다.
3. 월경곤란증, 골격근장애, 수술후 동통, 발치후 동통, 건염, 활액낭염 : 성인 나프록센나트륨으로서 초회량으로 550 mg을 경구투여한 후 6~8시간 간격으로 275 mg씩 투여합니다. 1일 총용량이 1350 mg을 초과하지 않도록 합니다.
4. 편두통 : 성인 나프록센나트륨으로서 초회량으로 825 mg을 경구투여합니다. 필요하면 1일 275~550 mg을 더 투여할 수 있으며 초회량의 투여 30분 후에 투여합니다. 1일 총용량이 1350 mg을 초과하지 않도록 합니다.

연령, 증상에 따라 적절히 증감합니다(일반적으로 많이 먹는 타이레놀은 반감기 2~4시간, 1일 3~4회 복용으로 반감기가 짧다).

– 모빅캅셀(멜록시캄) 등 : 장기복용하는 약은 위장장애가 비교적 적다.

▶ 한통으로! * 약은 가져가기 편하게 ~^^

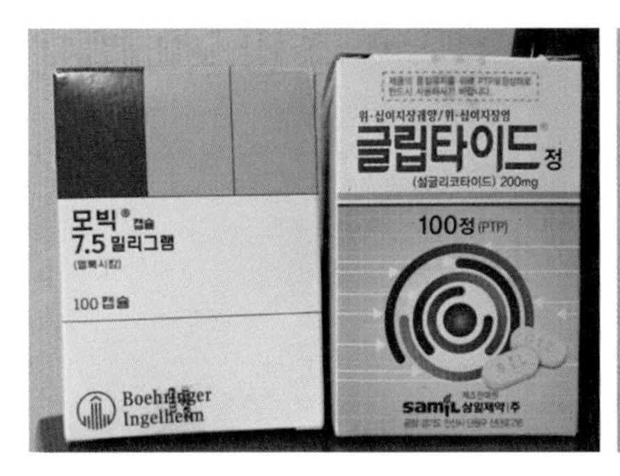

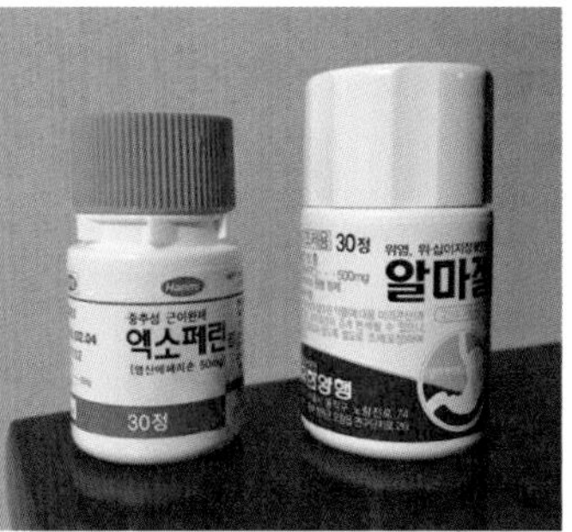

모빅 캡슐 7.5mg
MOBIC CAP 7.5mg

인쇄 | 공유

구분	전문
제조사	한국베링거인겔하임
판매사	한국베링거인겔하임
생산발매현황	생산/유통 중
포장정보	100's l 300's
보험정보	653500890(보)₩268/1캡슐 급여(2018-02-01) 약가이력정보 >
복지부 분류	114 - 해열, 진통, 소염제
KIMS 분류	4l - 비스테로이드성 소염진통제
ATC 코드	M01AC06 - meloxicam 코드정보 상세
주성분코드 i	189701ACH 대체가능의약품 >
성분 및 함량	meloxicam 7.5㎎

노란색 가루가 든 상,하 밝은 초록색 캡슐

식별정보 상세

용법/용량:

1. 골관절염(퇴행관절염)의 급성 악화 시 :
   – 성인 : 멜록시캄으로서 7.5 mg을 1일 1회 경구투여한다. 증상이 개선되지 않을 경우 필요에 따라 1일 15 mg까지 증량할 수 있다.
2. 류마티스관절염, 강직척추염:
   – 성인 : 멜록시캄으로서 15 mg을 1일 1회 경구투여한다. 치료에 대한 반응에 따라 1일 7.5 mg로 감량할 수 있다. 이 약은 1일 15 mg을 초과하여 투여하지 않는다. 1일 복용량을 한 번에 복용하여야 하며, 식사 중 물 또는 다른 음료와 복용해야 한다.
   – 고령자 또는 이상반응이 증대될 위험이 높은 자에게는 보통 1일 7.5 mg의 용량으로 치료를 시작한다.
   – 혈액투석을 받은 중증의 신부전증 환자는 1일 7.5 mg 이상 투여하여서는 안 된다.

*소론도 등 스테로이드

소염진통제와 함께 처방(소론도), 부신피질 호르몬제로 분류되어 있어서 처방 가능

*근이완제 : 에페리손, 바클로펜, 엑소페린, 실다루드

턱관절 근육 문제이기 때문에 근이완제를 추가 처방하는데, 최근에는 근이완제를 거의 처방하지 않는 추세이다.

K07.8　기타 치아얼굴이상

이 상병명 자체가 너무 포괄적이고 다른 상병명과 특별한 구별이 안 되므로 보험에서 적용되는 사례는 거의 없다.

K07.9　상세불명의 치아얼굴이상

거의 적용되지 않음.

[K08] 치아 및 지지구조의 기타 장애 (Other disorders of teeth and supporting structures)

K08.0　전신적 원인에 의한 치아의 탈락
(Exfoliation of teeth due to systemic causes)
제외　유치[탈락성]의 조기탈락 (K00.65)

K08.1　사고, 추출 또는 국한성 치주병에 의한 치아상실
(Loss of teeth due to accident, extraction or local periodontal disease)
제외　현존 손상(S03.2-)

K08.2　무치성 치조융기의 위축 (Atrophy of edentulous alveolar ridge)

K08.3　무치성 치조융기의 위축 (Atrophy of edentulous alveolar ridge)

K08.0 전신적 원인에 의한 치아의 탈락 (Exfoliation of teeth due to systemic causes)

- 치아가 전신적인 질환에 의해 자연탈락 또는 병적 탈락된 경우에 상병명으로 적용된다.
- 치아의 탈락유무를 확인하기 위해 방사선촬영을 하는 경우와 dressing과 같은 후처치를 시술할 경우에 적용가능하다.

K08.1 사고, 발치 또는 국한성 치주병에 의한 치아상실
(Loss of teeth due to accident, extraction or local periodontal disease)

- 틀니,임플란트가 급여화 되면서 틀니에 적용가능한 상병명이다.
- 다른 치과에서 발치한 것뿐만 아니라 여러 가지 원인(사고나 치주염 또는 본인이 손으로 뽑은 경우도 해당)에 의해 치아가 상실된 경우에 상병명으로 적용된다.
- 치아의 완전 탈락유무의 확인 차 방사선촬영을 하는 경우와 dressing 과 같은 후처치를 시술할 경우에 적용가능하다.

K08.2 무치성 치조융기의 위축 (Atrophy of edentulous alveolar ridge)

- 치아가 탈락되어 치조골이 자연 흡수되어 치조융선이 위축된 경우로 치료는 대부분이 비보험 적용항목이므로 보험적용되는 사례는 거의 없다. 과거 발치한 치아에 임플란트를 시행할 때, 민간보험에서 골이식술을 시행하는 경우 보장을 해주는 경우가 많은데 이때 적용 가능한 상병이다.

K08.3 잔류치근 (Retained dental root)

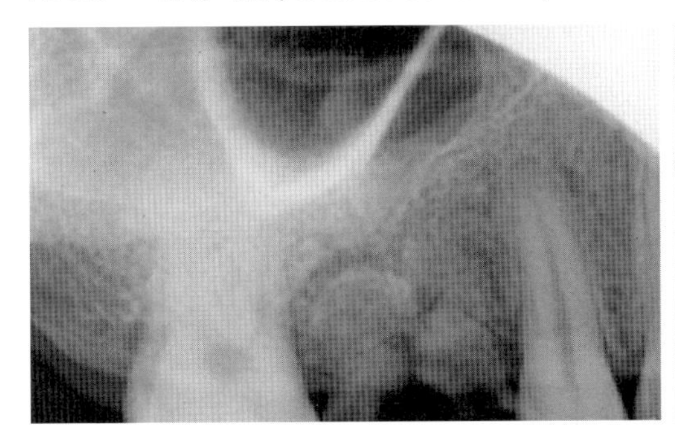
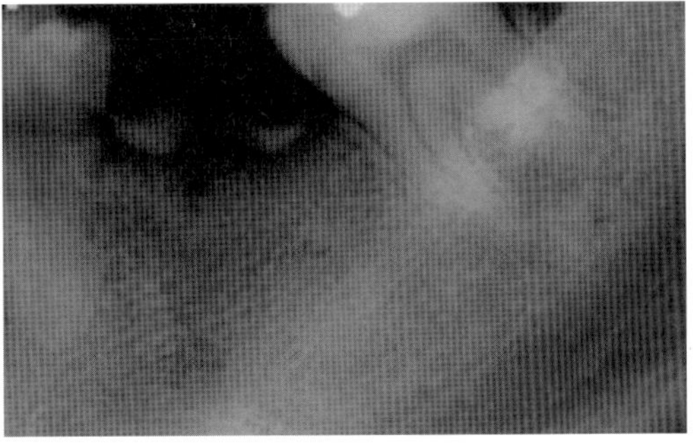

치관 부분이 충치나 외상 등의 원인으로 상실되어 치근만 잇몸 안에 남아 있는 경우이다.
필자는 실제 치관이 남아 있다고 하더라도 이미 충치가 너무 심하게 진행하여 간단하게 치관이 제거되어 치근만 남게 되는 경우도 종종 적용한다. 치근의 상태 확인을 위한 방사선 촬영 및 발치에 적용 가능하다.
과거에는 발치 난이도에 따라 단순발치, 난발치로 적용 가능했으나 최근 난발치를 잔류(잔존)치근 상병을 적용 시 단순발치로 조정되는 추세이다. 난발치는 「K03.5 치아의 강직」, 「K00.44 절렬(切裂)」, 「치아의 크기와 형태 의 기타 및 상세불명의 이상」으로 적용 가능하다.

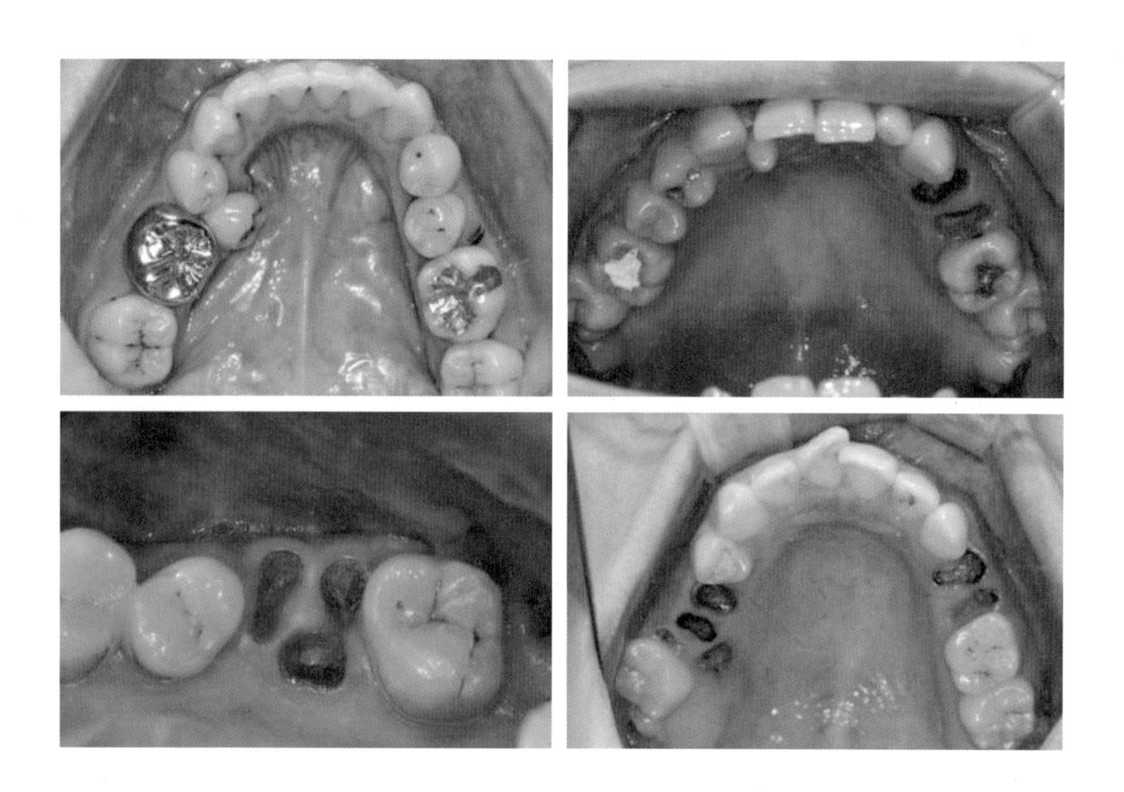

▶ Q. 이건 매복치인가?

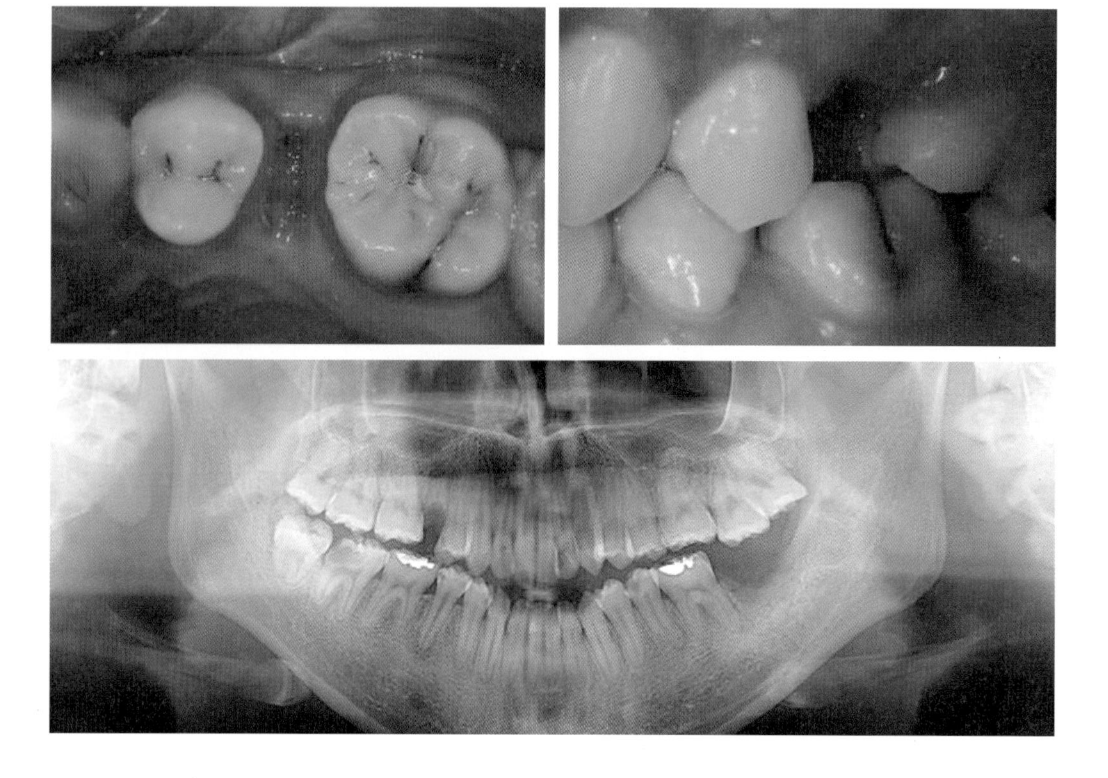

K08.8 치아 및 지지구조의 기타 명시된 장애 (Other specified disorders of teeth and supporting structures)

●K08.00 치통 NOS (Toothache NOS)

●K08.01 불규칙치조돌기 (Irregular alveolar process)

치조(돌기)열 (Alveolar (process) cleft)

●K08.02 치조융기의 확대 NOS (Enlargement of alveolar ridge NOS)

●K08.88 치아 및 지지구조의 기타 명시된 장애 (Other specified disorders of teeth and supporting structures)

발치 후 또는 발치 후 오랜 시간이 경과한 후에도 치조골의 모양이 완만하지 못한 경우이다. 상병명의 이름이 바뀌면서 좀 더 넓은 범위를 포함하나, 실제로는 불규칙한 치조돌기로 간주하여 [치조골성형수술]의 상병으로 적용할 수 있다.

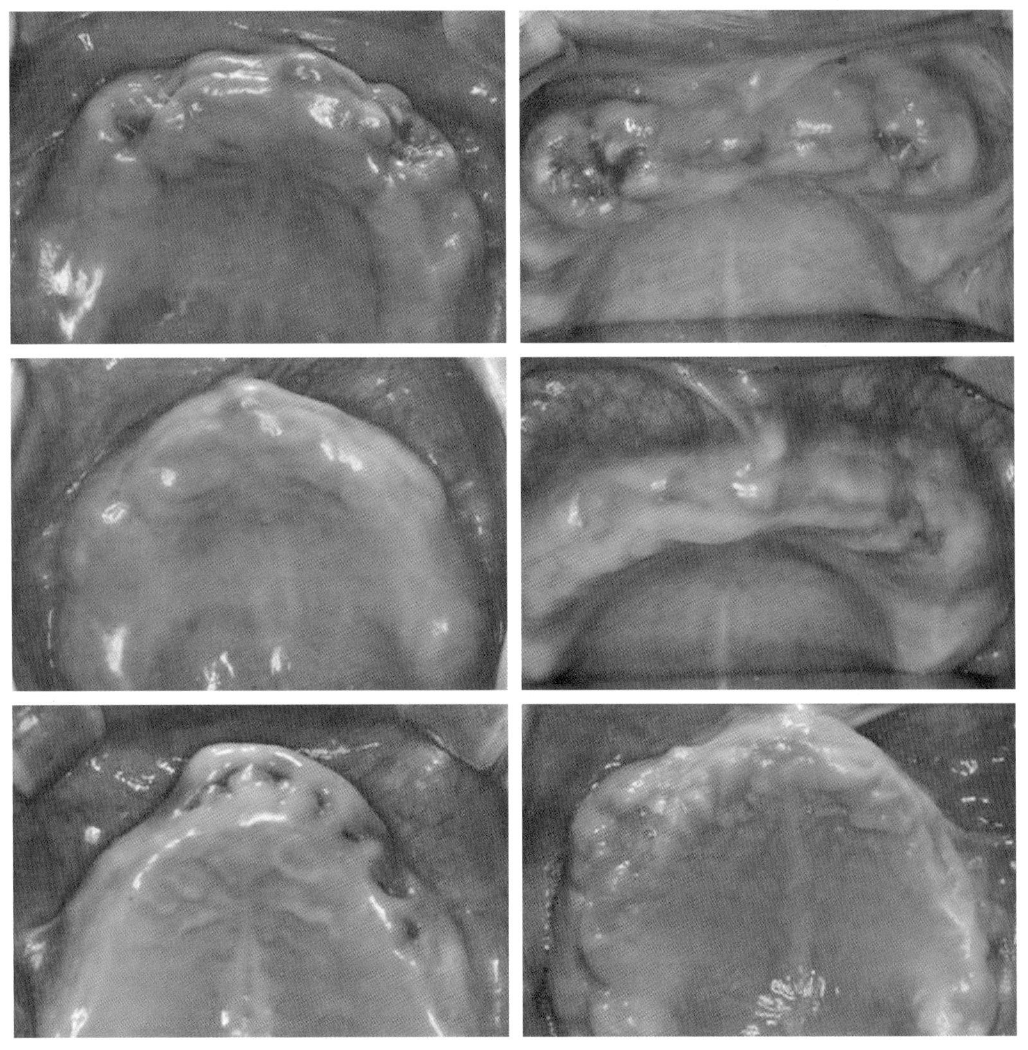

자료제공 : 대전원광대치과병원 이진한 교수

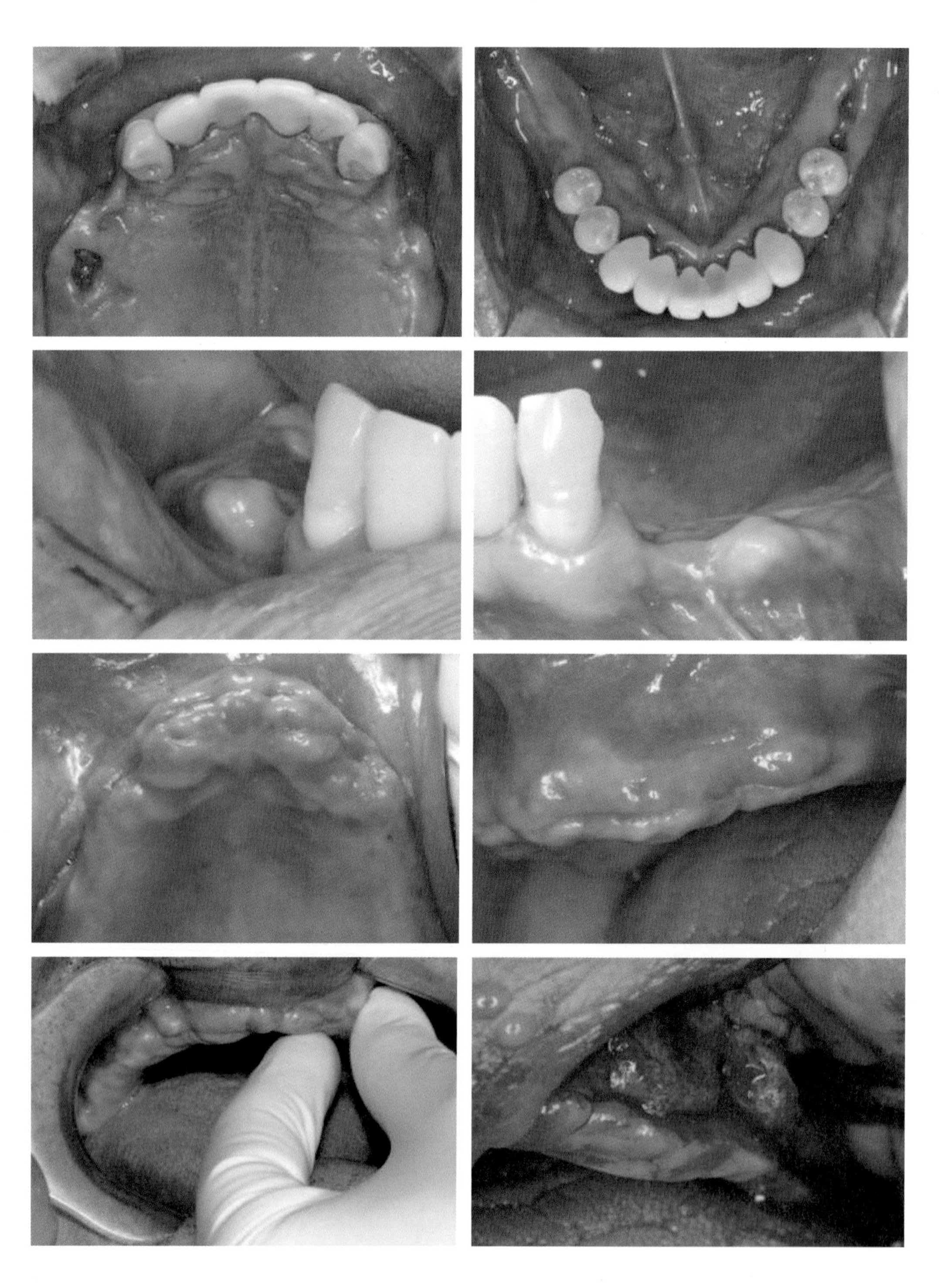

K08.9 치아 및 지지구조의 상세불명 장애(Disorder of teeth and supporting structures, unspecified)

이 상병명 자체가 너무 포괄적이고 다른 상병명과 특별한 구별이 안 되므로 보험에서 적용되는 사례는 거의 없다.

☆ 관련 보험진료 행위

차-43 치조골성형수술 [1치당] (Alveoloplasty)

진료비 : 9,980원

발치후 발치와는 잔존 치조골에 의해 둘러싸여 지는데, 잔존 치조골이 너무 뾰족하게 형성되거나 하여 수술 후 불편을 야기할 수 있다. 발치와 동시에 시행하거나 발치 후 환자가 불편감을 호소하는 경우에 시행한다.

- 발치와 동시에 시행시 낮은 수가는 50%만 산정(단. 매복치와 동시 산정 불가).
- 발치 후 일정기간 경과 후 시행한 치조골 성형수술은 100% 산정 가능
- 치주 판막술과 동시에 시행 했을 경우는 산정 불가(치은박리소파술. 복잡 산정).
- 사용한 봉삽사는 별도 산정 가능
- 사용한 Bur는 Bur,가로 산정 가능
- 술 후 후처치는 수술후처치로 산정

▶ 치조골성형수술

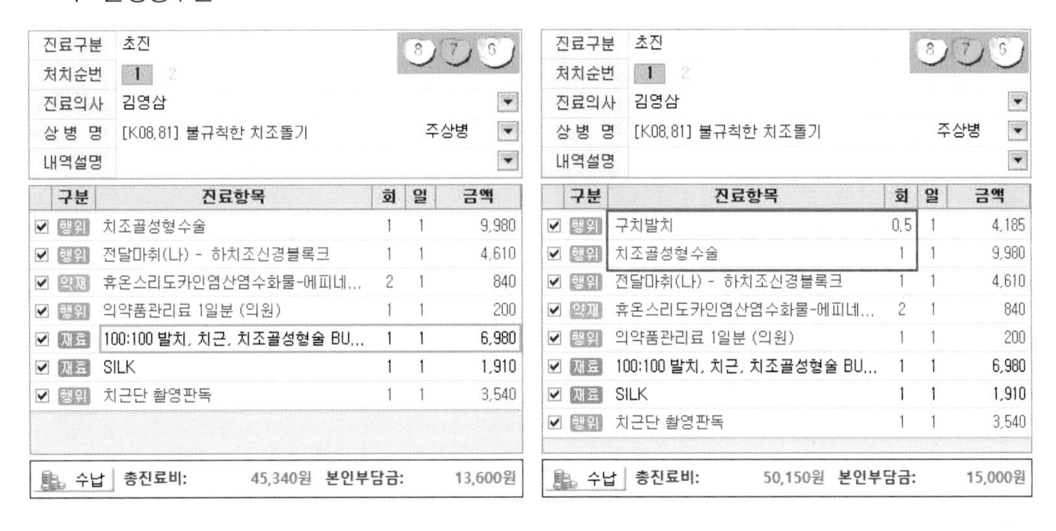

진료구분: 초진
처치순번: 1 2
진료의사: 김영삼
상 병 명: [K08.81] 불규칙한 치조돌기 주상병
내역설명:

구분	진료항목	회	일	금액
행위	치조골성형수술	1	1	9,980
행위	전달마취(나) - 하치조신경블록크	1	1	4,610
약제	휴온스리도카인염산염수화물-에피네...	2	1	840
행위	의약품관리료 1일분 (의원)	1	1	200
재료	100:100 발치, 치근, 치조골성형술 BU...	1	1	6,980
재료	SILK	1	1	1,910
행위	치근단 촬영판독	1	1	3,540

수납 총진료비: 45,340원 본인부담금: 13,600원

진료구분: 초진
처치순번: 1 2
진료의사: 김영삼
상 병 명: [K08.81] 불규칙한 치조돌기 주상병
내역설명:

구분	진료항목	회	일	금액
행위	구치발치	0.5	1	4,185
행위	치조골성형수술	1	1	9,980
행위	전달마취(나) - 하치조신경블록크	1	1	4,610
약제	휴온스리도카인염산염수화물-에피네...	2	1	840
행위	의약품관리료 1일분 (의원)	1	1	200
재료	100:100 발치, 치근, 치조골성형술 BU...	1	1	6,980
재료	SILK	1	1	1,910
행위	치근단 촬영판독	1	1	3,540

수납 총진료비: 50,150원 본인부담금: 15,000원

[K09] 달리 분류되지 않은 구강영역의 낭 (Cysts of oral region, NEC)

포함 동맥류성 낭 및 별도의 섬유–골성 병변 모두의 조직학적 특성을 보이는 병변

제외 치근낭(K04.8–)

K09.0 발달성 치원성 낭 (Developmental odontogenic cysts)

K09.1 구강영역의 발달성 (비치원성)
(Developmental (nonodontogenic) cysts of oral region)

K09.2 턱의 낭 NOS (Cyst of jaw NOS)

K09.8 달리 분류되지 않은 구강영역의 기타 낭 (Other cysts of oral region, NEC)

K09.9 상세불명의 구강영역의 낭 (Cyst of oral region, unspecified)

K09.0 발달성 치원성 낭

동맥류성 낭 및 별도의 섬유–골성 병변 모두의 조직학적 특성을 보이는 병변

일반적으로 보험영역에서는 치아를 포함하거나 관련이 된 낭종을 모두 일컫는 듯하다. 함치성 치성낭(dentigerous cyst)이 가장 흔한 형태이다. 함치성 치성낭은 맹출하지 않은 치아의 치관부분을 감싸는 형태로 나타나며 주로 치아와 함께 적출하는 치료를 많이 하게 된다. 이 밖에 다른 종류의 낭종은 실제로 생검을 해봐야 정확히 알 수 있는 경우이므로, 임상적으로는 치과의원급에서는 거의 적용하는 예가 없다고 본다.

제외 K04.80 근단 및 외측의 치근

적용 가능한 진단명

- 함치성 치성낭 (Dentigerous cyst)
- 맹출 낭 (Eruption cyst)
- 소포성 낭 (Follicular cyst)
- 치은 낭 (Gingival cyst)
- 외측치주성 낭 (Lateral periodontal cyst)
- 원시성 낭 (Primordial cyst)

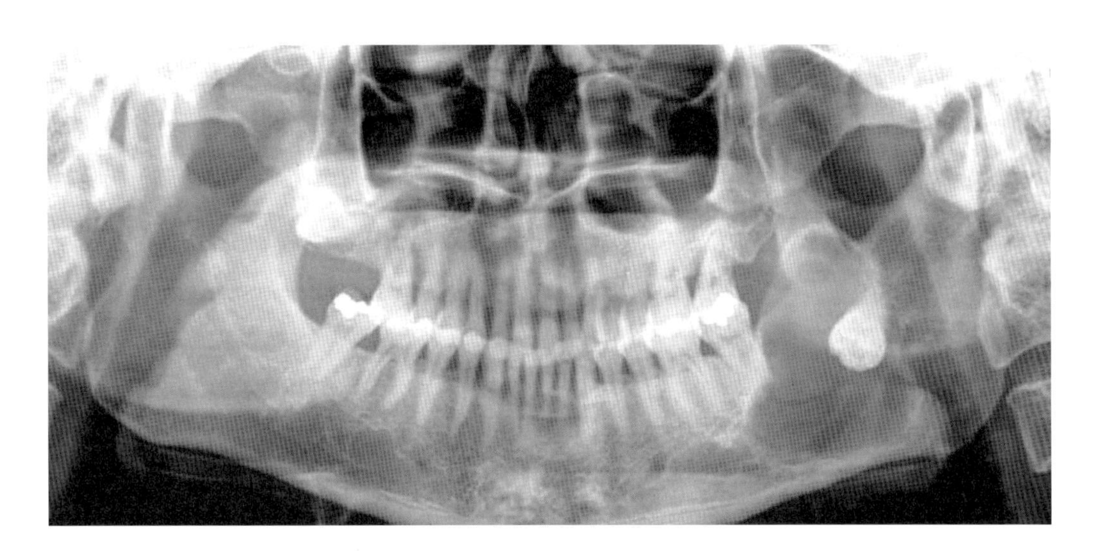

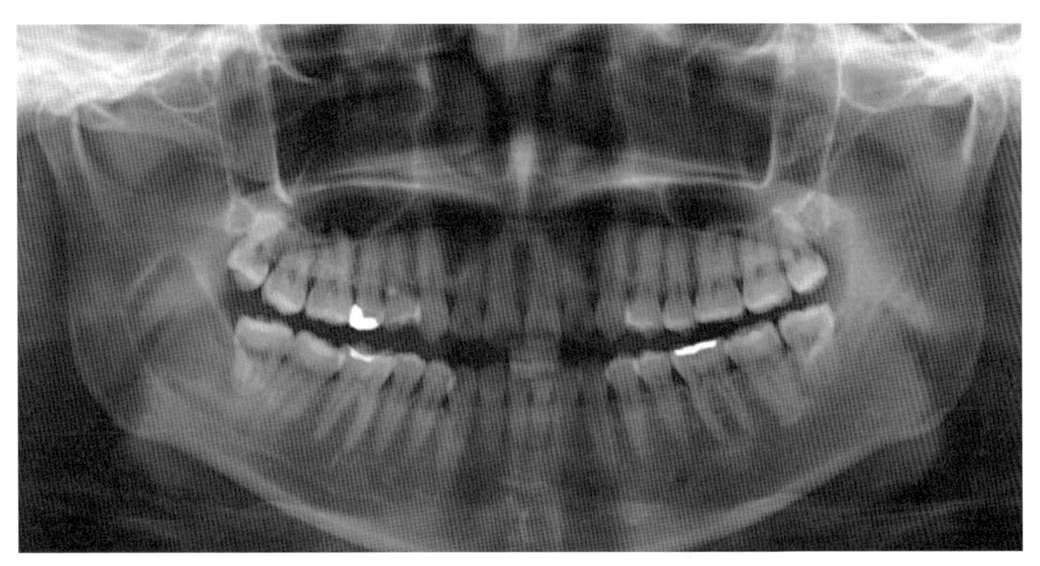

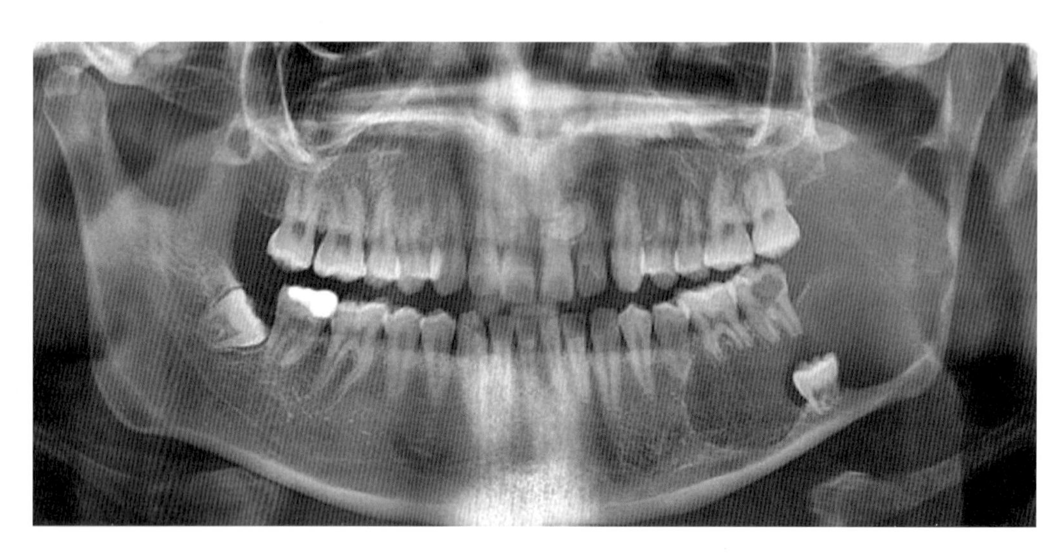

자료출처 : 치건사모

K09.1 구강영역의 발달성(비치원성) 낭

악골의 발육과정에서 골내에 상피가 잔존하거나 봉입 또는 증식하여 낭종을 형성한 것으로 주로 부위에 따라 낭종의 종류를 구별하는 경향이 있다. 치료는 대부분 외과적 절제술이기 때문에, 실제로는 치과의원급에서 적용해야 하는 경우는 드물다.

적용 가능한 진단명

- 비구개(의) 낭 (Cyst (of) nasopalatine)
- 절치관(의) 낭 (Cyst (of) incisive canal)
- 코치조 낭 (Nasoalveolar cyst)
- 코입술 낭 (Nasolabial cyst)
- 구상상악(의) 낭 (Cyst (of) globulomaxillary)
- 정중구개(의) 낭 (Cyst (of) median palatal)
- 구개유두(의) 낭 (Cyst (of) palatine papilla)

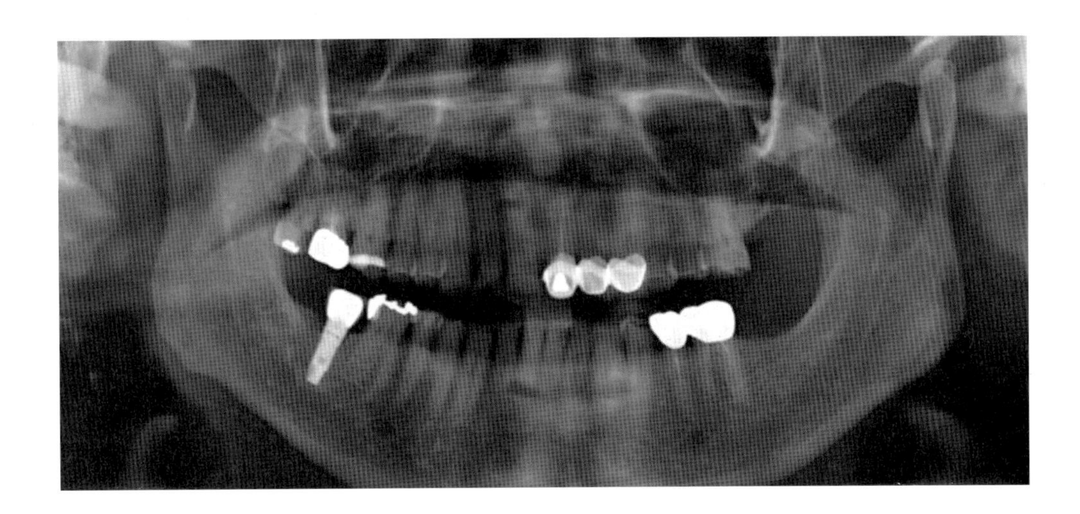

K09.2 턱의 기타 낭

턱 안에는 많은 낭종이 존재하지만, 실제로는 정확히 감별해내기는 어렵다. 낭종을 구성하는 상피의 기원과 종류, 분화형태, 조직학적 구조 등에 따라 구분되지만, 임상적으로는 의미가 없다고 본다. 이 상병명은 턱에서 언급한 기타 낭 중에 정확히 감별하기 어려운 낭종을 포괄한다고 보는 것이 옳을 듯하다.

적용 가능한 진단명

- 턱의 낭 NOS (Cyst of jaw NOS)
- 턱의 동맥류상 낭 (Aneurysmal cyst of jaw)
- 턱의 출혈성 낭 (Hemorrhagic cyst of jaw)
- 턱의 외상성 낭 (Traumatic cyst of jaw)

제외 턱의 잠복성 골 낭 (K10.0)
스타프네 낭 (K10.0)

K09.8 달리 분류되지 않은 구강영역의 기타 낭

구강영역에는 연조직에도 낭종이 생길 수 있다.
발병률과 상관없이 보험치료의 상병명으로는 거의 사용되지 않는다.
턱뼈 안에 생기는 형태가 아닌 구강영역에 따로 분류되지 않은 낭을 모두 일컫는다고 본다.

적용 가능한 진단명

- 입의 유피 낭 (Dermoid cyst of mouth)
- 입의 유표피 낭 (Epidermoid cyst of mouth)
- 입의 림프상피 낭 (Lymphoepithelial cyst of mouth)
- 엡스타인 진주 (Epstein's pearl)

K09.9 상세불명의 구강영역의 낭

달리 분류되지 않은 구강영역의 기타 낭처럼 감별진단이 어려운 낭종의 상병명으로 쓰인다고 보면 된다. 물론 거의 사용하지 않는다.

[K10] 턱의 기타 질환 (Other diseases of jaws)

K10.0 턱의 발달장애 (Developmental disorders of jaws)
K10.1 중심성 거대세포육아종 (Giant cell granuloma, central)
K10.2 턱의 염증성 병태 (Inflammatory conditions of jaws)
K10.3 턱의 치조염 (Alveolitis of jaws)
K10.8 턱의 기타 명시된 질환 (Other specified diseases of jaws)
K10.9 턱의 상세불명 질환 (Disease of jaws, unspecified)

K10.0 턱의 발달장애 (Developmental disorders of jaws)

명칭이 바뀌었으나 일반적으로 외골증 형태의 토러스라고 생각하면 된다.

- 융기된 골조직의 형상을 알아보기 위한 진단용 방사선 사진은 표준촬영 및 파노라마 모두 적용 가능하다.
- 외과적 절제를 필요로 한다면, 골융기절제술을 사용할 수 있고 이때 상병명으로 적용 가능하다.
- 보철치료(주로 틀니)를 하기 위한 골융기절제술에도 적용 가능하다.

☆ 관련 보험진료 행위

차-73 골융기절제술 (Excision of Torus)

		상대가치점수	진료비
U4731	가. 하악설측 또는 상악협측 골융기절제	398.03	34,790원
U4732	나. 구개골융기절제	365.29	31,930원

- 상악 구치부 협측, 하악 설측부 및 상악 구개부에 발생하는 양성 골증식으로 치조골이 아닌 기저골에 발생하는 외골종에 대하여 절제술을 시행하는 경우에 산정한다.
- 틀니 장착을 위하여 치조골의 언더컷을 제거할 목적 또는 상악 구개부 의치의 접합도를 높이기 위하여 골융기 부위를 절제한다.
- 원칙적으로는 부위당이지만 실제로는 구강당으로만 인정되는 추세다.

- 사용한 bur는 Burr(나) 39,980원으로 산정할 수 있다.
- 사용한 봉합사도 산정 가능

▶ 골융기절제술. 가

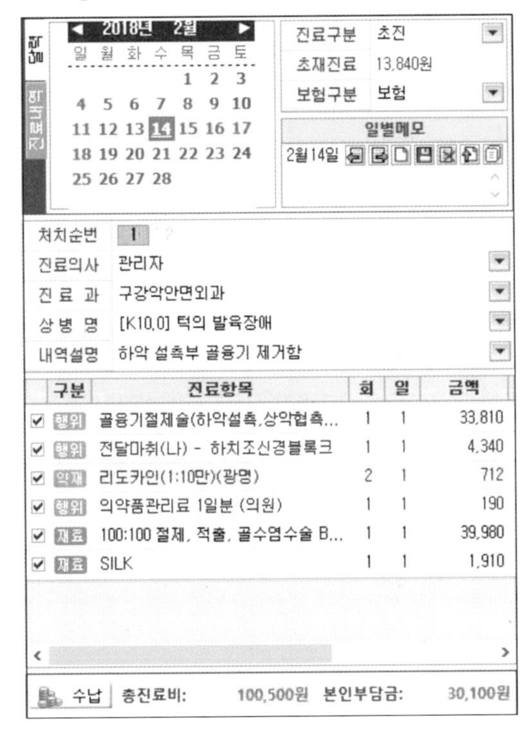

2018년 2월

일	월	화	수	목	금	토
				1	2	3
4	5	6	7	8	9	10
11	12	13	14	15	16	17
18	19	20	21	22	23	24
25	26	27	28			

진료구분: 초진
초재진료: 13,840원
보험구분: 보험
일별메모: 2월14일

처치순번: 1
진료의사: 관리자
진 료 과: 구강악안면외과
상 병 명: [K10.0] 턱의 발육장애
내역설명: 하악 설측부 골융기 제거함

구분	진료항목	회	일	금액
행위	골융기절제술(하악설측,상악협측...	1	1	33,810
행위	전달마취(나) - 하치조신경블록크	1	1	4,340
약제	리도카인(1:10만)(광명)	2	1	712
행위	의약품관리료 1일분 (의원)	1	1	190
재료	100:100 절제, 적출, 골수염수술 B...	1	1	39,980
재료	SILK	1	1	1,910

수납 총진료비: 100,500원 본인부담금: 30,100원

▶ 골융기절제술. 나

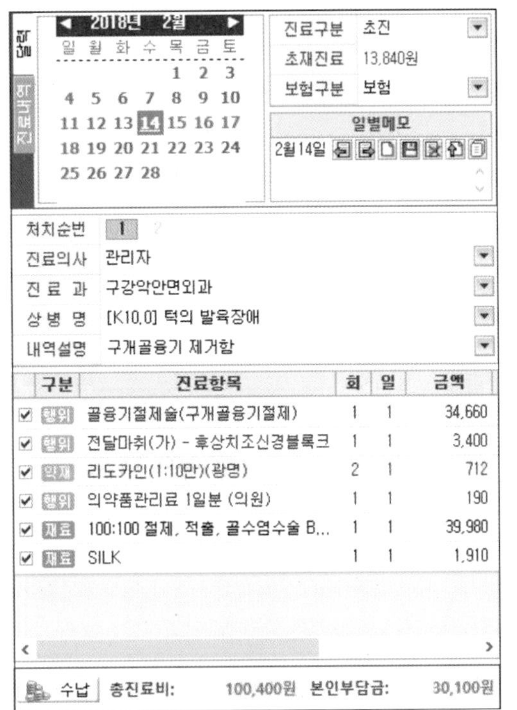

2018년 2월

일	월	화	수	목	금	토
				1	2	3
4	5	6	7	8	9	10
11	12	13	14	15	16	17
18	19	20	21	22	23	24
25	26	27	28			

진료구분: 초진
초재진료: 13,840원
보험구분: 보험
일별메모: 2월14일

처치순번: 1
진료의사: 관리자
진 료 과: 구강악안면외과
상 병 명: [K10.0] 턱의 발육장애
내역설명: 구개골융기 제거함

구분	진료항목	회	일	금액
행위	골융기절제술(구개골융기절제)	1	1	34,660
행위	전달마취(가) - 후상치조신경블록크	1	1	3,400
약제	리도카인(1:10만)(광명)	2	1	712
행위	의약품관리료 1일분 (의원)	1	1	190
재료	100:100 절제, 적출, 골수염수술 B...	1	1	39,980
재료	SILK	1	1	1,910

수납 총진료비: 100,400원 본인부담금: 30,100원

적용 가능한 진단명

- 턱의 잠복성 골 낭 (Latent bone cyst of jaw)
- 스타프네 낭 (Stafne's cyst)
- 하악융기 (Torus mandibularis)
- 구개융기 (Torus palatinus)

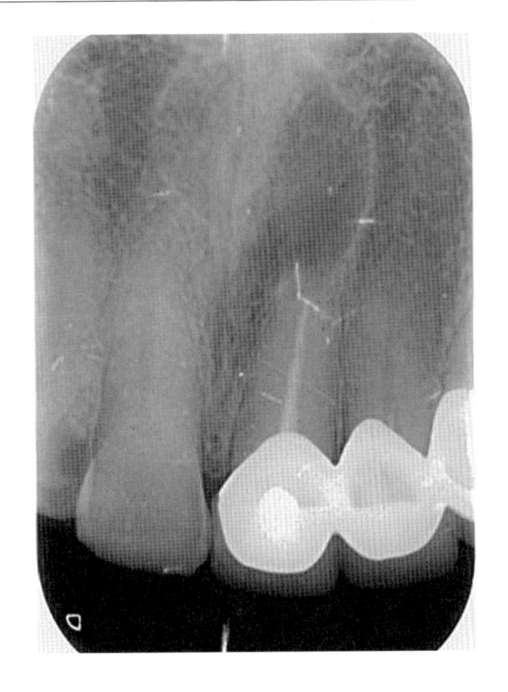

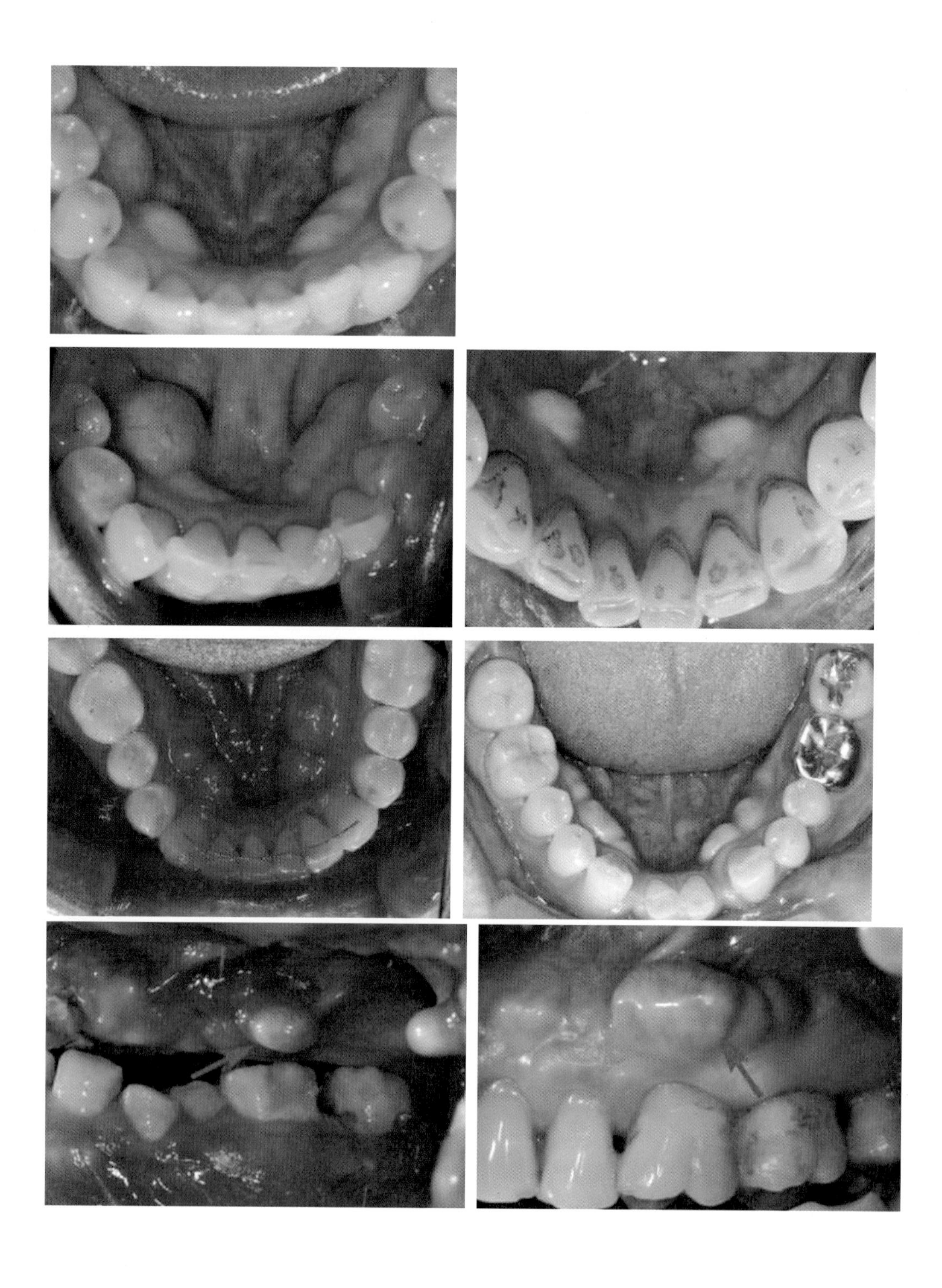

K10.1 중심성 거대세포 육아종 (Giant cell granuloma, central)

일반적인 골내 종양과 달리 거대세포들로 구성되며, 방사선 투과상을 보이는 형태로 병리학적으로는 명확히 구분되나, 보험적용에서는 단순하게 [구강내 종양적출술] 청구시 적용 가능한 포괄적인 상병이라고 본다.

적용 가능한 진단명

- 거대세포 육아종 NOS (Giant cell granuloma NOS)

K10.2 턱의 염증성 병태 (Inflammatory conditions of jaws)

골내에 치성으로 생기는 급성 또는 만성의 화농성 골수염이나 경화성 골수염 등을 포함하는 상병명이다.
예전 상병명인 골염은 단순히 골내에 염증이 있는 병소를 말하는 것이며, 부골은 죽은 골의
조각을 뜻하며 골에 생긴 흉터 정도로 생각하면 쉽게 이해가 될듯하다. 일반적으로는 화농성 골수염을 말하며, 배농하고 항생제 투여를 한다. 발병률이 매우 낮은 정도는 아니지만 치과의원급에선 상병명으로 사용할 가능성은 그리 많지 않다.

적용 가능한 진단명

- 턱(급성, 만성, 화농성)의 골염(Osteitis of jaw (acute, chronic, suppurative))
- 턱(급성, 만성, 화농성)의 골수염(신생아)(Osteomyelitis(neonatal) of jaw (acute, chronic, suppurative))
- 턱(급성, 만성, 화농성)의 방사선골괴사(Osteoradionecrosis of jaw (acute, chronic, suppurative))
- 턱(급성, 만성, 화농성)의 골막염(Periostitis of jaw (acute, chronic, suppurative))
- 턱뼈의 부골(Sequestrum of jaw bone)

K10.3 턱의 치조염 (Alveolitis of jaws)

쉽게 생각해서 치조골 특히 발치와에 염증이 생긴 것이라고 보는 것이 무방할듯하다.
화농성으로 고름이 나오는 경우도 있고, 건조성으로(dry socket)괴사되는 경우도 있다.
화농성인 경우 고름을 빼주며, 건조성인 경우 적절한 bleeding을 위해 발치와를 재소파하는 경우도 있다.
[발치와재소파술] 청구시 적용 가능하다.

적용 가능한 진단명

- 치조골염(Alveolar osteitis)
- 건성발치와(Dry socket)

☆ 관련 보험진료 행위

차-42 발치와재소파술 (Recurettage of Extracted Socket)

진료비 : 9,140원

- 발치 당일은 산정 불가능하며, 일반적으로 발치 후 1회만 산정 가능
- 타 치과에서 발치한 경우라면 내역설명을 반드시 기록하고 청구
- 테루플러그도 사용했다면 같이 청구 가능

▶ 발치와재소파술　　　▶ 발치와재소파술-타치과에서 발치한 경우

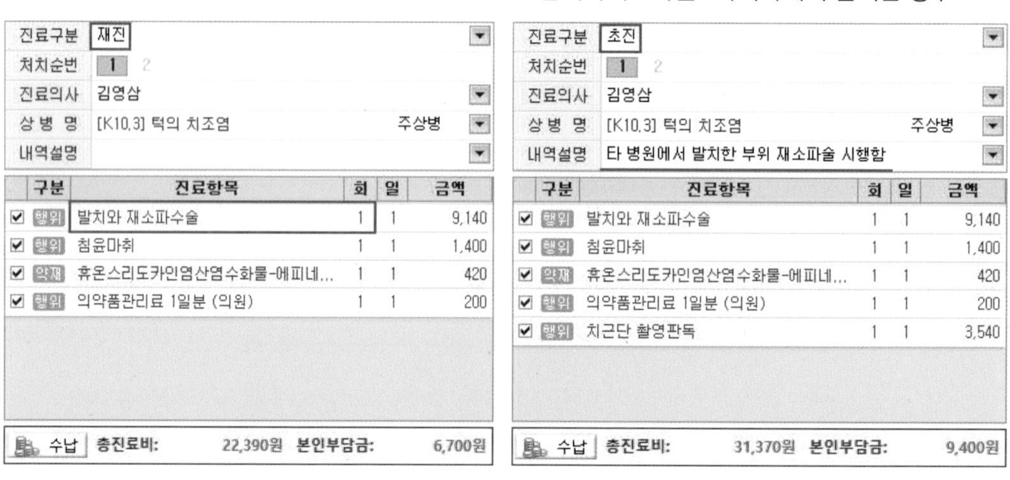

TERUPLUG 등의 급여기준

1. 창상 보호 및 육아 형성을 촉진하는 마개(Plug) 형태의 치료재료(Teruplug, Ateloplug, Rapiderm Plug)는 다음과 같은 발치의 경우에 요양급여를 인정함.

- 다 음 -

가. 혈액질환 등으로 인한 환자의 발치 후 치유부전이 예상되는 경우

나. 발치 후 출혈이 계속될 경우

다. 구강 상악동 누공

2. 상기 1항의 급여대상 이외 사용한 치료재료비용은 「선별급여 지정 및 실시 등에 관한 기준」에 따라 본인부담률을 80%로 적용함.

고시 제2017-152호 2017년 9월 1일 시행

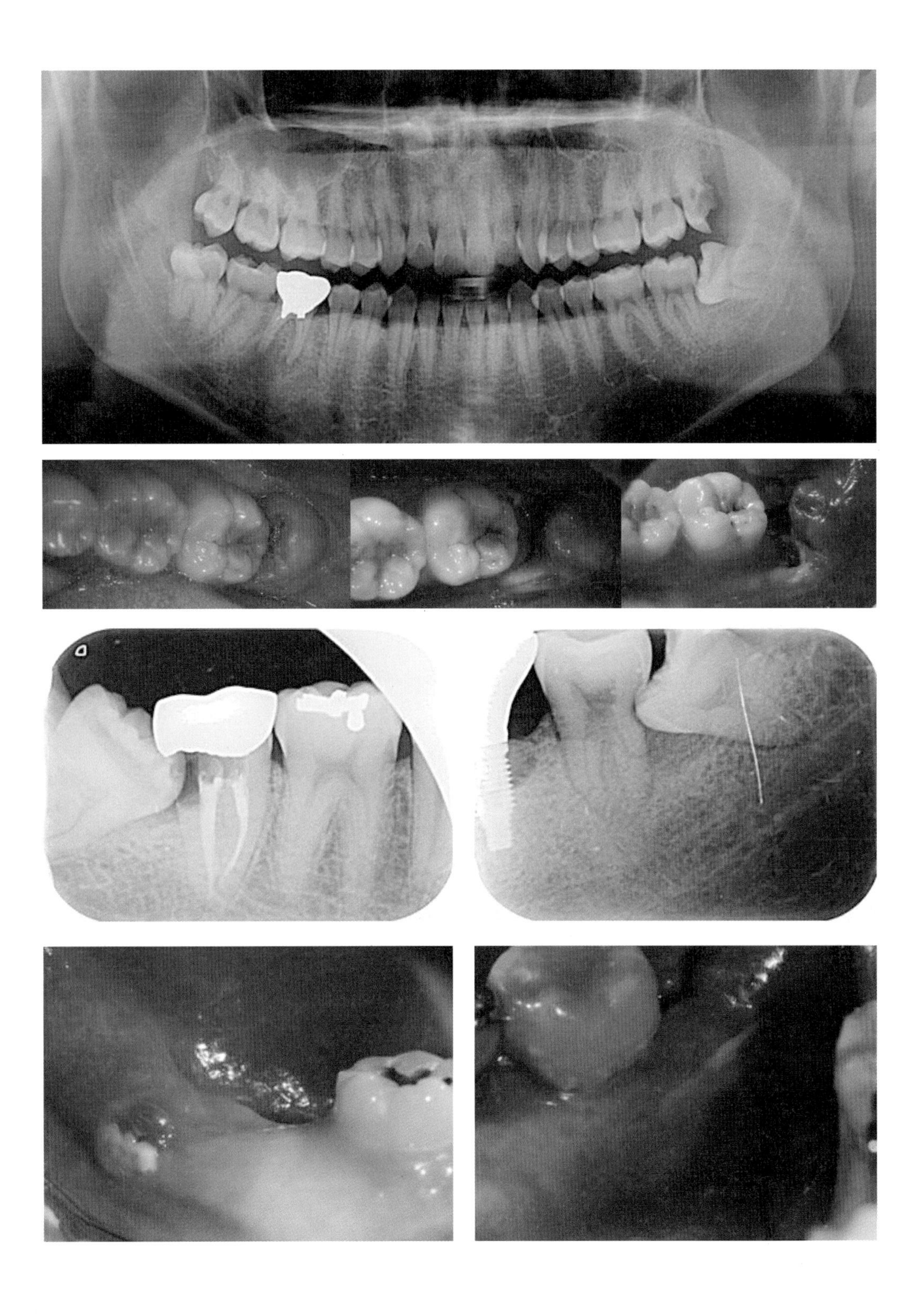

K10.8 기타 명시된 턱의 질환 (Other specified diseases of jaws)

골과 관련된 진단이 가능한 기타 질병에 사용된다. 사용되는 예는 있으나, 치과의원급에서 사용되는 예는 많지 않다.

적용 가능한 진단명

- 악골의 체루브증 (Cherubism)
- 악골의 외골증 (Exostosis) : 토러스와 구별이 필요하다.
- 섬유성 형성장애증 (Fibrous dysplasia)
- 과형성 (Hyperplasia)
- 편측 과두 (unilateral condylar)
- 저형성 (Hypoplasia)

K10.9 상세불명의 턱의 질환 (Disease of jaws, unspecified)

골과 관련된 진단이 불가능한 여러 가지 질환에 사용된다. 발병률도 실제로 낮고, 거의 사용하지 않는다.

[K11] 침샘의 질환 (Diseases of salivary glands)

K11.0 침샘의 위축 (Atrophy of salivary gland)

K11.1 침샘의 비대 (Hypertrophy of salivary gland)

K11.2 타액선염 (Sialoadenitis)

제외 유행성 이하선염(B26.–)

포도막귀밑샘열(D86.8)

●K11.20 급성 타액선염 (Acute sialoadenitis)

●K11.21 급성 재발성 타액선염 (Acute recurrent sialoadenitis)

●K11.22 만성 타액선염 (Chronic sialoadenitis)

●K11.29 상세불명의 타액선염 (Sialoadentitis, unspecified)

K11.3 침샘의 농양 (Abscess of salivary gland)

K11.4 침샘의 누공 (Fistula of salivary gland)

K11.5 타석증 (Sialolithiasis)

K11.6 침샘의 점액류 (Mucocele of salivary gland)

K11.7 침분비의 장애 (Disturbances of salivary secretion)

K11.8 침샘의 기타 질환 (Other diseases of salivary glands)

제외 건조증후군[쉐그렌](M35.0)

K11.9 침샘의 상세불명 질환 (Disease of salivary gland, unspecified)

K11.0 침샘의 위축 (Atrophy of salivary gland)

침샘의 위축이란 침샘의 크기나 기능에 저하를 표현하는 말로 보이나 실제적으로 보험에서 적용되는 예는 거의 없다.

K11.1 침샘의 비대 (Hypertrophy of salivary gland)

타액선의 비대는 타액선의 크기나 기능에 있어서 커진 것을 의미하는데 적용 예는 거의 없다.

K11.5 타석증 (Sialolithiasis)

비교적 다른 타액선 질환에 비해 많이 발생하나, 타석증을 진단하기 위한 조영술 등
기타 진단방법이나 치료법이 보험적용가능하나 치과의원급에서 적용하는 예는 거의 없다.

10 치의신보 | 2014. 7. 21(월) | 2242호 종합

4월 치과 보험청구 34.7% 껑충

작년 동월대비 475억 늘어
구강·침샘·턱질환 급증

지난 4월 한 달간 치과의원 건강보험 진료비가 전년도 동월대비 475억원이 늘어 34.7%의 증가율을 나타냈다.

건강보험심사평가원(이하 심평원)이 최근 발표한 '월간 진료동향(4월)' 분석 자료에 따르면, 4월 한 달간 치과의원이 1845억원으로 전달인 3월(1772억원)과 비교해 73억원(4.1%)이 늘었으며, 전년도 동월(1370억원)과 대비하면 475억원이 늘어 34.7%의 증가율을 보였다.

특히 4월에 구강, 침샘 및 턱의 질환에 대한 외래진료비 증가가 전월에 비해 108억원이 늘어 영향을 미친 것으로 심평원은 분석했다. 전년도 동월과 비교하면 구강, 침샘 및 턱의 질환에 대한 외래진료비는 505억원이 증가한 것으로 집계됐다.

이와 함께 지난해 7월부터 급여화된 후속처치 없이 스케일링만으로 치료가 종료되는 전악치석제거와 노인부분틀니의 영향도 전년도 4월과 비교해 치과의원의 진료비 증가에 영향을 미친 것으로 분석됐다.

치과병원 역시 지난 4월 한 달간 건강보험 진료비로 124억원을 기록해 지난달에 비해 21억원의 증가를 보였으며, 지난해 같은 달과 비교하면 35억원이 늘었다.

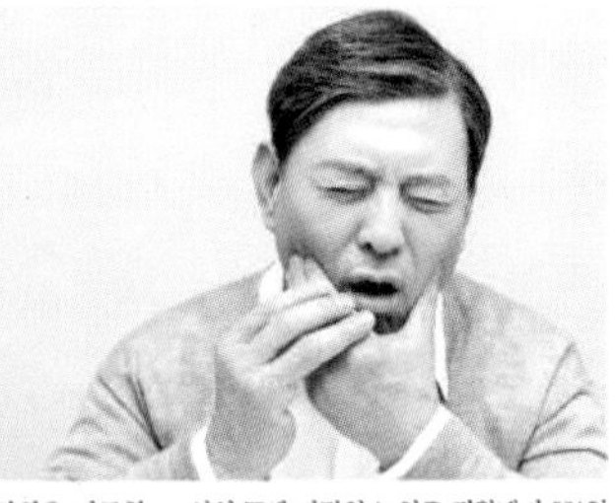

한편 지난 4월 진료동향을 보면, 총 진료비는 전월대비 1434억원(3.3%) 증가한 4조4419억원을 기록한 가운데 노인진료비가 1조5750억원으로 전월대비 6.5% 증가한 964억원으로 집계돼 총 진료비 중 35.5%를 차지했다. 65세 이상 75세 미만의 노인은 전월대비 391억원(5.0%), 75세 이상 노인은 전월대비 573억원(8.2%)이 각각 증가했다.

신경철 기자skc0581@dailydental.co.kr

K11.6 침샘의 점액류 (Mucocele of salivary gland)

외상 등에 의해 타액선(소타액선)의 도관이 끊어지면서 침이 외부로 분비되지 않고, 안에서 점액성으로 쌓이는 질환이다.

- 보통 하악 전치부 순측점막에 많이 발생하고, 다른 타액선 질환에 비해 비교적 발병률도 높고 진단도 쉬운 편이다.
- 일반적으로는 외과적으로 제거하나, 조직검사를 하는 것이 좋으므로 치과의원급에서 치료내용을 적용하는 예는 많지 않다.

적용 가능한 진단명

- 침샘의 점액유출낭 (Mucous extravasation cyst of salivary gland)
- 침샘의 점액저류낭 (Mucous retention cyst of salivary gland)
- 두꺼비종 (Ranula)

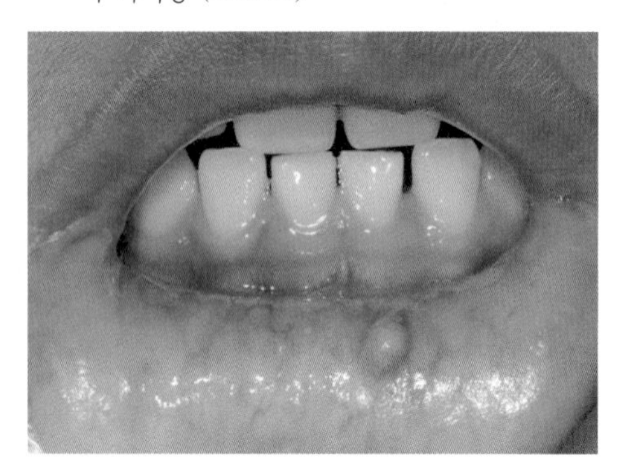

일반적으로 [자-220 구강내 종양적출술 나. 유두종]으로 청구한다. (p.ooo참고)

K11.7 침분비의 장애 (Disturbances of salivary secretion)

구강건조증과는 다른 것으로 포괄적인 의미에 있어서 침샘의 분비 장애를 뜻한다.
건강보험에서 적용하는 예는 거의 없다.

적용 가능한 진단명

- 침분비저하 (Hypoptyalism)
- 침과다증 (Ptyalism)
- 구강건조증 (Xerostomia)

K11.8 침샘의 기타 질환 (Other diseases of salivary glands)

기타 침샘의 질환이나 적용하는 예는 많지 않다.

적용 가능한 진단명

- 침샘의 양성 림프상피병변(Benign lymphoepithelial lesion of salivary gland)
- 미쿨리츠병(Mikulicz's disease)
- 괴사성 타액선화생(Necrotizing sialometaplasia)
- 타액관확장증(Sialectasia)
- 타액관의 협착(Stenosis of salivary duct)
- 타액관의 협착(Stricture of salivary duct)

K11.9 침샘의 상세불명 질환 (Disease of salivary gland, unspecified)

정확히 진단되지 않은 침샘의 질환으로 거의 적용하는 예는 없다.

[K12] 구내염 및 관련 병변 (Stomatitis and related lesions)

제외 구강궤양(A69.0)
구순염(K13.0)
괴저성 구내염(A69.0)
헤르페스바이러스[단순헤르페스] 치은구내염(B00.2)
괴저구내염(A69.0)

K12.0 재발성 구강 아프타 (Recurrent oral aphthae)
K12.1 구내염의 기타 형태 (Other forms of stomatitis)
K12.2 입의 연조직염 및 농양 (Cellulitis and abscess of mouth)
K12.3 구강점막염(궤양성) (Oral mucositis (ulcerative))

K12.0 재발성 구강 아프타 (Recurrent oral aphthae)

일반적으로 입안에 하얗게 패인형태로 생긴다.

최근의 견해로는 스트레스, 수면부족, 외상 등 다양한 원인에 의해 생기는 일종의 자가면역성 질환으로 판단되며, 입 어느 부위에도 생길 수 있다. 보통은 그냥 그대로 두거나, 오라메디 등의 스테로이드성 연고를 바르거나 알보칠 등의 약물로 치료를 하는데 효과가 그리 크지는 않는 듯하다. 보통 이런 구내염으로 내원한 환자의 치료는 기본진료비에 포함되는 간단한 구강연조직 처치로 적용한다. 하지만 진찰료만 단독 청구하는 경우를 자제해야 한다. 특히나 당일 비급여 진료가 있다면 더 조심해야 한다.

적용 가능한 진단명

- 아프타구내염(대, 소) (Aphthous stomatitis (major, minor))
- 베드나르아프타 (Bednar's aphthae)
- 재발성 점막괴사성 선주위염 (periadenitis mucosa necrotica recurrens)
- 재발성 아프타성 궤양 (Recurrent aphthous ulcer)
- 포진모양 구내염 (Stomatitis herpetiformis)

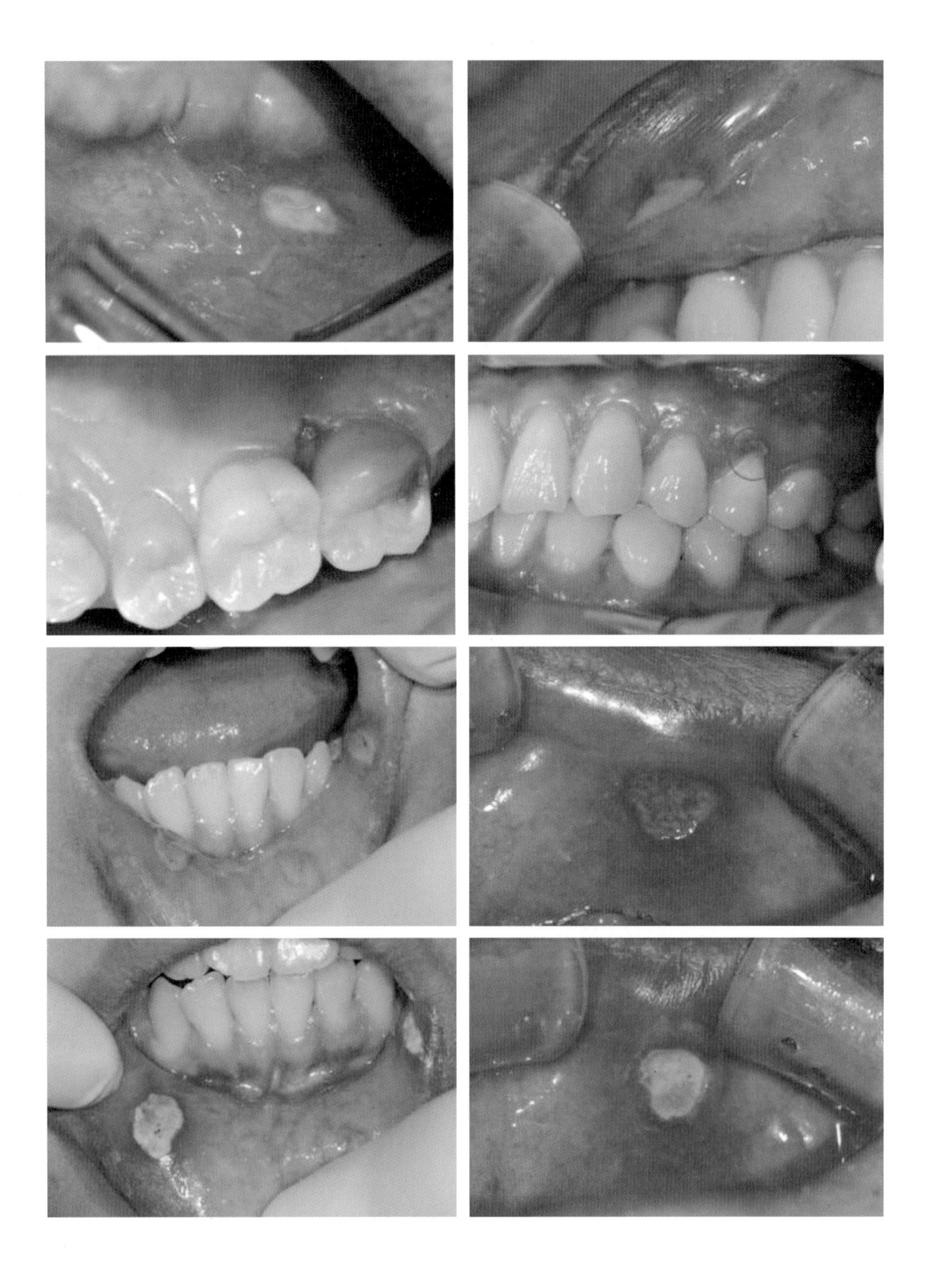

K12.1 구내염의 기타 형태(변경 전 - 구내염)

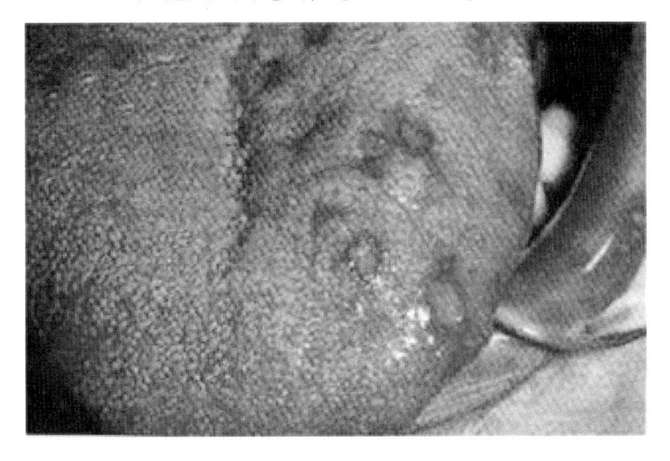

아프타성 궤양 이외의 구내염이라고 구분하면 될 듯하다. 구내염은 다양한 형태로 존재할 수 있고 임상적으로는 감별진단이 매우 어렵다. 그러므로 일반적인 구내염의 간단한 처치의 경우 〈구내염의 기타형태〉와 〈재발성 구강 아프타〉 중 어느 부분에 적용해도 크게 문제는 없을 듯하다. 종종 약물 도포 이외에 가글제를 처방하기도 한다.

적용 가능한 진단명

- 구내염 NOS (Stomatitis NOS)
- 의치성 구내염 (Denture stomatitis)

"구내염' 진료환자 5년만에 21.8% 늘었다

심평원, 2007~2011 심사결정자료 분석결과 발표

구내염 진료인원이 최근 5년 사이 21.8% 증가해 구내염 환자가 증가세를 보이고 있는 것으로 나타났다.

건강보험심사평가원(원장 강윤구)이 최근 5년간(2017~2011년)의 심사결정자료를 이용해 '구내염 및 관련병변(K12)'에 대해 분석한 결과를 발표했다.

이에 따르면 구내염 및 관련병변 진료인원은 2007년 81만 2천명에서 2011년 98만 9천명으로 5년간 약 17만 7천명이 증가(21.8%)했으며, 연평균 증가율은 5.1%로 나타났다.

총진료비는 2007년 199억원에서 2011년 256억원으로 5년간 약 57억원이 증가(28.7%)한 것으로 나타났다. 총진료비의 연평균 증가율은 6.6%로 분석됐다.

구내염의 성별 진료인원은 남성이 2007년 36만명에서 2011년 43만명으로 약 7만명 증가했으며, 여성은 2007년 45만명, 2011년 55만명으로 약 10만명이 증가했다. 2011년을 기준으로 볼 때 여성 진료인원이 남성에 비해 1.26배 더 많고, 연평균 증가율도 여성이 약 0.4% 정도 더 높은 것으로 나타났다.

조미희 기자
mh8114@dentalfocus.co.kr

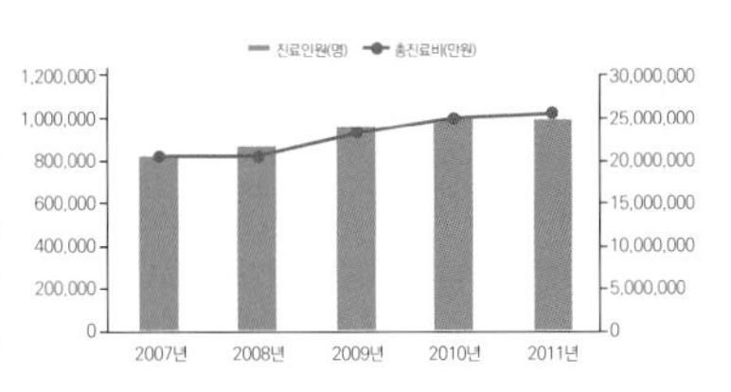

그림 1. 〈구내염 및 관련병변〉 진료인원 및 총진료비 추이(2007~2011년)

출처 덴탈포커스 2012년 9월 10일자

가글용제 (헥사메딘)

허가사항 범위 내에서 아래와 같은 기준으로 투여 시 요양급여를 인정함

– 다 음 –

가. 입원환자 및 암환자 : 허가사항(용법·용량) 범위 내

나. 외래환자

1) 인정용량 : 100 ml, Ketoprofen lysine (품명 : 오키펜액)은 50 ml)

2) 인정용량 초과한 경우 : 초과한 용량의 약값 전액을 환자가 부담토록 함.

고시 제2013-127호 2013년 9월 1일 시행

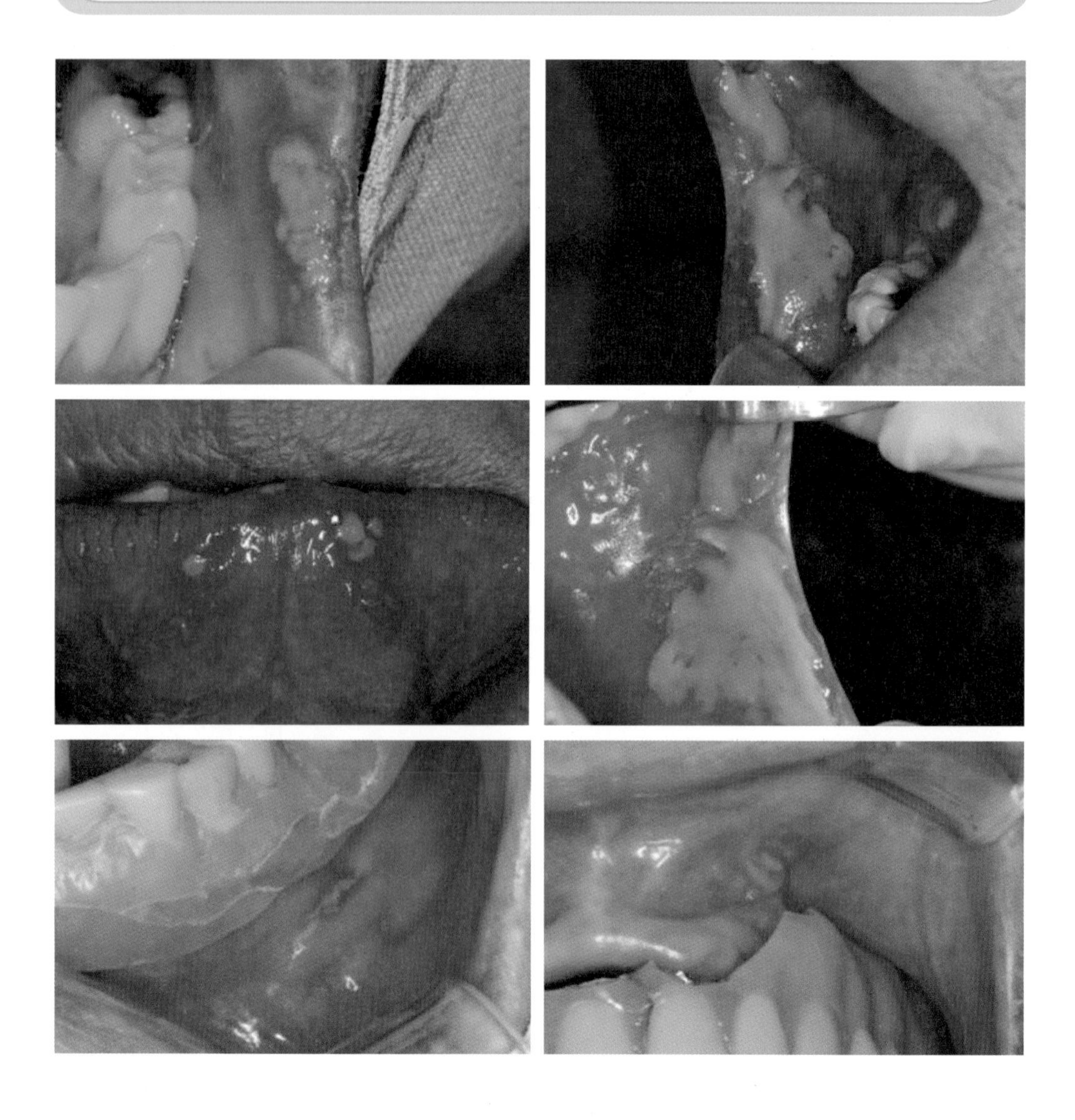

[의치성 구내염]

의치 지지조직 점막의 만성염증으로 나타남. 의치 장착 환자의 30~60%에서 발생. 특히, 상악에서 호발(의치 피개 부위가 넓어 자정작용이 어렵고, 변연 봉쇄가 잘 되어 쉽게 혐기성 조건을 형성하기 때문이다.)

- **원인** : 의치로 인한 외상(잘 맞지 않는 의치, 야간에 의치 장착, 이상기능적 습관) 반복적인 외상에 의해 상피조직의 turnover를 촉진시켜 각화와 방어기능을 저하 감염(candida albicans)과 같은 진균이 주원인
- **치료** : 의치의 청결 (구강위생 확립이 가장 중요)
  부적합한 의치의 수정 (의치에 의한 외상을 감소시키기 위해 조직조정재를 적용)
  국소적인 항진균제 도포

Newton의 분류

제1형 : 국소화된 단순염증, 혹은 점상 충혈
제2형 : 의치로 피개되는 점막 전체 혹은 일부에 발생하는 홍반
제3형 : 경구개의 중앙부와 치조제에 걸친 과립형 증식

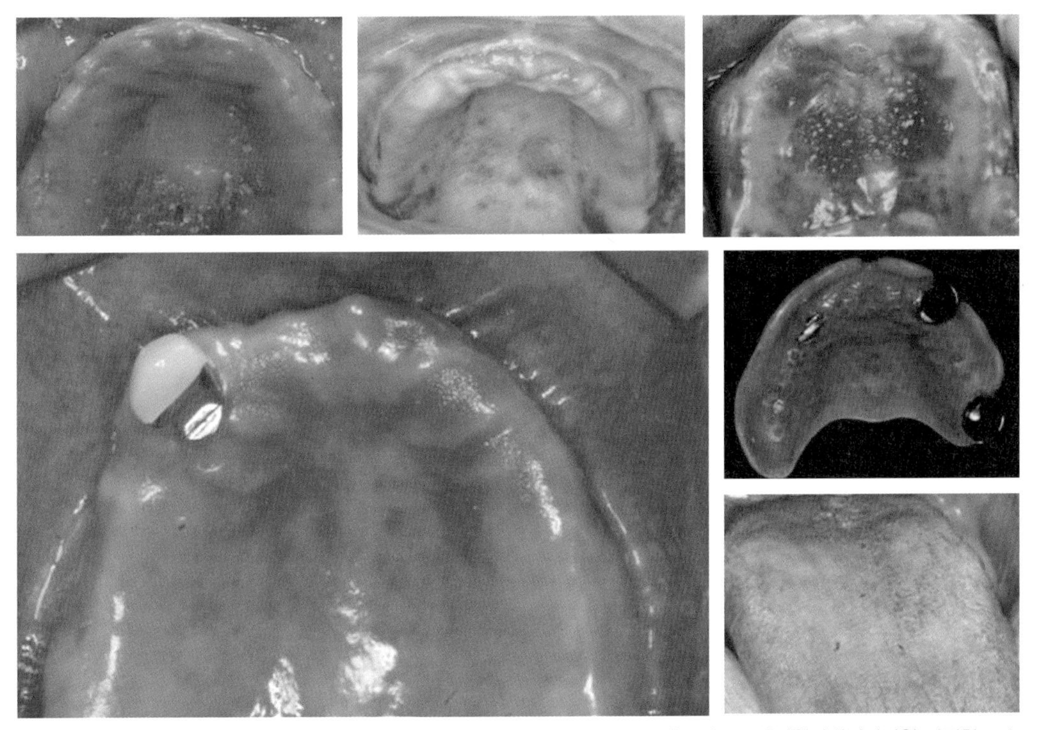

자료제공 : 대전원광대치과병원 이진한 교수

- 궤양성 구내염 (Ulcerative stomatitis)
- 소수포성 구내염 (Vesicular stomatitis)

K12.2 입의 연조직염 및 농양(변경 전 – 입의 봉와직염 및 농양)

보통 구강외 연조직의 염증을 말하며, 진피와 피하조직에 나타나는 급성 화농성 염증이다. 구강외소염술 시 적용 가능한 상병이며 치과의원급에서는 거의 시행하지 않는다. 항생제 처방도 달리 해야 한다. 보통은 로도질, 메트로리다졸(후라시닐)을 처방하며 상급기관에 의뢰하는 게 좋다.

적용 가능한 진단명

- 입(바닥)의 봉와직염 (Cellulitis of mouth floor)
- 턱밑(하악하의) 농양 (Submandibular abscess)

K12.3 구강점막염(궤양성) (Oral mucositis (ulcerative)) (입점막염(궤양성))

적용 가능한 진단명

- 점막염(입의) (입인두의) NOS
- 점막염(입의) (입인두의) 약물–유발
- 점막염(입의) (입인두의) 방사선–유발
- 점막염(입의) (입인두의) 바이러스성

점막염(입의) (입인두의) :

- NOS
- 약물–유발
- 방사선–유발
- 바이러스성

[K13] 입술 및 구강점막의 기타 질환 (Other diseases of lip and oral mucosa)

K13.0 입술의 질환 (Diseases of lips)
K13.1 볼 및 입술 씹기 (Cheek and lip biting)
K13.2 혀를 포함하는 구강상피의 백반 및 기타 장애 (Leukoplakia and other disturbances of oral epithelium, including tongue)
K13.3 유모백반 (Hairy leukoplakia)
K13.4 구강점막의 육아종 및 육아종-유사병변 (Granuloma and granuloma-like lesions of oral mucosa)
K13.5 구강점막하섬유증 (Oral submucous fibrosis)
K13.6 구강점막의 자극성 증식증 (Irritative hyperplasia of oral mucosa)
제외 무치성 융기의 자극성 증식증[의치성 증식증](K06.23)
K13.6 구강점막의 기타 및 상세불명의 병변 (Other and unspecified lesions of oral mucosa)

K13.0 입술의 질환

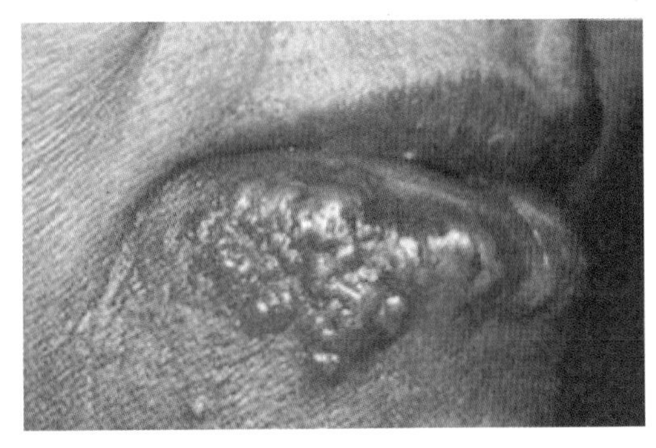
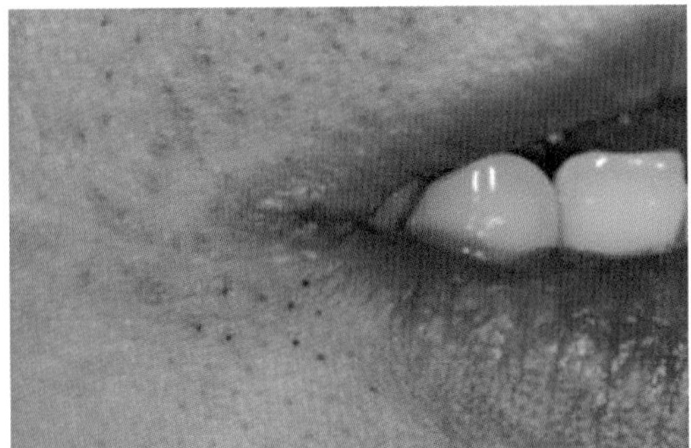

적용 가능한 진단명

- 구순염 NOS (Cheilitis NOS)
- 구각 구순염 (Angular cheilitis) : 곰팡이성 질환으로 보통 집에서 어른들이 입 커지려고 생긴다고 하는 입가의 염증이다. 보통은 저절로 치유되기에 다른 치료가 필요하지 않다.

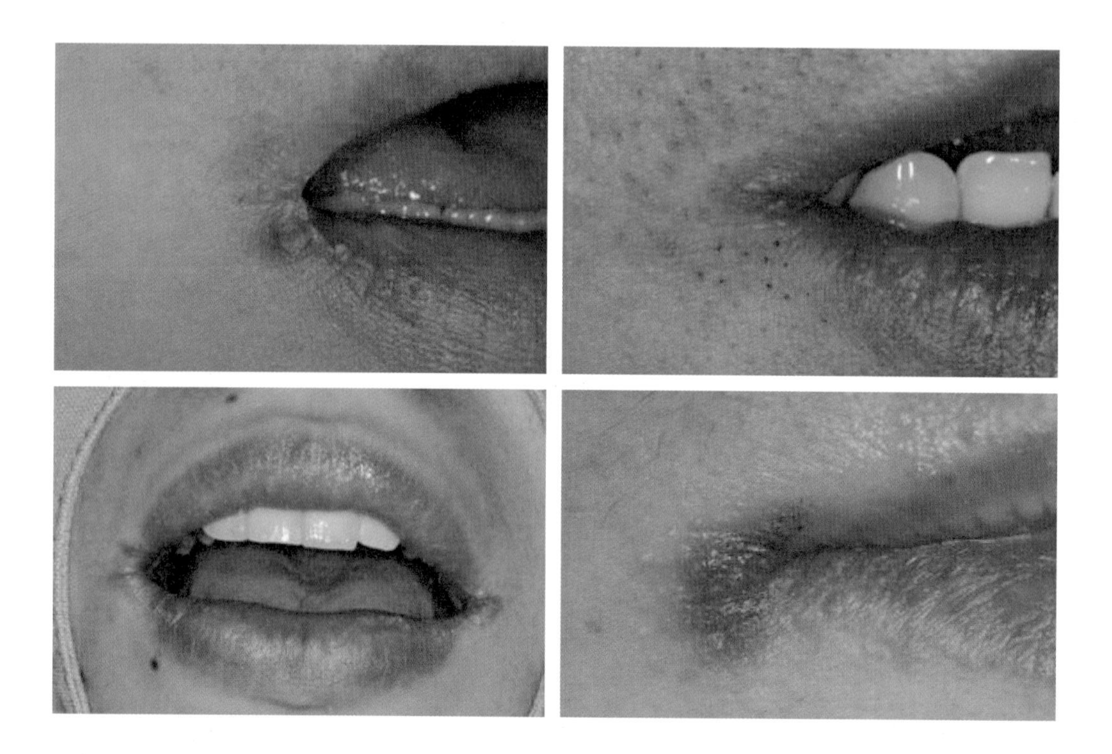

• 탈락 구순염
• 선성 구순염
• 구순통
• 구순증
• 구각미란 NEC

K13.1 볼 및 입술 씹기

교합조정 시 청구 가능하며 사랑니 발치 등에 자주 적용될 것으로 보이지만, 개인적으로 딱 한 번 적용해 봤다.

▶ 점막하출혈

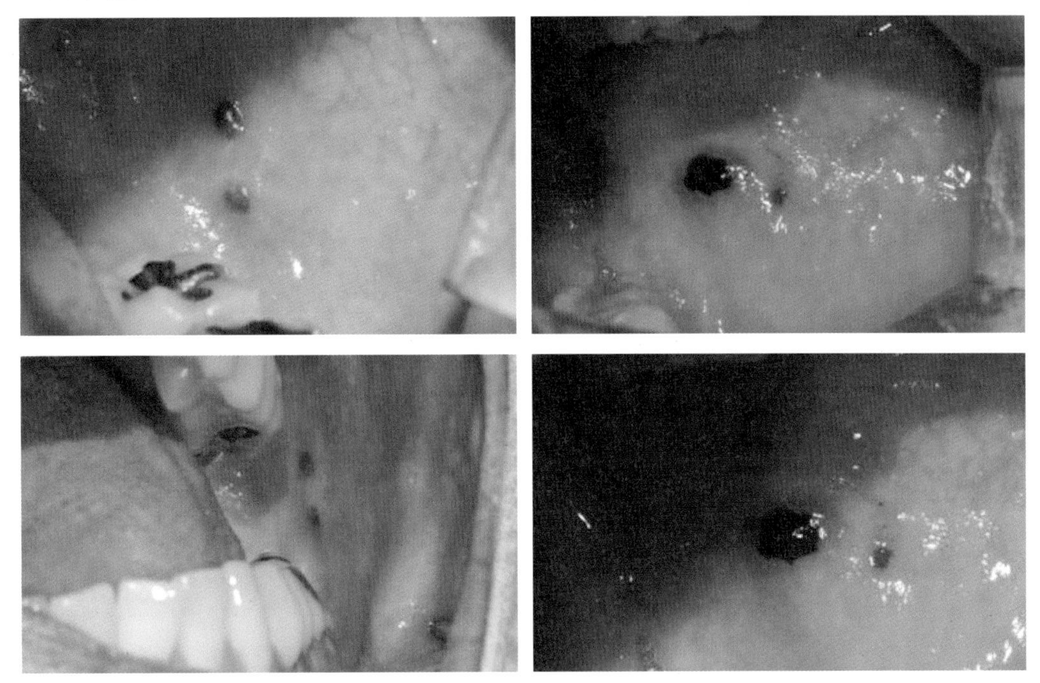

K13.2 혀를 포함하는 구강상피의 백반 및 기타 장애

감별진단이 어렵고, 거의 적용하는 예는 없음.

혀를 포함하는 구강상피의 백반 및 기타 장애

혀를 포함하는 구강상피의 홍색반

혀를 포함하는 구강상피의 백색부종

구개 니코틴성 백색각화증

흡연자 구개

K13.3 유모백반(모발성 백반)

감별진단이 어렵고, 치과의원급에서 거의 적용하는 예는 없음.

K13.4 구강점막의 육아종 및 육아종-유사병변

감별진단이 어렵고, 거의 적용하는 예는 없음.

적용 가능한 진단명

- 구강점막의 호산구성육아종
- 구강점막의 화농성육아종
- 구강점막의 사마귀상황색종

K13.5 구강점막하 섬유증

입안 어느 부위에서나 발생할 수 있으나 감별진단이 어렵다.

섬유조직의 절제수술 등에 적용 가능하나 거의 적용하는 예는 없다.

적용 가능한 진단명

- 혀의 점막하 섬유증 (Submucous fibrosis of tongue)

K13.6 구강점막의 자극성 증식증

치은열성비대 (epulis fissuratum)

의치의 하부 또는 변연부에 종종 발생하며, 보통 Epulis라고 부르나 감별진단이 어렵다. 섬유조직의 절제수술 등에 적용 가능하나 건강보험에서는 거의 적용하는 예는 없다. 섬유성 증식으로 인한 절제술의 항목이 보험코드화 되어있지 않은 것으로 보아 일반(비급여)으로 적용되는 사례가 많은 것 같다.

제외 무치성 융기의 자극성 증식증[의치성 증식증] (K06.23)

불안정한 의치나 얇고 과연장된 의치연에 의한 만성자극의 결과로 열구 상피가 증식성 조직회복 반응을 하여 발생한다. 대체로 충혈되고 부종의 양상을 나타내며 종양과 유사하게 보이기도 한다. 치료는 의치의 교환이나 변연을 짧게 해 주어 조직의 휴식을 제공하거나 심한 경우 외과적 절제.

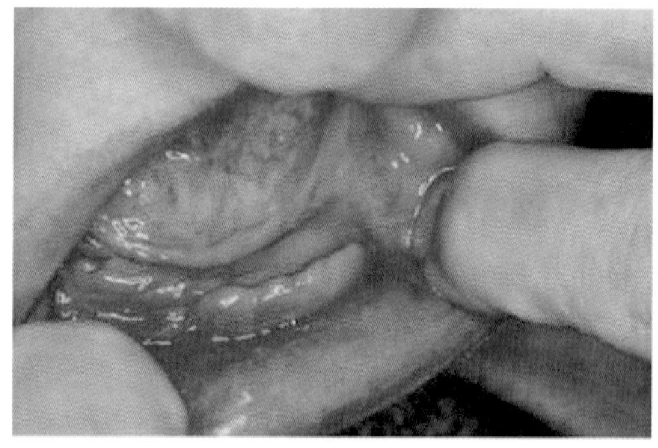

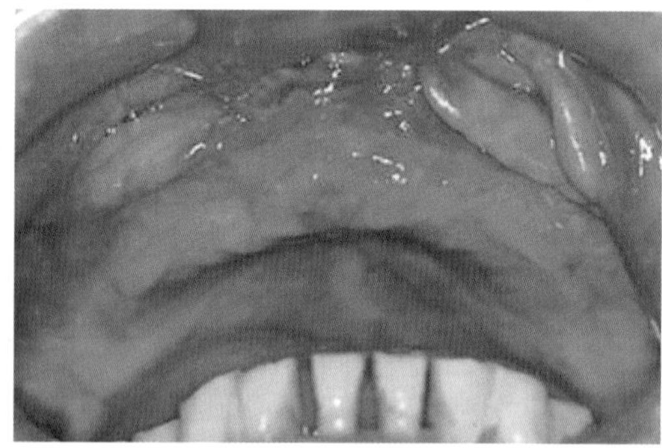

무치악환자를 위한 보철치료. 총의치학교수협의회, p 388.

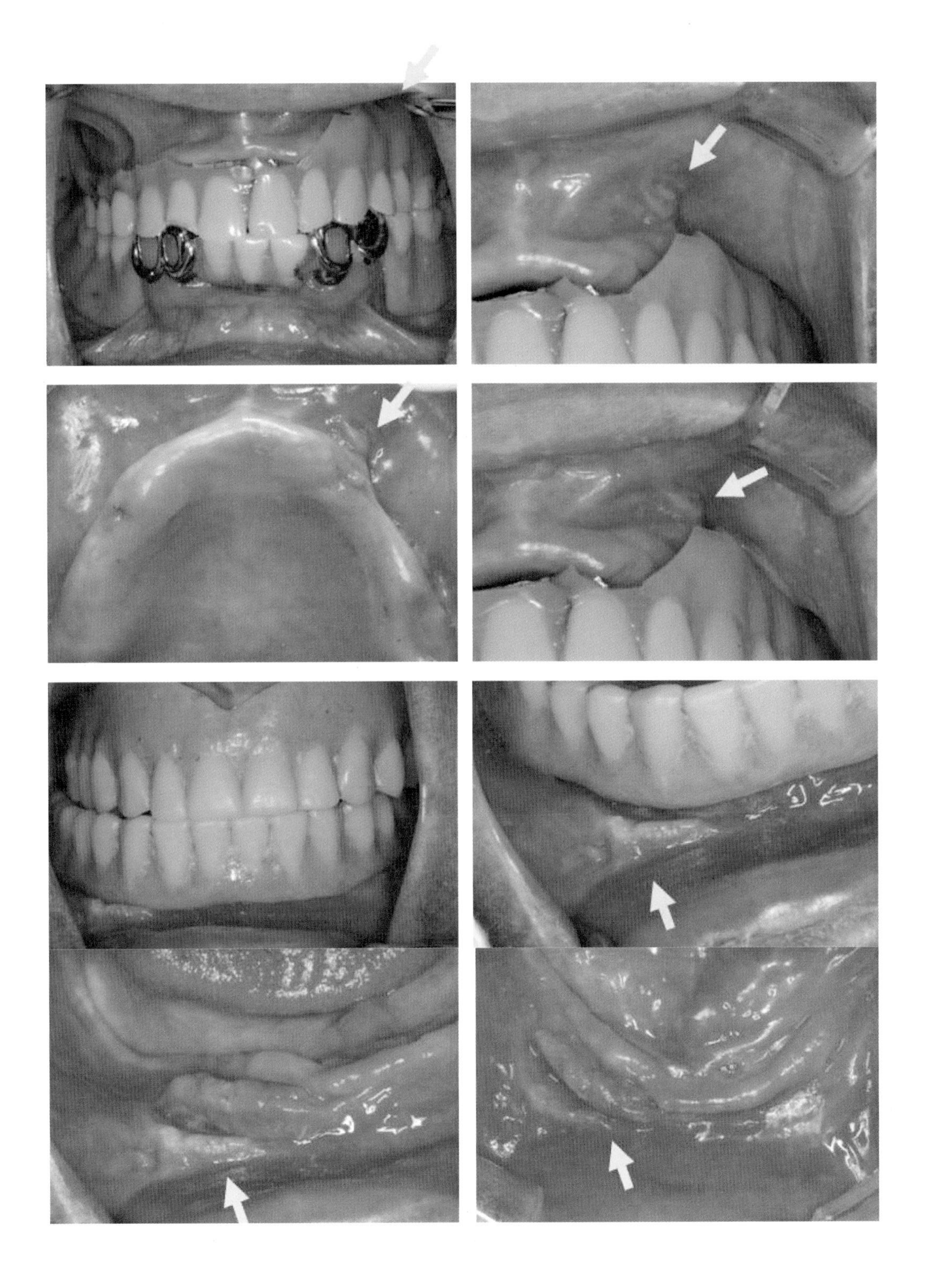

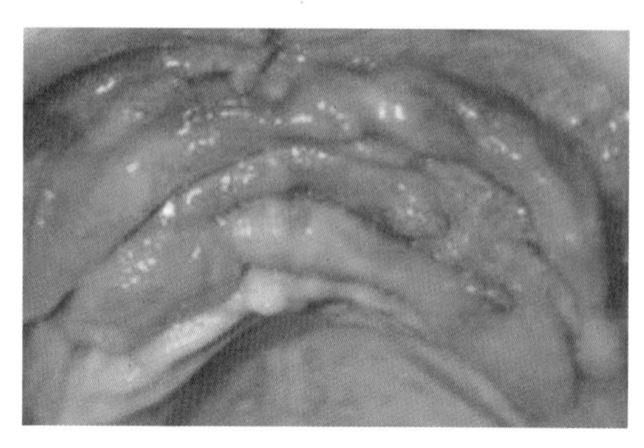

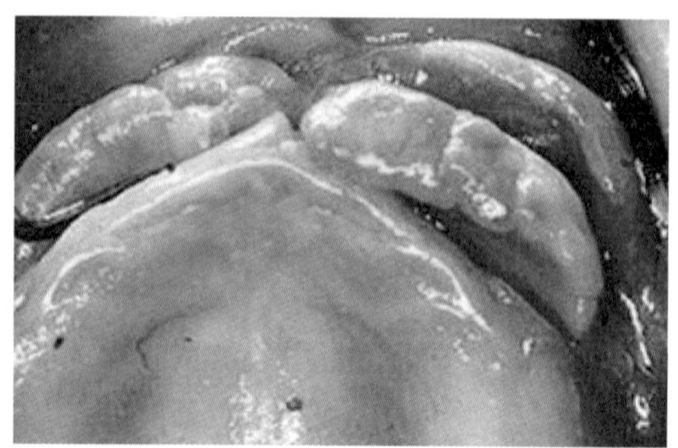

K13.7 구강점막의 기타 및 상세불명의 병변

기타 확실한 질환으로 분류하기 어려운 질환에 적용하나, 거의 적용하는 예는 없다.

초점성 구강점액증 (Focal oral mucinosis)

[K14] 혀의 질환 (Diseases of tongue)

제외 혀의 홍색판(K13.2)
혀의 초점성 상피증식증(K13.2)
혀의 백색부종(K13.2)
혀의 백반(K13.2)
유모백반(K13.3)
대설증(선천)(Q38.2)
혀의 점막하섬유증(K13.5)

K14.0 혀의 설염 (Glossitis)
K14.1 지도모양혀 (Geographic tongue)
K14.2 정중능형설염 (Median rhomboid glossitis
K14.3 혀유두의 비대 (Hypertrophy of tongue papillae)
K14.4 혀유두의 위축 (Atrophy of tongue papillae)
K14.5 주름잡힌 혀 (Plicated tongue)
K14.6 설통 (Glossodynia)
K14.8 혀의 기타 질환 (Other diseases of tongue)
K14.9 혀의 상세불명 질환 (Disease of tongue, unspecified)

K14.0 혀의 설염 (Glossitis)

혀에 생긴 병변에 포괄적으로 적용 가능하나 사용되는 예는 많지 않다.

적용 가능한 진단명

- 혀의 농양 (Abscess of tongue)
- 혀의 궤양(외상성) (Ulceration of tongue (traumatic))

K14.1 지도모양 혀

혀에 생긴 염증부위(주로 백반증)가 지도모양으로 이동하면서 변해가는 특징이 있다.
비교적 다른 혀에 생긴 질환에 비해 감별진단이 쉬우나 적용하는 예는 많지 않다.

적용 가능한 진단명

- 양성 이동성 설염 (Benign migratory glossitis)
- 탈락성 원형 설염 (Glossitis areata exfoliativa)

K14.2 정중능형 설염

혀의 가운데 생긴 질환으로 적용하는 예는 거의 없다.

K14.3 혀유두의 비대

혀의 유두에 발생한 증식성 질환으로 발병률이 낮고 건강보험에 적용하는 예는 거의 없다.

적용 가능한 진단명

- 흑모설 (Black hairy tongue) : 혀의 유두가 검은색의 털처럼 길어난 형태의 질환
- 설태 (Coated tongue)
- 엽상유두의 비대 (Hypertrophy of foliate papillae)
- 설모증 (Lingua villosa nigra)

K14.4 혀유두의 위축

거의 사용 하지 않음

적용 가능한 진단명

- 위축성 설염 (Atrophic glossitis)

K14.5 주름잡힌 혀

발병률과 상관없이 특별한 건강보험적인 치료가 없기 때문에 적용하는 예는 거의 없다.

적용 가능한 진단명

- 열구성 혀 (Fissured tongue)
- 구상 혀 (Furrowed tongue)
- 음낭성 혀 (Scrotal tongue)

K14.6 설통

혀의 작열감 등 통증을 호소하는 경우 적용된다.

적용 가능한 진단명

- 혀(설)작열감
- 통증혀(설)

K14.8 혀의 기타 질환

설소대성형술 시 「Q38.1 설유착증」 또는 「혀의 기타 질환」으로 적용할 수 있다(상병 Q38.1 참고).

적용 가능한 진단명

- 혀(의) 위축
- 혀(의) 톱날모양
- 혀(의) 확대
- 혀(의) 비대

K14.9 혀의 상세불명 질환

적용하는 예는 거의 없음.

적용 가능한 진단명

- 혀(설)병증 (Glossopathy)

피부 및 피하조직의 질환 (L00-L99)

Diseases of the skin and subcutaneous tissue (L00-L99)

8

구진비늘장애 (L40-L45) (Papulosquamous disorders)

[L43] 편평태선 (Lichen planus)

- L43.0 비대성 편평태선 (Hypertrophic lichen planus)
- L43.1 수포성 편평태선 (Bullous lichen planus)
- L43.8 기타 편평태선 (Other lichen planus)
- L43.9 상세불명의 편평태선 (Lichen planus, unspecified)

9 근골격계통 및 결합조직의 질환 (M00-M99)

Diseases of the musculoskeletal system and connective tissue (M00-M99)

전신결합조직장애 (M30-M36) (Systemic connective tissue disorders)

[M35] 결합조직의 기타 전신침범 (Other systemic involvement of connective tissue)

●M35.0 건조증후군[쉐그렌] (Sicca syndrome[Sjögren])
각막결막염을(를) 동반한 쉐그렌증후군(H19.3*) (Sjogren's syndrome with keratoconjunctivitiis)
폐침범을(를) 동반한 쉐그렌증후군(J99.1*) (Sjogren's syndrome with lung involvement)
근병증을(를) 동반한 쉐그렌증후군(G73.7*) (Sjogren's syndrome with myopathy)
신세뇨관-간질성 장애을(를) 동반한 쉐그렌증후군(N16.4*) (Sjogren's syndrome with renal tubulo-interstitial disorder)

쉐그렌 증후군

타액선, 눈물샘 등에 림프구가 침입해 만성 염증이 생겨 분비장애를 일으켜 입이 마르고 눈이 건조해지는 증상을 보이는 자가면역성 전신질환이다. 이 병명은 질환을 처음으로 기술한 스웨덴 의사 헨릭 쉐그렌의 이름을 따서 지어진 것으로 여자에서 남자보다 9배 정도 많이 발생하는데, 특히 30세에서 50세 사이의 중년 여자에서 호발한다.

〈증상〉

1. 구강 건조

정상적으로 구강내에는 침샘이 있어서 음식물을 씹고 삼키는 작용을 원활하게 하는 역할을 한다. 그러나 쉐그렌 증후군에서는 침샘의 장애로 침 분비가 저하되므로 씹고 삼키거나 말하는 것이 힘들게 된다.

2. 안구 건조

눈은 마르고 모래가 들어간 듯한 느낌을 갖는다. 충혈되어 빨갛게 보이기도 하고 광선에 예민해진다.

3. 침샘 부종

침샘은 혀 밑, 귀 앞의 뺨, 구강 뒤쪽에 위치한다. 쉐그렌 증후군에서는 이들 침샘 부위가 붓고 아프며 열이 나기도 한다.

4. 충치

구강 건조로 인해 흔히 나타나는 증상으로 침은 세균에 대항하는 기능이 있다. 따라서 침 분비가 저하되면 쉽게 충치가 생기게 된다.

5. 비강, 목 건조

목의 건조감과 간지러움을 유발한다. 마른기침, 성대 변성, 후각 감퇴, 코피의 증상이 나타나며, 또한 폐렴 기관지염이 발생할 수 있다.

지각과민 처치 최대 인정횟수가 '6'이지만 〈다음〉과 같은 경우 지각과민처치 가.의 준용코드를 만들어 청구할 수 있으며, 이때 '28'치까지 산정 가능하다.

〈다음〉가 같은 경우 불소도포 시 「Z29.8 기타 명시된 예방적 조치」를 상병으로 적용할 수 있지만 부상병으로 「M35.0」을 적용할 수도 있다.

치과에서 불소를 이용한 치아우식증 예방처치(불소바니시도포, 불소용액도포, 이온영동법 등)는 다음과 같은 경우에 인정하며, 수기료는 차4 지각과민처치에 준용하여 산정하고 약제료는 별도 산정하지 아니함.

- 다 음 -

가. 두경부 방사선 치료를 받은 환자

나. 쉐그렌 증후군 환자

다. 구강건조증 환자(비자극시 분비되는 전타액 분비량이 분당 0.1 ml 이하를 의미함)

라. 장애인으로 등록되어 있는 뇌병변장애인, 지적장애인, 정신장애인, 자폐성장애인

10 선천기형, 변형 및 염색체이상 (Q00-Q99)

Congenital malformations, deformations and chromosomal abnormalities (Q00-Q99)

눈, 귀, 얼굴 및 목의 선천기형(Q10-Q18)
(Congenital malformations of eye, ear, face and neck)

[Q18] 얼굴 및 목의 기타 선천기형
(Other congenital malformations of face and neck)

Q18.4 대구증(大口症) (Macrostomia)

Q18.5 소구증(小口症) (Microstomia)

Q18.6 대순증(大脣症) (Macrocheilia)

Q18.7 소순증(小脣症) (Microcheilia)

구순열 및 구개열(Q35-Q37) (Cleft lip and cleft palate)

코와 관련된 기형의 분류를 원한다면 부가 분류번호(Q30.2)를 사용할 것.

제외 로빈증후군 (Q87.0)

10 치의신보 | 2016. 7. 21(목) | 제2433호 종합

2018년 구순구개열 치아교정 급여화

교정전문의로 진료 한정, 성장단계별 6단계 치료 구분
교정학회 산하 연구위, 진료행위 표준화 연구안 첫 공개

"수술 한번으로 다 끝나지 않을 줄은 알았지만… 교정치료가 필요하단 말씀을 듣고 나니 마음이 너무 무겁고 삶이 힘들다는 생각이 들더라고요. 얼마일지 모르는 비용도 걱정이 되고요. 아이한테 미안하면서도 너무 힘들 땐 짜증도 나요. 우리 아이는 그렇게 낳아달라고 선택한 적도 없는데…"

다섯살 예진이는 선천성 구강악안면기형인 구개열을 가지고 태어났다. 돌 무렵 1차 수술을 받았지만 대부분의 구개열 아이들이 그렇듯이 위턱이 안자라고 아래턱은 과하게 자라 교정치료가 필요한 상태다. 하지만 예진이 엄마는 선뜻 치료할 엄두가 나질 않아 고민이 많다.

구순구개열 환아들의 경우 일반 교정치료에 비해 난이도가 높은 여러 단계의 악안면치열교정을 필수적으로 받아야 하지만 건강보험이 적용되지 않아 심적, 경제적 부담이 크기 때문이다. 더군다나 일부 의료기관에서는 이들을 상업적으로 이용해 수천만원에 달하는 과다한 비용을 청구하는 경우도 있어 마음고생이 이만 저만이 아니다.

하지만 정부가 2018년부터 기형이 심한 구순구개열 환자의 구순비교정술 및 치아교정술에 대해 건강보험을 적용한다는 방침을 밝힘에 따라 부담을 덜 수 있게 됐다.

건보공단은 구순비교정술 및 치아교정술에 보험이 적용되면 총 1만여명이 혜택을 받을 것으로 추정하고 있다. 현재는 6세 이하에 한해 구순열, 구개열 수술로 인한 안면부 반흔 제거술만 1회 급여가 되고 있는 상태다.

오는 2018년 본격적인 보험 적용에 앞서 구순구개열환자의 치아교정치료 건강보험 적용시 적정한 진료행위 표준화를 위한 '표준의료행위분류(안)'을 발표, 검토하는 자리가 지난 7월 12일 머큐어 서울 앰버서더 강남 쏘도베에서 열렸다(사진).

이번 연구는 대한치과교정학회가 주축이 돼 전국의 치과대학·치의학전문대학원 교정과 교수협의회 내에 '연구위원회'를 구성해 진행되고 있다. 이날 발표회에는 그동안의 연구결과들을 외부로 처음 공개하는 자리로 마경화 치협 보험담당부회장, 박경희 보험이사를 비롯해 복지부, 심평원, 건보공단, 보건사회연구원 관계자들이 참석해 연구결과를 공유하고 다양한 의견들을 개진했다.

#출생아 800명~1000명당 1명 발생

책임연구원인 차경석 교수(단국치대 교정과)는 "구순구개열은 선천성 구강악안면기형환자 중 가장 발생빈도가 높고 출생 후부터 안면성장이 종료되는 약 20세까지 악골간 부조화의 재발이 빈번해 지속적이고 반복적인 의과, 치과적 개입이 필요한 질환"이라고 밝혔다. 구순구개열의 발생 빈도는 출생아 800명~1000명당 1명 정도로 보고되고 있다.

차 교수는 특히 "구순구개열 환자의 악안면치열교정은 일반교정치료에 비해 그 난이도가 높고 출생직후부터 지속적으로 성장과정을 모니터링 해야 하며 치료계획의 수립과 단계별 결과 평가가 세심히 이뤄져야 한다는 점에서 반드시 치과교정전문의 수련과정을 거치고 전문의 자격을 취득한 '치과교정학전문의사'가 진료를 담당하는 것이 환자의 구강건강 향상과 보험재정의 효율화를 위해서 필요하다"고 강조했다.

 # 교정치료 경중 따라 전부 또는 부분 선택

이날 발표에 따르면 연구팀은 출생 시부터 안면성장이 종료되는 만 17~20세에 이르기까지 필요한 교정치료를 총 6단계로 구분했다.

▲술전유아악정형(PIAO) 장치 ▲악궁확장술을 동반한 교정치료 ▲악정형장치를 동반한 교정치료 ▲고정성교정장치를 동반한 교정치료 ▲치조골 또는 골 신장술을 이용한 교정치료 ▲고정성교정장치를 동반한 수술전, 후 교정치료가 그것이다. 치료는 관련 증상의 경중에 따라 단계별로 전부 또는 필요한 부분만 진행 된다. 이날 연구진은 6개 단계별에 따른 교정치료의 표준적인 진료행위 과정을 발표했다.

 # 일본은 선천성 구순구개열 등 교정 보험

연구팀 정주령 교수의 발표에 따르면 일본의 경우 지난 1982년부터 구순구개열환자를 위한 교정치료에 건강보험 급여가 시작됐다. 이후 교정시술이 가능한 질병이 점차 확대돼 2015년 현재는 선천성 구순구개열 및 안면변형이 동반된 50개 질병에 대한 재건 및 교정시술이 급여화 됐다.

구순구개열환자는 국가지원정책상 진료비의 1할을 자가 부담하지만 거주 지역에 따라서 감액이나 무료 지원을 받는 등 실질적인 의료비 부담이 낮은 것으로 나타났다.

진료를 시행코자 하는 의료기관은 (두부계측방사선 장비)설비 기준을 갖춰야하고 해당질환에 대한 의료경험(5년 이상) 및 구순구개열과 치과교정에 대한 임상내용 및 연구를 시행하고 있는 관련학회(일본치과교정학회, 일본구개열학회)에 가입한 선임 치과의사 1명 이상, 상근치과이사 1명 이상이 근무하고 교정치과 과목을 표방해야만 한다.

현재 일본의 구순구개열 보험 교정치료의 경우 '행위별 수가제'를 적용하고 있고 장기간 치료에 따른 지속적인 관리 및 유지 등의 특수성을 잘 대변할 수 있도록 설계된 것으로 자체 평가되고 있다.

일본 교정전문 의원 중 구순구개열 환자의 내원 빈도가 높은 병원의 추적조사결과 치료기간은 평균 약 78개월, 총 치료비는 약 118만엔이었다.

연구팀의 조성욱 간사는 "구순구개열환자에 대한 치과교정치료 급여화는 사실상 여러 가지 의미가 내포 돼 있다"며 "일본의 경우 구순구개열 환자를 시작으로 2015년 현재 50개 질병에 대해 교정치료가 급여화 됐는데 국내 역시 교정치료에 보험이 도입되는 '스타트 점'이라고 본다. 무엇보다 중요한 것은 구순구개열로 고통 받는 환아들과 그 부모들의 심적, 경제적 부담을 줄여 그들의 삶에 희망을 줄 수 있는 만큼 치과교정계에도 큰 가치가 있는 사업"이라고 의미를 부여했다.

구순구개열 환아 부모 모임에서 만난 예진이 엄마는 "교정치료가 보험이 된다니 정말 다행이고 감사한 마음이에요. 아직 세부적인 연구를 진행 중이라고 하시니 정부와 치과계가 힘을 모아 예진이를 비롯해 고통 받고 있는 많은 천사 같은 아이들이 실질적인 혜택을 받을 수 있도록 좋은 제도를 만들어 달라"고 당부했다. 이제 예진이 엄마도 희망을 가질 수 있게 됐다.

강은정 기자 lile0923@dailydental.co.kr

우리나라 최초 치아교정이 보험이 될 예정이다. 구순구개열이 우리나라에는 많지 않지만 후진국엔 많다.

[Q35] 구개열 (Cleft palate)

- Q35.1 경구개열 (Cleft hard palate)
- Q35.3 연구개열 (Cleft soft palate)
- Q35.5 경구개열 및 연구개열 (Cleft hard palate with cleft soft palate)
- Q35.7 구개수열 (Cleft uvula)
- Q35.9 상세불명의 구개열 (Cleft palate, unspecified)

[Q36] 구순열 (Cleft lip)

Q36.0 양쪽 구순열 (Cleft lip, bilateral)
Q36.1 정중 구순열 (Cleft lip, median)
Q36.9 한쪽 구순열 (Cleft lip, unilateral)

[Q37] 구순열을 동반한 구개열 (Cleft palate with cleft lip)

Q37.0 양쪽 구순열을 동반한 경구개열 (Cleft hard palate with bilateral cleft lip)
Q37.1 한쪽 구순열을 동반한 경구개열 (Cleft hard palate with unilateral cleft lip)
구순열을 동반한 경구개열 NOS (Cleft hard palate with cleft lip NOS)
Q37.2 양쪽 구순열을 동반한 연구개열 (Cleft soft palate with bilateral cleft lip)
Q37.3 한쪽 구순열을 동반한 연구개열 (Cleft soft palate with unilateral cleft lip)
구순열을 동반한 연구개열 NOS (Cleft soft palate with cleft lip NOS)
Q37.4 양쪽 구순열을 동반한 경구개열 및 연구개열 (Cleft hard and soft palate with bilateral cleft lip)
Q37.5 한쪽 구순열을 동반한 경구개열 및 연구개열 (Cleft hard and soft palate with unilateral cleft lip)
Q37.8 구순열을 동반한 경구개열 및 연구개열 NOS열 (Cleft hard and soft palate with cleft lip NOS)
Q37.9 양쪽 구순열을 동반한 상세불명의 구개열 (Unspecified cleft palate with bilateral cleft lip)
한쪽 구순열을 동반한 상세불명의 구개열 (Unspecified cleft palate with unilateral cleft lip)
구순열을 동반한 구개열 NOS (Cleft palate with cleft lip NOS)

소화계통의 기타 선천기형(Q38-Q45)
(Other congenital malformations of the digestive system)

[Q38] 혀, 입 및 인두의 기타 선천기형 (Other congenital malformations of tongue, mouth and pharynx)

Q38.0 달리 분류되지 않은 입술의 선천기형 (Congenital malformations of lips, NEC)
●Q38.00 이상 구순소대 (Abnormal labial frenum)
●Q38.08 달리 분류되지 않은 입술의 기타 선천기형 (Other congenital malformations of lips, NEC)
입술의 선천루 (Congenital fistula of lip)

입술의 선천기형 NOS (Congenital malformation of lip NOS)

반데르보우데증후군 (Van der Woude's syndrome)

Q38.1 혀유착증 (Ankyloglossia)

Q38.2 대설증 (Macroglossia)

Q38.3 혀의 기타 선천기형 (Other congenital malformations of tongue)

Q38.4 침샘 및 관의 선천기형 (Congenital malformations of salivary glands and ducts)

Q38.5 달리 분류되지 않은 구개의 선천기형 (Congenital malformations of palate, NEC)

●Q38.00 이상 구순소대 (Abnormal labial frenum)

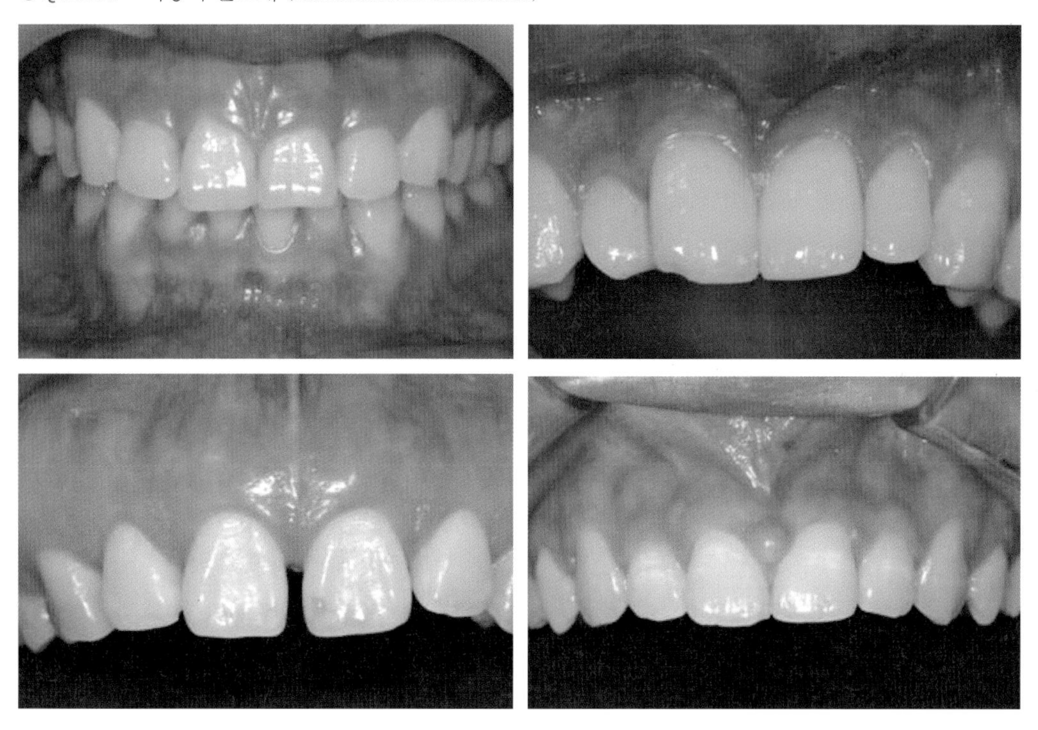

[협순소대 성형술] 시 적용 가능하다.

- 심미적인 문제가 아닌 기능적으로 문제가 있는 경우 순소대를 절제하는 경우 적용 가능하다.
- 틀니가 보험되면서 청구비율이 조금 높아지고 있다.
- 각 소대마다 산정
- 사용한 봉합사 산정 가능
- 심미적인 목적으로 한다면 비보험 진료가 된다.

Q38.1 혀유착증 (Ankyloglossia)

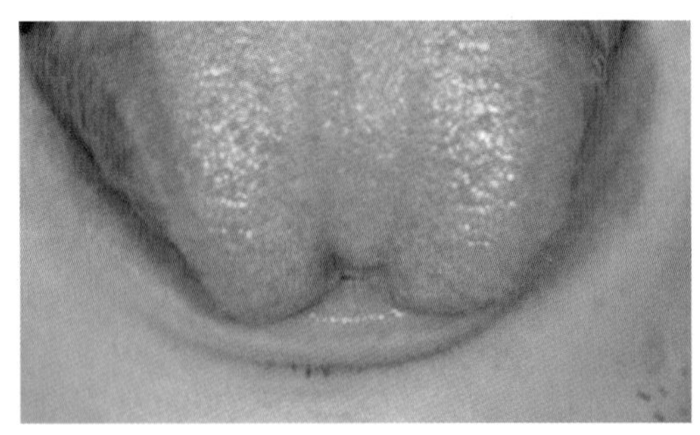

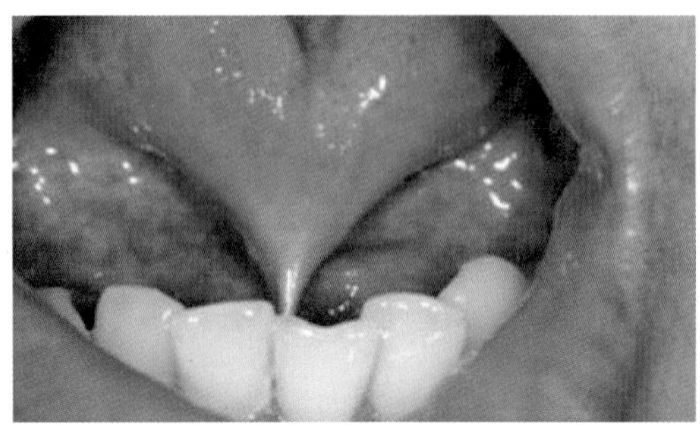

설순소대성형술 시 적용 가능하다.

환자는 혀가 짧다거나 발음이 문제가 되어 시술하기 때문에 설소대(Tongue tie)를 잘라주는 건 보험적용이 가능하다. 이 부분을 임의 비급여으로 적용하여 문제를 일으키지 말아야 한다. 소아청소년과(신생아 때 많이 한다), 이비인후과에서도 많이 하는 술식이기 때문에 환자들이 쉽게 정보파악이 가능하다.

〈허위부당 청구액과 비율에 따른 처벌 산정기준〉

① 부당이득의 징수 : 국민건강보험공단으로부터의 보험급여 청구액의 일부 또는 전액 환수

② 형법 처벌 : 형법 제 347조에 의한 사기죄에 해당되어 10년 이하의 징역 또는 2천만원 이하의 벌금

③ 자격정지 처분

④ 과징금 : 업무정지기간을 대신하여 10일은 총 부당금액의 2배, 10~30일은 3배, 30~50일은 4배, 50일 초과는 5배를 부과

차-51 설소대성형술 (Lingual Frenectomy)

		상대가치점수	진료비
U4511	가. 간단한 것 (Simple)	429.88	37,570원
U4522	나. 복잡한 것 ([Frenoplasty, Excision of Frenum] Complex)	800.33	69,950원

- 설소대란 혀의 밑 부분에 혀의 운동량을 제한하는 기능을 하는 끈 모양의 섬유성 조직이다. 설소대가 지나치게 발달한 경우에 혀의 운동량이 많이 제한되어 혀 짧은 소리를 내게 되는 경우도 많은데, 이런 경우에 설소대를 제거하는 수술을 하게 된다.
- 어릴 때 시행한 설소대성형술은 혀 짧은 소리를 개선하는데 많은 도움이 된다. 그러나 이미 성장이 완료된 경우에는 이미 발음하는 습관의 형성이 완료되어 설소대성형술에 의해 개선되지 않는 경우가 많다.
- 가 : 간단하게 제거되는 경우는 간단
- 나 : Z 나 Y plasty 등의 부가적인 연조직 처치가 필요한 경우는 복잡으로 간주(내역설명이 필요)
- 사용한 봉합사를 별도 산정 가능

▶ 설소대성형술. 간단

진료구분 초진
처치순번 1 2
진료의사 김영삼
상 병 명 [Q38.1] 설유착증 주상병
내역설명 설소대 단축으로 발음장애로 발음 정확도 개선을 목적으

구분	진료항목	회	일	금액
행위	설소대성형수술(간단)	1	1	37,570
행위	침윤마취	1	1	1,820
약제	휴온스리도카인염산염수화물-에피네...	2	1	840
행위	의약품관리료 1일분 (의원)	1	1	200
재료	SILK	1	1	1,910

수납 총진료비: 63,750원 본인부담금: 63,750원

▶ 설소대성형술. 복잡

진료구분 초진
처치순번 1 2
진료의사 김영삼
상 병 명 [Q38.1] 설유착증 주상병
내역설명 발음장애로 발음 정확도 개선을 목적으로 Y plasty 시행

구분	진료항목	회	일	금액
행위	설소대성형수술(복잡)	1	1	69,950
행위	침윤마취	1	1	1,820
약제	휴온스리도카인염산염수화물-에피네...	2	1	840
행위	의약품관리료 1일분 (의원)	1	1	200
재료	SILK	1	1	1,910

수납 총진료비: 100,990원 본인부담금: 100,990원

달리 분류되지 않은 증상, 징후와 임상 및 검사의 이상소견 (R00-R99)

Symptoms, signs and abnormal clinical and laboratory findings, NEC (R00-R99)

소화계통 및 복부의 증상 및 징후 (R10-R19)
(Symptoms and signs involving the digestive system and abdomen)

●R10.19 상세불명의 상복부통증 (Upper abdominal pain, unspecified)
소화불량 NOS (Dyspepsia NOS)

R12 속쓰림(Heartburn)

제외 소화불량 :
NOS (R10.19)
기능성 (K30)

심사가 시행되면서 소화기계용 약이 대거 조정되는 사건(?)이 있었다. 치과에서 주로 많이 쓰는 알마게이트 계열의 약은 위장관련 상병을 적용하지 않아도 된다고 확인이 되었다. 하지만 시메티딘, 레바미피드 등 위장약을 NSAD와 같이 처방할 때는 위장병 상병을 적용해야 삭감되는 것을 피할 수 있다.

[위장관련 상병]

K26 십이지장궤양 (Duodenal ulcer)
K29.6 기타 위염 (Other gastritis)
K29.8 십이지장염 (Duodenitis)
K30 기능성 소화불량 (Functional dyspepsia)
R12 속쓰림 (Heartburn)

소화기계용 약 효능/ 효과

알마게이트의 효능/효과

다음 질환의 제산작용 및 증상의 개선 : 위·십이지장궤양, 위염, 위산과다(속쓰림, 구역, 구토, 위통, 신트림)

시메티딘 효능/효과 :

위·십이장궤양, 역류성식도염, 재발성궤양, 문합부궤양, 졸링거엘리슨증후군, 다음 질환의 위점막 병변(미란, 출혈, 발적 부종)의 개선 : 급성위염, 만성위염의 급성 악화기

라니티딘 효능/효과 :

위·십이지장궤양, 졸링거엘리슨증후군, 역류성식도염, 마취전 투약(멘델슨증후군 예방), 수술후 궤양, 비스테로이드성 소염진통제(NSAID) 투여로 인한 위·십이지장궤양

[건강보험 Q&A (227)] 소화기계용 약 전산심사 미리 대비하기!

신인순 승인 2017.11.21 09:37 댓글 0

Q1. 10월 진료분 심사결과통보서를 확인하였는데, 그 동안 처방하던 소화제가 갑자기 모두 삭감이 되었어요. 왜 그런 건지요?

A1. 2017. 11. 1자로 소화관 및 대사약제(WHO ATC Code A01~A16)에 대한 허가사항 전산심사가 시행될 예정이라고 심사평가원에서 발표를 하였습니다.

소화기계 상병 없이 해열진통소염제, 항생제, 스테로이드제제 등을 투여하는 경우 소화기관용제 1종 인정하던 기준이 삭제됨에 따라 11월 1일 접수분부터는 시메티딘, 레바미피드 등 위장약을 NSAID와 같이 처방하실 때 반드시 위장병 상병을 기입하셔야 합니다.

그렇다고 모든 위장약이 심사조정되는 것은 아니니 현재 처방하고 있는 약재는 [심사평가원 홈페이지-공지사항-소화관 및 대사약제 허가사항 전산심사 안내] 사항을 확인하여 주세요.
(* 현재 치과에서 가장 많이 쓰고 있는 almagate는 치협에서 건강보험심사평가원에 문의한 결과 기존과 같이 위장상병 없이 처방이 가능한 것으로 확인됐다).

Q2. 두번에 프로그램에는 위장병 관련 상병이 없던데, 어떻게 해야 하나요?

A2. 위장병 관련 상병명을 추가해주시면 됩니다. 다음을 참고해서 추가해 보세요.
파일 - 환경설정 - 진료업무 - ①상병설정 - ②찾기(위염, 십이지장염 등 관련 상병 : www.kcdcode.kr 참고) - ③해당상병을 더블클릭 - ④저장(*처방전 발행 시 상병 추가)

출처 덴탈포커스 치과건강보험 Q&A 연재 2017.11.21

[R19] 소화계통 및 복부의 기타 증상 및 징후
(Other symptoms and signs involving the digestive system and abdomen

R19.6 구취증 (Halitosis)

전신증상 및 징후(R50-R69) (General symptoms and signs)

[R52] 달리 분류되지 않은 통증 (Pain, NEC)

R68.2 상세불명의 건조입안 (Dry mouth, unspecified)

제외 탈수에 의한 건조입안(E86.0)

건성[쉐그렌]증후군에 의한 건조입안(M35.0)

침샘분비저하(K11.7)

손상, 중독 및 외인에 의한 특정 기타 결과 (S00-T98)

Injury, poisoning and certain other consequences of external causes (S00-T98)

12

머리의 손상(S00-S09) (Injuries to the head)

[S00] 머리의 표재성 손상 (Superficial injury of head)

S00.5 입술 및 구강의 표재성 손상 (Superficial injury of lip and oral cavity)

●S00.50 입술 및 구강의 표재성 손상,박리,찰과상 (Superficial injury of lip and oral cavity, abrasion)

●S00.51 입술 및 구강의 표재성 손상,수포 (Superficial injury of lip and oral cavity, blister)

●S00.52 입술 및 구강의 표재성 손상,곤충물림(비독액성) (Superficial injury of lip and oral cavity, insect bite(nonvenomous))

●S00.53 입술 및 구강의 표재성 손상,표재성이물(파편) (Superficial injury of lip and oral cavity, superficial foreign body(splinter))

●S00.54 입술 및 구강의 표재성 손상,타박상 (Superficial injury of lip and oral cavity, contusion)

●S00.58 입술 및 구강의 표재성 손상,기타손상 (Superficial injury of lip and oral cavity, other injury)

●S00.59 입술 및 구강의 표재성 손상,상세불명의손상 (Superficial injury of lip and oral cavity, unspecified injury)

S00.7 입술 및 구강의 표재성 손상 (Superficial injury of lip and oral cavity)

S00.8 머리의 기타 부분의 표재성 손상 (Multiple superficial injuries of head)

●S00.80 머리의 기타 부분의 표재성 손상, 박리, 찰과상 (Superficial injury of other parts of head, abrasion)

●S00.81 머리의 기타 부분의 표재성 손상, 수포 (Superficial injury of other parts of head, blister)

●S00.82 머리의 기타 부분의 표재성 손상, 곤충물림(비독액성) (Superficial injury of other parts of head, insect bite(nonvenomous)))

●S00.83 머리의 기타 부분의 표재성 손상, 표재성 이물(파편) (Superficial injury of other parts of head, superficial foreign(splinter))

●S00.84 머리의 기타 부분의 표재성 손상, 타박상 (Superficial injury of other parts of head, contusion)

●S00.88 기타 머리부분의 표재성 손상, 기타손상 (Superficial injury of other parts of head, other injury)

●S00.89 머리의 기타 부분의 표재성 손상, 상세불명의손상 (Superficial injury of other parts of head, unspecified injury)

S00.9 머리의 상세불명 부분의 표재성 손상 (Superficial injury of head, part unspecified)

●S00.90 머리의 상세불명 부분의 표재성 손상, 박리,찰과상 (Superficial injury of head, part unspecified, abrasion)

●S00.91 머리의 상세불명 부분의 표재성 손상, 수포 (Superficial injury of head, part unspecified, blister)

●S00.92 머리의 상세불명 부분의 표재성 손상, 곤충물림(비독액성) (Superficial injury of head, part unspecified, insect bite(nonvenomous))

●S00.93 머리의 상세불명 부분의 표재성 손상, 표재성이물(파편) (Superficial injury of head, part unspecified, superficial foreign body(splinter))

●S00.94 머리의 상세불명 부분의 표재성 손상, 타박상 (Superficial injury of head, part unspecified, contusion)

●S00.98 머리의 상세불명 부분의 표재성 손상, 기타손상 (Superficial injury of head, part unspecified, other injury)

●S00.99 머리의 상세불명 부분의 표재성 손상, 상세불명의손상 (Superficial injury of head, part unspecified, unspecified injury)

외상(표재성)으로 인한 연고도포 등 [기본진료]로 청구 가능하다.

[S01] 머리의 열린상처 (Open wound of head)

S01.4 볼 및 측두하악부의 열린상처 (Open wound of cheek and temporomandibular area)

●S01.40 볼의 열린상처 (Open wound of cheek)

●S01.41 상악부의 열린상처 (Open wound of maxillary region)
위턱부위의 열린상처 (Open wound of upper jaw region)

●S01.42 하악부의 열린상처 (Open wound of mandibular region)
아래턱부위의 열린상처 (Open wound of lower jaw region)

●S01.48 볼 및 측두하악부 영역의 기타 및 여러 부위의 열린상처 (Open wound of other and multiple sites of cheek and temporomandibular area)

S01.5 입술 및 구강의 열린상처 (Open wound of lip and oral cavity)

●S01.50 입술의 열린상처 (Open wound of lip)

●S01.51 볼점막의 열린상처 (Open wound of buccal mucosa)
볼(내부의)의 열린상처 (Open wound of cheek (internal))

●S01.52 잇몸(치조돌기)의 열린상처 (Open wound of gum (alveolar process)

●S01.53 혀와 입바닥의 열린상처 (Open wound of tongue and floor of mouth)

●S01.54 구개의 열린상처(Open wound of palate)

●S01.58 입술 및 구강의 기타 및 여러 부분의 열린상처 (Open wound of other and multiple parts of lip and oral cavity)

●S01.59 입술 및 구강의 상세불명 부분의 열린상처 (Open wound of lip and oral cavity, part unspecified)

외상으로 인한 창상의 경우 [구강내 열상봉합술] 시술 시 적용되는 상병이다.
넘어져서 외상을 입은 경우 외상부위에 맞게 위에 상병명을 골라서 입력하면 되며 봉합술은 길이와 청구항목에 따라 달라진다.

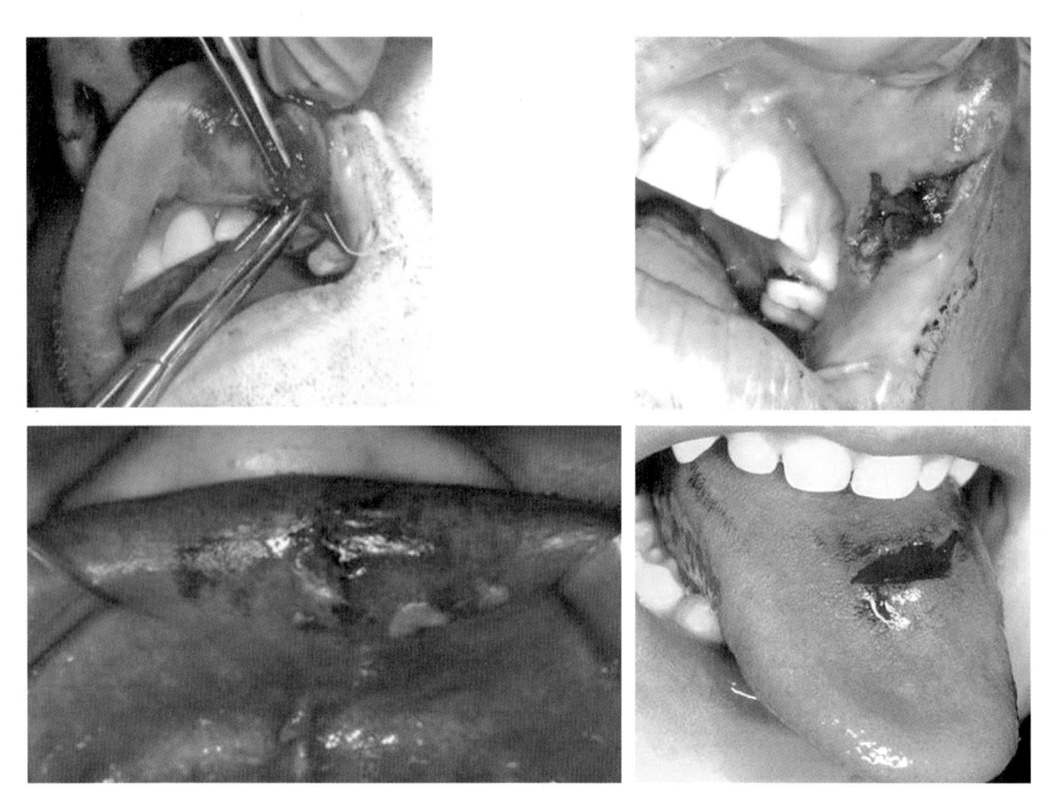

〈사진출처 : 구글〉

☆ 관련 보험진료 행위

차-47 구강내열상봉합술 (Closure of Intraoral Laceration)

		상대가치점수	진료비
가	치은,구강전정,협부 (Gingiva, Vestibule of Mouth, Buccal part)		
	U4474 (1) 2.5cm 이하	126.97	11.100원
	U4475 (2) 2.5cm 이하	354.29	30.960원
나	혀,구강저,구개부 (Lingua, Floor of Mouth, Palate)		
	U4476 (1) 2.5cm 이하	413.12	36.110원
	U4477 (2) 2.5cm 초과	476.39	41.640원

- 외상으로 인한 창상의 경우 산정
- 넘어져서 외상을 입은 경우 외상부위에 맞게 상병명 선택
- 사용한 봉합사는 총 길이 합산하여 산정

▶ 구강내열상봉합술 가-1

진료구분	초진
처치순번	1 2
진료의사	김영삼
상 병 명	[S01.58] 입술 및 구강의 기타 및 여러 부분의 주상병
내역설명	하순 안쪽 2cm 봉합

구분	진료항목	회	일	금액
☑ 행위	구강내열상봉합술(치은,구강전정,협...	1	1	11,100
☑ 행위	침윤마취	1	1	1,400
☑ 약재	휴온스리도카인염산염수화물-에피네...	2	1	840
☑ 행위	의약품관리료 1일분 (의원)	1	1	200
☑ 재료	SILK	1	1	1,910

수납 총진료비: 31,880원 본인부담금: 9,500원

▶ 구강내열상봉합술 나-2

진료구분	초진
처치순번	1 2
진료의사	김영삼
상 병 명	[S01.53] 혀와 입바닥의 열린 상처 주상병
내역설명	혀 3cm 봉합

구분	진료항목	회	일	금액
☑ 행위	구강내열상봉합술(혀,구강저,구개부)...	1	1	41,640
☑ 행위	침윤마취	1	1	1,400
☑ 약재	휴온스리도카인염산염수화물-에피네...	2	1	840
☑ 행위	의약품관리료 1일분 (의원)	1	1	200
☑ 재료	SILK	1	1	1,910

수납 총진료비: 67,000원 본인부담금: 20,100원

[S02] 두개골 및 안면골의 골절 (Fracture of skull and facial bones)

주 : 두개내 손상과 연관된 두개골 및 안면골 골절의 일차분류를 위해서는 제II권의 질병 및 사망 분류준칙과 지침을 참조해야 한다. 다음의 세분류는 보조 분류번호로 임의로 선택하여 사용할 수 있다. 폐쇄성 는 개방성으로 명시되지 않은 골절은 폐쇄성으로 분류해야 한다(단, S02.5는 6단위 세부 분류를 하지 않는다).

- 0 – 폐쇄성 Closed
- 1 – 개방성 Open

S02.5 치아의 파절(Fracture of tooth)

- S02.52 에나멜만의 파절 (Fracture of enamel of tooth only)
- S02.53 치수침범이 없는 치관의 파절 (Fracture of crown of tooth without pulpal involvement)
- S02.54 치수침범이 있는 치관의 파절 (Fracture of crown of tooth with pulpal involvement)
- S02.55 치근의 파절 (Fracture of root of tooth)
- S02.56 치근을 포함한 치관의 파절(Fracture of crown with root of tooth)
- S02.57 치아의 다발성 파절 (Multiple fractures of teeth)
- S02.59 치아의 상세불명 파절 (Fracture of tooth, unspecified)

▶ 치수 침범이 있는 치관 파절

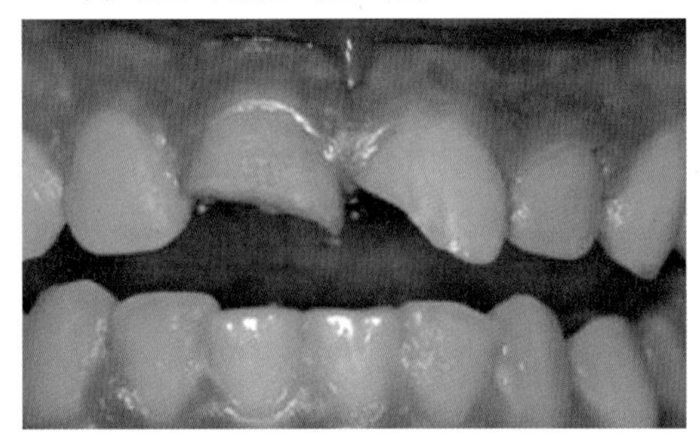

▶ 치근 파절

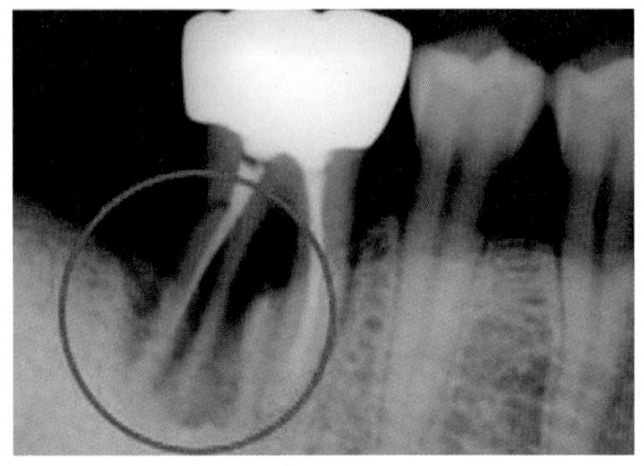

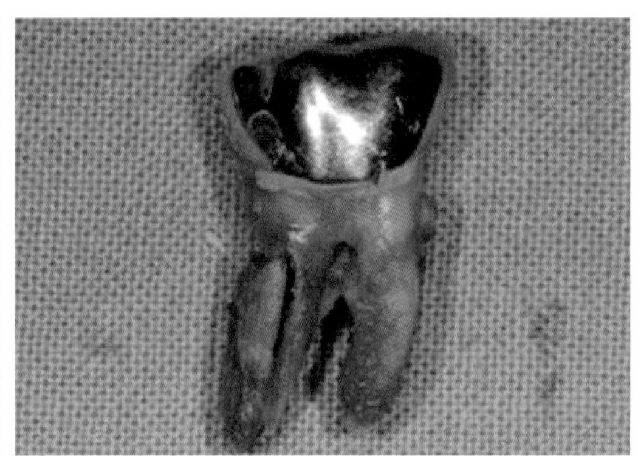

치아의 파절로 인한 방사선촬영, 근관치료, 치아파절편제거, 발치 시 적용할 수 있다. 일반적인 치아의 파절에 포괄적으로 적용 가능하다. 또한 치아가 치은연하로 파절되어 치관확장술을 시행할 경우에도 내역설명과 함께 적용 가능하다.

☆ 관련 보험진료 행위

차-1-2 치아파절편제거 (Removal of fractured tooth fragment) 진료비 : 950원

일반적으로 치은연상 파절의 경우 치아가 떨어져 나가는 경우가 흔하지만, 치은연하 파절의 경우에 치아는 파절되어서 분리되었으나 치근부위가 잇몸에 붙어있는 경우가 일반적이다. 이런 경우 마취를 하고 잇몸부분에 부착되어있던 치아파절편을 제거하는 행위를[치아파절편제거]라고 한다.

- 1치당 산정
- 마취료는 산정 가능

▶ 치아파절편제거

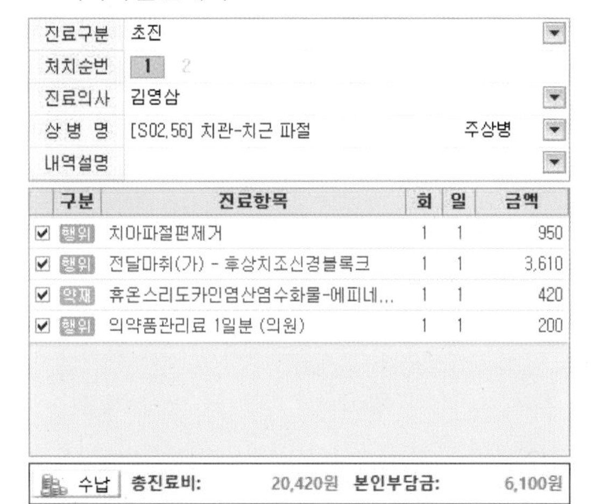

진료구분	초진	
처치순번	1 2	
진료의사	김영삼	
상 병 명	[S02.56] 치관-치근 파절	주상병
내역설명		

구분	진료항목	회	일	금액
행위	치아파절편제거	1	1	950
행위	전달마취(가) - 후상치조신경블록크	1	1	3,610
약제	휴온스리도카인염산염수화물-에피네...	1	1	420
행위	의약품관리료 1일분 (의원)	1	1	200

수납 | 총진료비: 20,420원 본인부담금: 6,100원

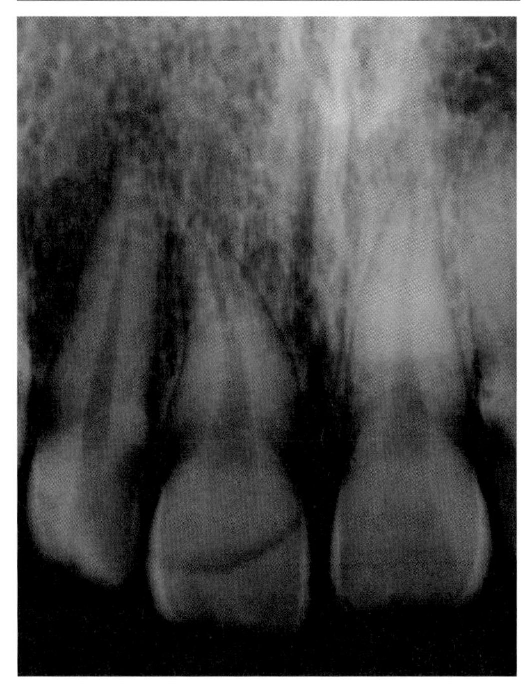

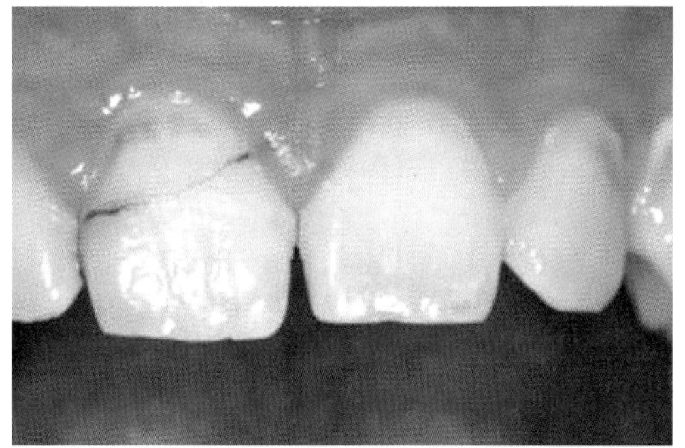

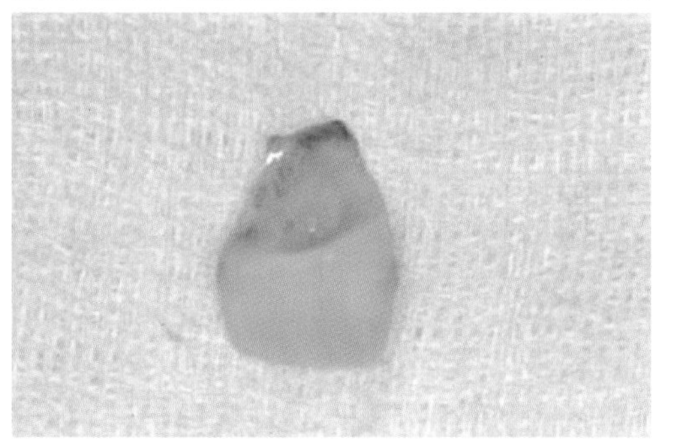

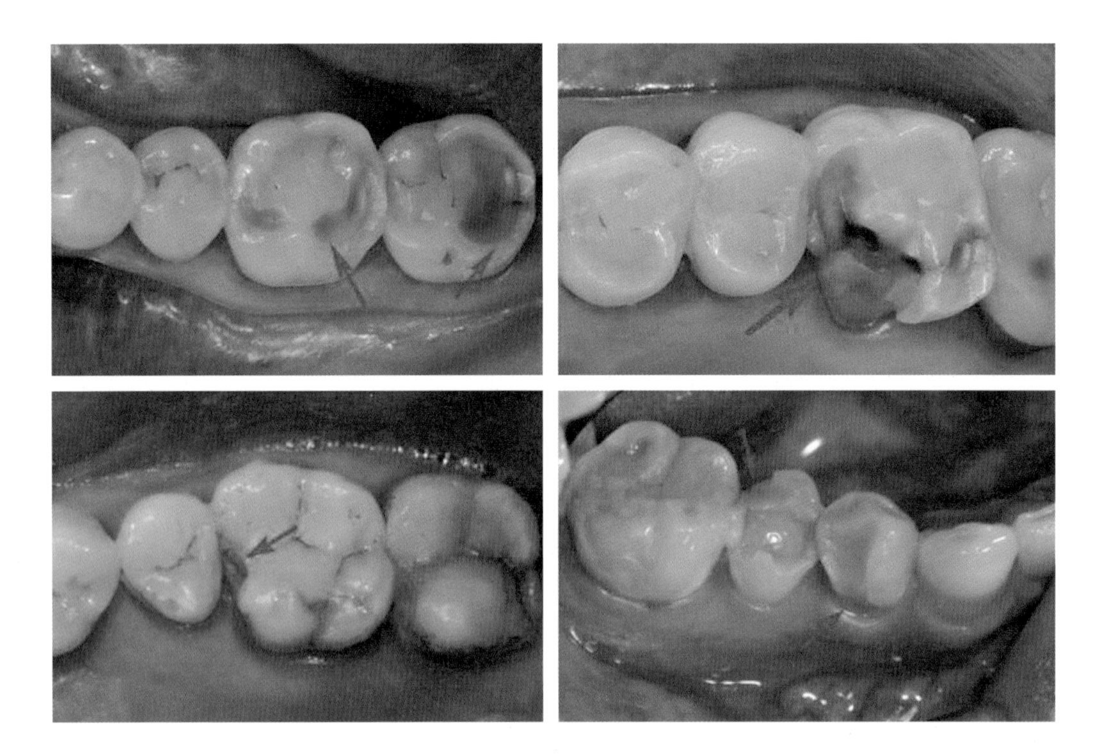

[치아균열증후군]

음식물을 주로 씹는 어금니들에서 나타난다. 치아에 과도한 하중이 가해져 균열이 생기기도 하며 스트레스를 받을 때 이를 악무는 습관, 이갈이가 심한 경우, 딱딱하고 질긴 음식을 즐기는 습관들 등 다양한 원인이 있다. 천천히 진행되는 경우가 많아 중년층에 접어들면 발생 빈도가 높다.
초기에는 레진이나 인레이, 좀 심한 경우 크라운 등 비급여 치료가 필요하며 치아가 쪼개질 경우 발치가 필요할 수도 있다.

S02.6 하악골의 골절 (Fracture of mandible)
●S02.62 하악골의 관절돌기의 골절 (Fracture of condylar process of mandible)
●S02.63 하악골의 아래관절돌기의 골절 (Fracture of subcondylar process of mandible)
●S02.64 하악골의 갈고리돌기의 골절 (Fracture of coronoid process of mandible)
●S02.65 하악골의 가지의 골절 (Fracture of ramus of mandible)
●S02.66 하악골의 각의 골절 (Fracture of angle of mandible)
●S02.67 하악골의 결합부위의 골절 (Fracture of symphysis of mandible)
●S02.68 하악골의 기타 부위의 골절 (Fracture of other site of mandible)

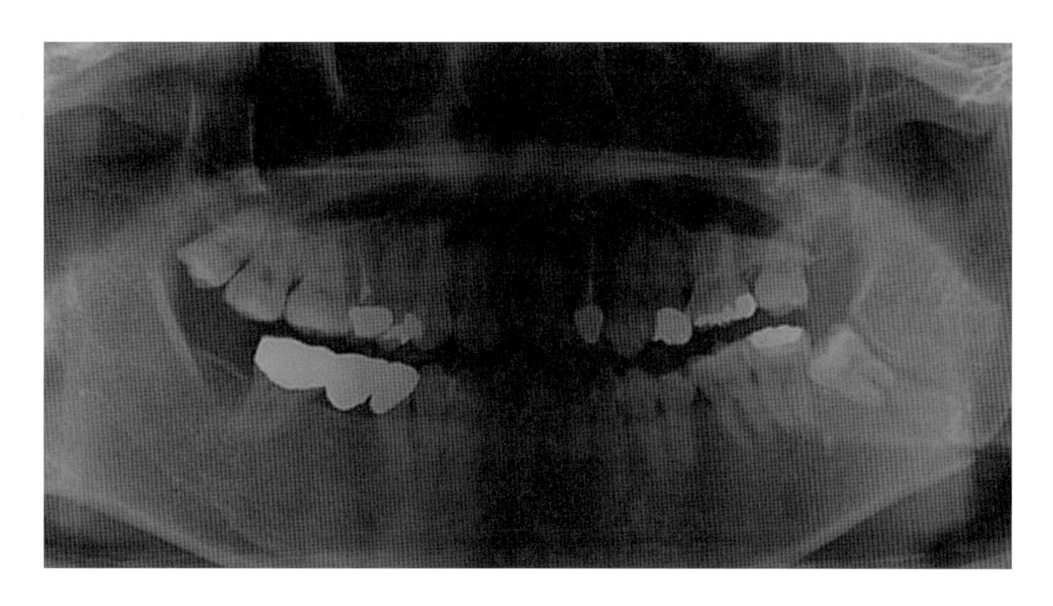

적용되는 사례는 많이 없으며 보험 항목 중 골절로 인하여 [악간고정술] 시 적용 가능하다.

[S03] 머리의 관절 및 인대의 탈구, 염좌 및 긴장 (Dislocation, sprain and strain of joints and ligaments of head)

S03.0 턱의 탈구 (Dislocation of jaw)
S03.2 치아의 탈구 (Dislocation of tooth)
●S03.20 치아의 아탈구 (Subluxation of tooth)
●S03.21 치아의 함입 또는 탈출 (Intrusion or extrusion of tooth)
●S03.22 치아의 박리(완전탈구) (Avulsion of tooth [exarticulation])
●S03.29 상세불명의 치아의 탈구 (Dislocation of tooth, unspecified)

S03.3 머리의 기타 및 상세불명 부분의 탈구 (Dislocation of other and unspecified parts of head)
S03.4 턱의 염좌 및 긴장 ((Sprain and strain of jaw)
S03.5 머리의 기타 및 상세불명 부분의 관절 및 인대의 염좌 및 긴장 (Sprain and strain of joints and ligaments of other and unspecified parts of head)
S04.3 삼차신경의 손상 (Injury of trigeminal nerve)

S03.0 턱의 탈구 (Dislocation of jaw)

말 그대로 턱이 빠진 경우로 악관절 탈구정복술을 시행한 경우 [악관절탈구 정복술] 청구 가능한데 실제 청구가 적다. [비관혈적정복술]의 경우 치료 도중에 탈구되어 정복술 시행한 경우도 청구 가능한 부분인데, 진료실에서 어떤 일이 벌어졌는지 알 수 없는 청구자는 차팅(악관절탈구 비관혈적 정복술 차팅 누락)만 보고 누락청구를 할 수밖에 없다.
[관혈적 정복술]은 치과의원급에서 적용하는 예는 거의 없다.

☆ 관련 보험진료 행위

악관절탈구정복술

차-90 악관절탈구 비관혈적정복술 (Closed Reduction of TMJ Dislocation) 진료비 : 12,010원

차-91 악관절탈구 관혈적정복술 (Open Reduction of TMJ Dislocation) 진료비 : 413,720원

탈구된 악관절을 원위치로 돌려놓는 치료방법으로 수 조작을 통한 비관혈적 방법과 수술을 통한 관혈적 방법이 있다. 의과와 공통적으로 사용하는 코드로 9장(N0771)과 10장에 같은 방법이 있다. 치과에서는 10장의 코드(U4900)로 청구를 한다.

▶ 악관절탈구비관혈적정복술

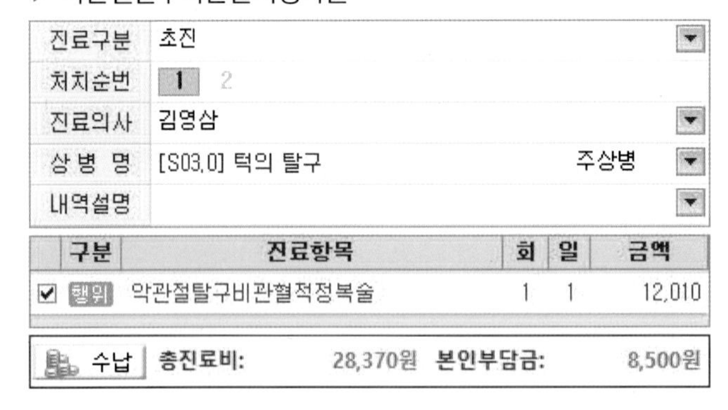

S03.2 치아의 탈구 (Dislocation of tooth)

●S03.20 치아의 아탈구 (Subluxation of tooth)

치아가 완전히 빠지지는 않고 치조골내에서 약간 변위된 정도를 말한다. [치아의 탈구]라는 포괄적 상병에서 [치아의 아탈구]라는 상병이 생기긴 하였지만, 아직도 [치아의 진탕] 등은 구분되어 있지 않으므로 진탕을 포함한다고 봐야 할 듯하다. [탈구치아 정복술]과 [잠간고정술] 등에 적용 가능하다. 당연히 진단을 위한 방사선 촬영이나 그로 인한 근관치료 등에서 적용 가능하다.

●S03.21 치아의 함입 또는 정출 (Intrusion or extrusion of tooth)

말 그대로 치아가 함입되거나 정출된 형태로 치아의 아탈구와 같은 경우에 산정 가능하다.

●S03.22 치아박리(완전탈구) (Avulsion of tooth [exarticulation])

치아가 완전히 빠진 상태로 [탈구치아정복술]보다는 [치아재식술]을 청구하는 게 맞을 듯하다. 나머지 산정과 관련된 내용은 아탈구 상병과 같다.

☆ 관련 보험진료 행위

차-63 치아재식술 [1치당] (Replantation)

진료비 : 28,470원

1) 외상 등으로 인해 치아가 탈구(상병명 : 「S03.22 치아의 박리」)되거나
2) 치아가 체내에 있으나 치근단 하방에 병소가 있어(상병명 : 「K04.7 등의 농양상병」) 예후가 좋지 않다고 판단되는 경우, 치아를 발거하여 발치된 치아에 근관치료를 시행하고 치근단 병소를 소파한 후 재식하는 행위

차63 치아재식술 당일에 실시한 차10 발수 산정방법에 대하여

〈치료내역 -생략〉

■ 심의결과

○ 1일 동일치아에 차63치아재식술, 차10발수의 수기료 산정방법은 치아재식술 100%와 차10 발수는 제2수술로 소정점수 50%만 인정함.

■ 심의내용

○ 치아재식술은 근관치료가 동시에 이루어지는 경우가 많은 시술이나 이에 대한 구체적인 고시가 없어 요양급여 적용 시 혼란이 있어 질의가 많은 항목임.

○ 치아외상으로 상악 우측중절치의 치경부가 파절되어 치수가 노출된 경우로 내원당일 치아를 발거한 후 의도적 재식술 및 발수를 시행한 건임.

○ 치아재식술은 근관치료와 동시에 이루어지는 경우가 많은 시술로 2가지 이상의 시술을 동시에 하였으므로 1일 동일치아에 차63 치아재식술, 차10 발수의 수기료는 주된 수술은 소정점수의100%, 제2의 수술은 소정점수의 50%(종합병원/상급종합병원/치과대학부속치과병원은 70%)를 산정함이 타당함.

[2016.8.25. 진료심사평가위원회(중앙심사조정위원회)]

동일날 동일치아에 실시한 치아재식술, 치근단절제술 수가산정방법 및 광중합레진을 이용한 치간고정술 인정여부에 대하여

〈중략〉

아울러, 치간고정장치(화학중합형레진 등)를 동시 시행한 경우 수기료는 차-33 치간고정술의 소정점수를 산정하고 사용된 재료대는 별도 산정토록 하고 있는 바, 비급여 품목인 광중합형레진, 광중합형글래스아이노머를 이용하여 치간고정술을 시행한 경우에도 수기료는 차-33 치간고정술을 산정하되, 재료대는 비급여 품목이므로 급여대상에서 제외함.

[2008.5.6 진료심사평가위원회]

S03.4 턱의 염좌 및 간장 (Sprain and strain of jaw)

악관절장애와 거의 비슷한 내용이나 악관절치료의 상병명으로는 적용 불가능하다.

외상 등에 의해 악관절장애로 내원시 특별히 시술한 항목 없이 마사지나 온팩 정도로만 처치했을때 기본진료의 상병명으로 적용할 수 있다.

S04.3 삼차신경의 손상 (Injury of trigeminal nerve)

발치 등의 시술후 발생한 신경손상으로 인한 지각마비가 있는 경우 적용 가능하다.

요즘 지각마비가 있는 경우 뉴론틴과 같은 신경병증성 통증치료제를 처방하는 경우가 있는데이 약제의 경우 주로 간질에 쓰이며 신경손상이 된 경우 처방을 하게 된다. 따라서 발치와 연관된 상병명보다는 위에 언급된 삼차신경 손상과 관련된 상병명을 적용하는 것이 좋겠다.

자연개구를 통해 들어간 이물의 영향(T15-T19)
(Effects of foreign body entering through natural orifice)

[T17] 기도의 이물 (Foreign body in respiratory tract)

T17.2 인두의 이물 (Foreign body in pharynx)
비인두의 이물 (Nasopharynx)
목구멍 NOS (Throat NOS)

목(구강이 아닌)에 가시가 걸려서 오는 경우가 가끔 있다. 이비인후과에 가는 경우가 대부분이지만 가끔 치과에 오는 경우 기본진료가 아닌 [인두이물제거]로 청구할 수 있다. 아마도 치과 청구 프로그램에선 상병코드 및 행위코드가 모두 없을 것이다. 각 프로그램 회사별 질병코드 및 행위코드를 추가할 수 있으니, 이런 경우가 있다면 이비인후과로 refer하지 말고 직접 청구해 보자.

☆ 관련 보험진료 행위

자-227 인두이물제거 (Removal of Pharyngeal Foreign Body)

		상대가치점수	진료비
Q2271	가. 단순 [편도상와] Simple	182.7	15,970원
Q2272	나. 복잡 [설근부, 하인두 등] Complicated	624.88	54,610원

적응증	인두 이물
실시방법	1. 환자를 조명 시설이 있는 의자에 앉힌다. (조명은 환자의 후상방에 위치하게 한다.) 2. 시술 전에 환자를 안심시킨다. 3. 환자에게 입을 벌리게 한다. 4. 설압자 등을 이용하여 혀를 눌러 시야를 확보한 뒤, 편도 상와, 후인두벽 등에 위치한 인두 이물의 위치를 확인한다. 5. Forcep 등을 사용하여 인두 이물을 제거한다. 6. 인두 이물 제거 후 출혈 유무를 확인한다.
전형적 사례	- 성별/연령 : 남아/9세 - 상병명/증상 : 인두 이물/인두통 - 입원여부 : 외래 - 시술장소 : 외래진료실 - 마취여부 : 없음

달리 분류되지 않은 외과적 및 내과적 치료의 합병증(T80-T88)
(Complications of surgical and medical care, NEC)

[T85] 기타 내부 인공삽입장치, 삽입물 및 이식편의 합병증
(Complications of other internal prosthetic devices, implants and grafts)

T85.6 기타 명시된 내부 인공삽입장치, 삽입물 및 이식편의 기계적 합병증

(Mechanical complication of other specified internal prosthetic devices, implants and grafts)

치과보철물장치의 파절 및 상실 (Fracture or loss of dental prosthetic device)

원칙적으로 통계청 분류를 살펴보면 T85.6은 〈기타 명시된 내부 인공삽입장치, 삽입물 및 이식편의 기계적 합병증(Mechanical complication of other specified internal prosthetic devices, implants and grafts)〉으로 나와 있는데, 치과적으로는 치과보철물의 파절 및 상실로 적용해서 사용하는 듯하다. 예전에 「Z46.3 치과보철 장치의 부착 및 조정, 치과보철물의 파절 및 상실」를 자주 적용했었는데 최근 들어 Z상병의 사용보다는 T상병의 사용을 권장하고 있다.

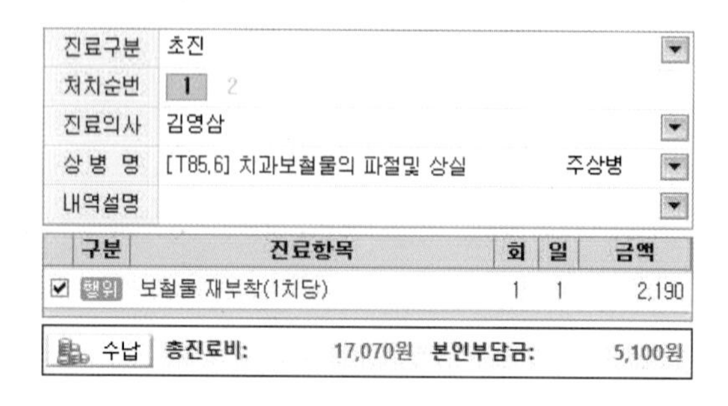

아직도 보철물 재부착을 1만원을 받거나 청구도 하고 재료비 명목으로 또 1만원을 받는 경우도 있는데, 명백한 임의비급여, 이중청구에 해당이 된다. 이는 허위 부당청구에 해당하는 항목으로 환자의 민원이 들어가면 현지조사의 대상이 될 수 있으니, 이제는 제대로 청구하고 제대로 받아야 하겠다.

임플란트의 경우 스크류 파절시 치은박리하여 파절된 스크류 제거 시 [악골내고정용금속제거술]을 청구할 수 있는데, 이때 상병으로 적용할 수 있고, SCRP 타입으로 홀 충전물 탈락되서 내원하여 충전할 경우 적용할 수 있다.

☆ 관련 보험진료 행위

차-90 치과임플란트 제거술 (1치당) Dental Implant Removal

		상대가치점수	진료비
U4981	가. 단순 Simple	94.87	8,290원
U4982	나. 복잡 Compex	769.69	67,270원

- 골유착 실패로 동요도가 있는 경우 가. 단순으로 산정
- 동요도가 없는 임플란트 주위염, 파절, 신경손상 등으로 Trephine Bur 또는 별도의 전용제거 Kit을 사용하는 경우 나. 복잡으로 산정
- 마취, 방사선 별도 산정 가능
- Bur(가) 산정 가능
- 해당연령 제한 없음

차-97 악골내고정용금속제거술 Removal of Implant for Internal Fixation

		상대가치점수	진료비
U4975	주 : 골에 삽입한 금속핀이나 금속정 등을 간단히 제거한 경우	495.69	43,320원

▶ 임플란트 홀 충전

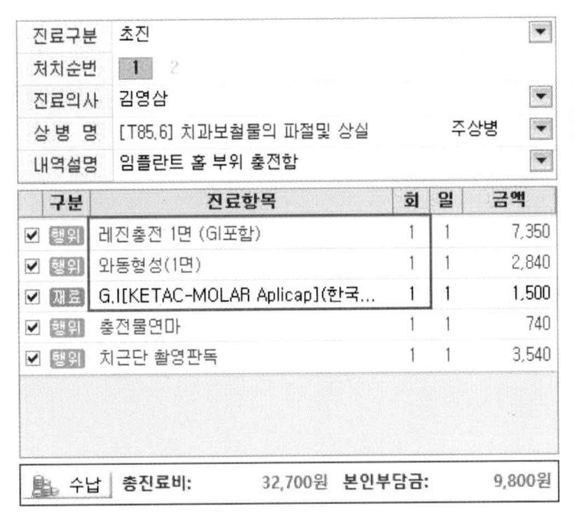

진료구분 초진
처치순번 1 2
진료의사 김영삼
상 병 명 [T85.6] 치과보철물의 파절및 상실 주상병
내역설명 임플란트 홀 부위 충전함

구분	진료항목	회	일	금액
행위	레진충전 1면 (GI포함)	1	1	7,350
행위	와동형성(1면)	1	1	2,840
재료	G.I[KETAC-MOLAR Aplicap](한국...	1	1	1,500
행위	충전물연마	1	1	740
행위	치근단 촬영판독	1	1	3,540

수납 총진료비: 32,700원 본인부담금: 9,800원

▶ 악골내고정용금속제거술

진료구분 초진
처치순번 1 2
진료의사 김영삼
상 병 명 [T85.6] 치과보철물의 파절및 상실 주상병
내역설명 파절된 스크류 제거함

구분	진료항목	회	일	금액
행위	악골내고정용금속제거술	1	1	43,320
행위	전달마취(나) - 하치조신경블록크	1	1	4,610
약제	휴온스리도카인염산염수화물-에피네...	2	1	840
행위	의약품관리료 1일분 (의원)	1	1	200
행위	치근단 촬영판독	1	1	3,540

수납 총진료비: 74,790원 본인부담금: 22,400원

13 건강상태 및 보건서비스 접촉에 영향을 주는 요인 (Z00-Z99)

Factors influencing health status and contact with health servisces (Z00-Z99)

검사 및 조사를 위해 보건서비스와 접하고 있는 사람 (Z00-Z13)

(Persons encountering health services for examination and investigation)

[Z01] 호소증상 또는 보고된 진단명이 없는 사람의 기타 특수 검사 및 조사

(Other special examination and investigations of persons without complaint or reported diagnosis)

Z01.0 눈 및 시력의 검사 (Examination of eyes and vision)

제외 운전면허를 위한 검사 (Z02.4)

Z01.1 귀 및 청력의 검사 (Examination of ears and hearing)

Z01.2 치아검사 (Dental examination)

Z01.3 혈압검사 (Examination of blood pressure)

[Z02] 행정목적을 위한 검사

(Examination and encounter for administrative purposes)

Z02.6 보험목적의 검사 (Examination for insurance purposes)

Z02.7 진단서의 발급 (Issue of medical certificate)

Z02.8 행정목적을 위한 기타 검사 (Other examinations for administrative purposes)

[Z04] 기타 이유의 검사 및 관찰 (Examination and observation for other reasons)

Z04.2 작업사고후 검사 및 관찰 (Examination and observation following work accident)

Z04.6 당국의 요청에 의한 일반적인 정신의학적 검사 (General psychiatric examination, requested by authority)

Z04.8 기타 명시된 이유의 검사 및 관찰 (Examination and observation for other specified reasons)

전염성 질환과 관련되어 잠재적인 건강위험이 있는 사람(Z20-Z29) (Persons with potential health hazards related to communicable diseases)

[Z29] 기타 예방적 조치의 필요 (Need for other prophylactic measures)

제외 예방적 외과수술(Z40.-)
앨러지항원에 대한 탈민감(Z51.6)

Z29.8 기타 명시된 예방적 조치 (Other specified prophylactic measures)

☆ 관련 보험진료 행위

차-39 치면열구전색술 [1치당] Fissure Sealing

진료비 : 26,700원

- 치아의 교합면 등의 홈을 충치가 생기지 않도록 흐름성이 강한 레진으로 메우는 예방치료
- 탈락 또는 파절로 2년 이내에 동일 의료기관에서 동일치아에 재도포를 시행한 경우에는 진찰료만 산정 가능
- 재료대(전색제 비용 포함), 러버댐 장착료 및 재도포비용은 소정점수에 포함되므로 별도 산정 불가
- 본인부담금 10%

치과에서 불소를 이용한 치아우식증 예방처치(불소바니시도포, 불소용액도포, 이온영동법 등)는 다음과 같은 경우에 인정하며, 수기료는 차4 지각과민처치에 준용하여 산정하고 약제료는 별도 산정하지 아니함.

-다음-

가. 두경부 방사선 치료를 받은 환자

나. 쉐그렌 증후군 환자

다. 구강건조증 환자(비자극시 분비되는 전타액 분비량이 분당 0.1 ml 이하를 의미함)

라. 장애인으로 등록되어 있는 뇌병변장애인, 지적장애인, 정신장애인, 자폐성장애인

▶ 덴트웹 프로그램 – 지각과민처치 (가) 준용수가 코드 JJJJJJ

2018-05-01		7654321 | 1234567 7654321 | 1234567	내역설	쉐그렌증후군 불소도포시행				48,610	14,500
	주 기타 명시된 예방적 조치(Z298)		진료내	초진	1.0	1.0	1	13,840	
				준용수가	1.1	1.0	1	34,776	
			특정내	차-4 U0041 지각과민처치 (가)에 준함 JS009					

진료일자	순서	치아번호	처치코드	상병	처치내용	수량	일수	I항금액	II항금액
				Z29.8	AA200 재진료	1	1	9,180	
	1	7654321 | 1234567 7654321 | 1234567		Z29.8	정신지체장애 가산진찰료	1	1	750	
				Z29.8	JJJJJJ 지각과민처치준용[전악]	1	1	34,776	
2018-05-25				서술	/JX999=J001JS009 지적장애 불소도포				
						소 계		44,706	0
						가 산		15%	0
						총진료			44,706
						본인액		[정률]	13,400

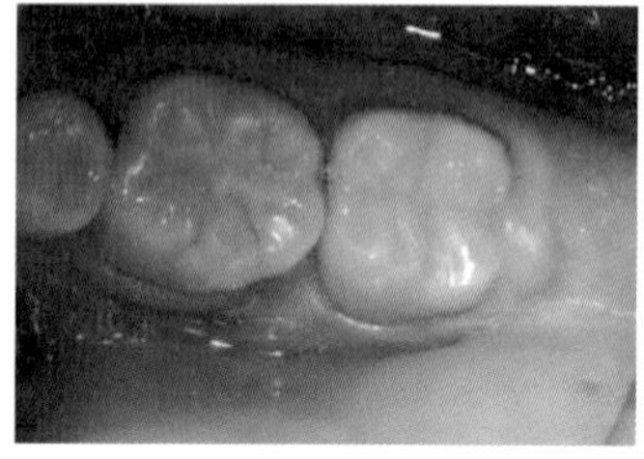
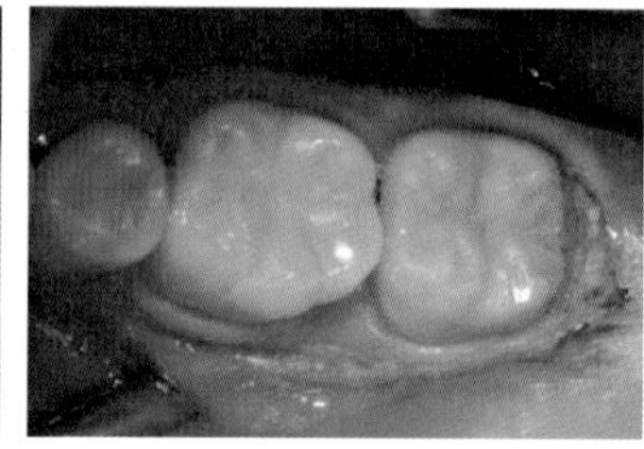
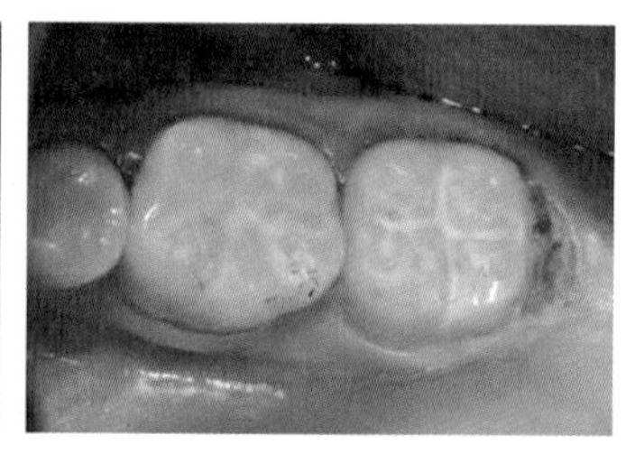

– 각 프로그램별 지각과민처치(가)에 준용하는 코드(JJJJJ)를 만들어 청구해야 한다.

– 최대 인정횟수는 정해져 있지 않으므로 시행한 치아 개수대로 산정 - 줄번호 특정내역 - [JS009]

특정 처치 및 건강관리를 위하여 보건서비스와 접하고 있는 사람(Z40-Z54)
(Persons encountering health services for specific procedures and health care)

[Z46] 기타 장치의 부착 및 조정를 위하여 보건서비스와 접하고 있는 사람
(Persons encountering health services for fitting and adjustment of other devices)

Z46.3 치과보철 장치의 부착 및 조정을 위하여 보건서비스와 접하고 있는 사람 (Persons encountering health services for fitting and adjustment of dental prosthetic device)

Z46.3 치열교정 장치의 부착 및 조정을 위하여 보건서비스와 접하고 있는 사람 (Persons encountering health services for fitting and adjustment of orthodontic device)

Z46.3 기타 명시된 장치의 부착 및 조정을 위하여 보건서비스와 접하고 있는 사람 (Persons encountering health services for fitting and adjustment of other specified devices)

Z46.3 치과보철 장치의 부착 및 조정

이 상병명은 틀니가 급여화되면서 급여 틀니의 유지 및 관리를 위해 내원한 경우에 사용하길 권장하고 있다. 과거에는 보철물 재부착 상병으로 적용했었지만 현재는 「T85.6 치과보철물의 파절 및 상실」 이란 상병명으로 사용하길 권장한다.

Z46.4 치열교정 장치의 부착 및 조정

치열 교정장치의 부착 및 조정은 일반항목으로 보험으로 적용되는 경우는 없다.

실제로는 [치과보철장치의 부착 및 조정]과 마찬가지로 상병명이라기보다는 술식에 가깝다. 하지만 현재 본원에서 치료받고 있는 환자의 교정장치의 부착이나 조정은 청구할 수 없다. 쉽게 말해서 다른 치과의 환자가 응급으로 문제가 생겼을 때 가까운 치과에서 조금 도와줄 때 청구 가능한 치료이자, 상병명이라고 생각하면 된다. 그러나 실제로 다른 치과에서 교정하는 환자라 할지라도 교정치료에 대한 간단한 치료를 해주고 받을만한 항목이 거의 없다. 그냥 봉사차원에서 기본진료비나 받든지, 아니면 오히려 심평원 측에서는 정식으로 비급여 청구를 하라고 하는 경우도 많다. 그러나 실제로 다른 치과에서 교정하는 환자가 와이어가 볼에 너무 찔린다고 좀 해결해 달라고 찾아왔을 때 와이어 좀 잘라주고 몇 만원씩 받을 그런 치과의사가 몇이나 될까? 교정이 급여화된다면 적용은 많아질 것이다.

[Z48] 기타 외과적 추적치료를 위하여 보건서비스와 접하고 있는 사람
(Persons encountering health services for other surgical follow-up care)

Z48.0　외과적 드레싱 및 봉합에 대한 관리

예를 들자면 타 병원이나 응급실에서 suture를 하고 내원한 경우 드레싱 및 봉합사 제거를 한 경우 현재 사용중인 프로그램에서 처치버튼이 없기 때문에 그냥 치과의 [U2211]**수술 후 처치(가)**을 청구하지만, 처치버튼 등록 후 [M0111] **창상처치**(1) **단순처치**로 청구 가능하다.

☆ 관련 보험진료 행위

자-2-1 일반처치 또는 수술 후처치 등 [1일당]

가. 창상처치 (Wound Dressing)		상대가치점수	진료비
M0111	(1) 단순처치 (Simple Dressing)	65.66	5,740원
	주 : 수술창의 처치(경미한 염증 포함), 열상 및 좌상의 처치에 산정한다.		
M0121	(2) 염증성 처치 (Infectious Wound Dressing)	122.94	10,740원
	주 : 수술창의 심한 염증 처치, 심한 욕창, 염증이 심한 상처의 처치에 산정한다.		

▶ 자2-1가(1) 단순처치

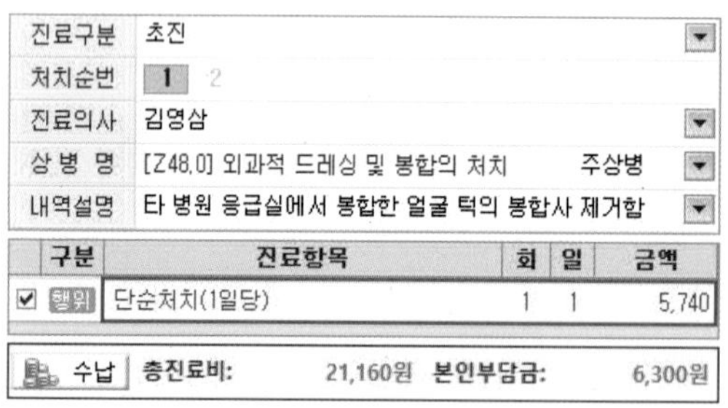

▶ 차21가 수술후처치(단순처치)

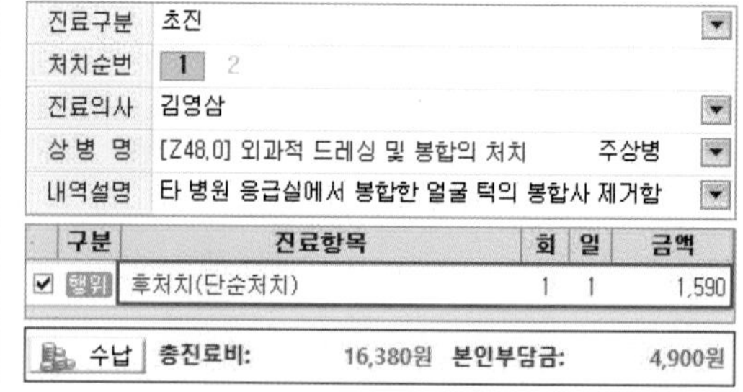

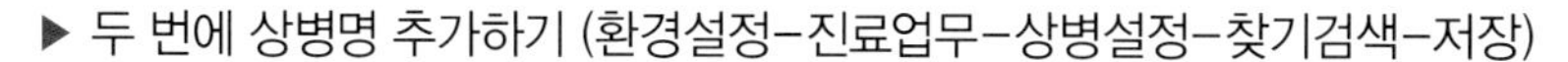

▶ 두 번에 상병명 추가하기 (환경설정-진료업무-상병설정-찾기검색-저장)

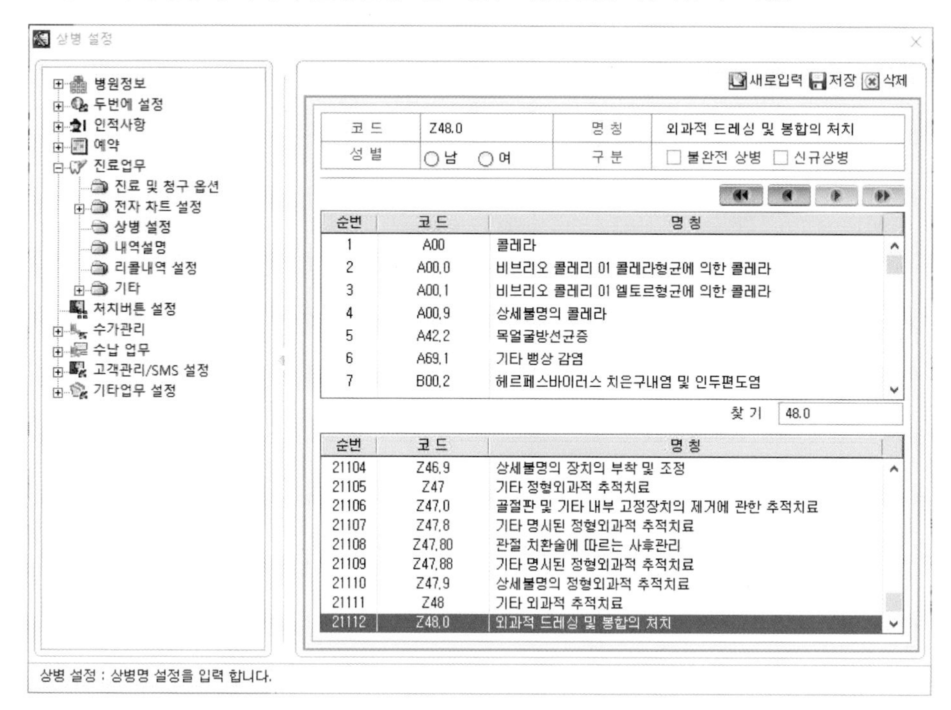

▶ 두 번에 행위명 추가하기 (환경설정-수가관리-행위설정-행위추가-단어검색-저장

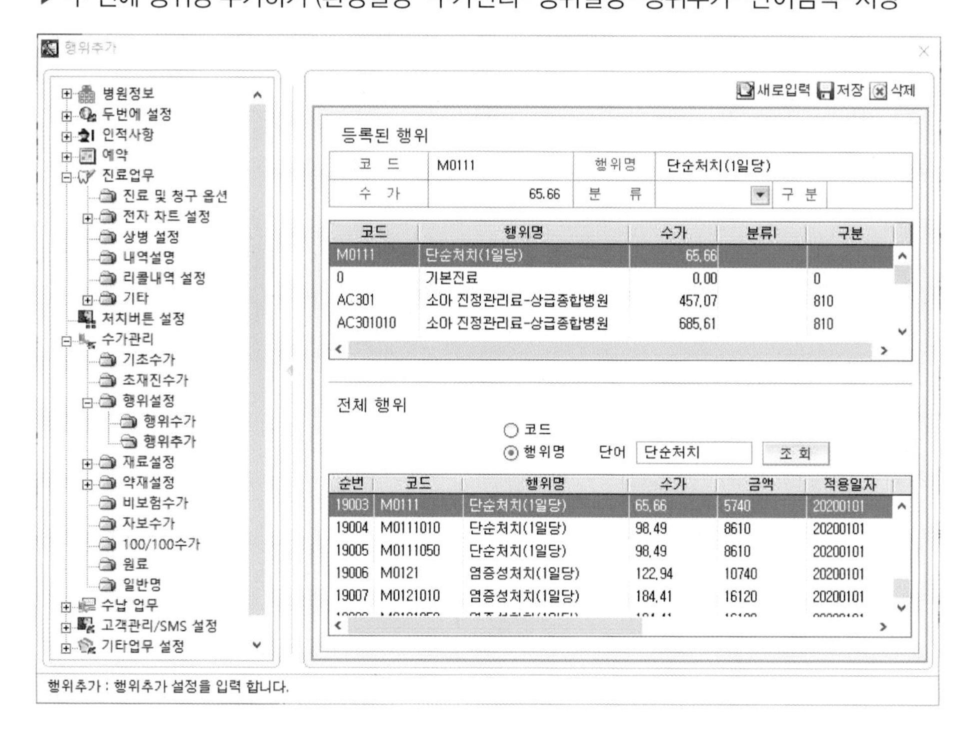

기타 상황에서 보건서비스와 접하고 있는 사람 (Z70-Z76)
(Persons encountering health services in other circumstances)

[Z76] 기타 상황에서 보건서비스와 접하고 있는 사람
(Persons encountering health services in other circumstances)

Z76.0 반복처방전의 발행 (Issue of repeat prescription)

Z76.5 꾀병자[의식적 모방] (Malingerer [conscious simulation])

가족 및 개인 기왕력과 건강상태에 영향을 주는 특정 병태에 관련된 잠재적 건강위험을 가진 사람 (Z80-Z99)

[Z96] 기타 기능성 삽입물의 존재 (Presence of other functional implants)

Z96.5 치근 및 하악골 삽입물의 존재 (Presence of tooth-root and mandibular implants)

Z96.8 기타 명시된 기능적 삽입물의 존재 (Presence of other specified functional implants)

[Z97] 기타 장치의 존재 (Presence of other devices)

Z97.2 치과보철장치(전부)(일부)의 존재 (Presence of dental prosthetic device (complete)(partial))

Z97.8 기타 명시된 장치의 존재 (Presence of other specified devices)

부록

1. 상병명 Q&A
2. 상병명 정리 〈참고 자료〉

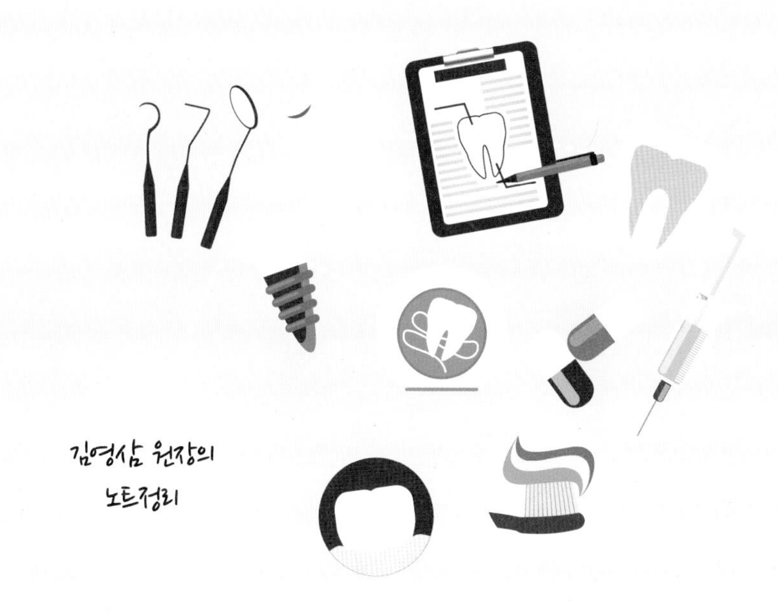

1. 상병명 Q&A

치과건강보험 대표카페 [치건사모]에 많이 올라오는 질문을 뽑아 보았습니다. 건강보험에 정답이 없듯, 상병명에도 정답은 없습니다. 하지만 가장 적절한 상병은 있기에 질문에 대해 주관적인 입장으로 가장 적절한 답변을 달아 보았습니다.

▶ 기본진료(기본진료 & 약처방 & 방사선)

Q1 사랑니 주변 염증으로 인한 통증으로 내원하여 당일 베타딘 & 셀라인 드레싱 후 「K01.173 하악 제3대구치의 매복」상병에 [수술 후 처치]로 청구하고, 약처방을 했는데, 삭감되었어요. 상병명이 잘못된 건가요?

A1 상병명 보다는 청구 행위가 잘못 되었습니다. [수술 후 처치]는 발치 후 발치 부위에 드레싱을 시행한 경우에 청구하는 행위입니다. 동 사례처럼 발치 전 염증으로 드레싱만 시행한 경우에는 [기본진료]로 청구해야 합니다. 이 때, 상병명은 매복치인 경우 「K01.173 하악 제3대구치의 매복」 도 가능하나, 「K05.22 급성치관주위염」 상병도 자주 적용되고 있습니다. 환자의 치아 상태에 맞는 적절한 상병으로 적용하시면 됩니다.

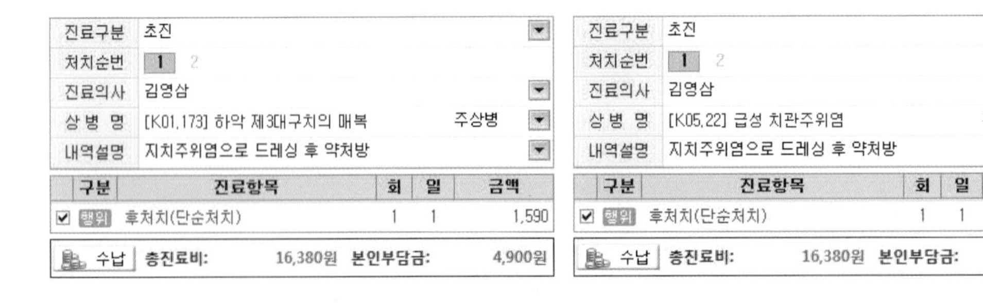

Q2 턱관절 통증으로 내원하여 파노라마 촬영 후 처방전 발급을 해야 하는데, 상병명은 어떤 걸로 해야 하나요?

A2 「K07.6 턱관절 장애」 관련 상병 중에서 환자의 턱관절 통증 원인에 맞는 것으로 적용하시면 됩니다. 주로 많이 적용되는 상병명은 「K07.60 턱관절 내장증」, 「K07.63 달리 분류되지 않은 턱관절의 통증」 등이 있습니다.

Q3 전악 스케일링 후 #47 엔도를 해야 하는 상황인데, 환자분께서 우선 약처방만 해달라고 하셔서 그렇게 하기로 했는데, 이 때 처방전 상병명을 '치수기원의 급성 근단성 치주염'으로 해도 괜찮을까요?

A3 우선 이런 경우 스케일링과 약처방에 대한 청구를 나누어서 해야 합니다.

처치순번 1에는 전악 스케일링 청구 후 주상병으로 「K05. 치은염 및 치주질환」 상병 중에서 적용을 합니다. 그리고 처치순번 2에는 부상병으로 「K04.01 비가역적 치수염」, 「K04.4 치수기원의 급성 근단치주염」, 「K04.7 동이 없는 근단주위농양」 등 치아 상태에 맞는 상병을 적용하시면 됩니다. 참고로, 항생제의 처방이 동반되는 경우에는 「근단치주염, 근단농양」 등 근단병소 관련 상병이 적절합니다.

Q4 소아환자가 유치발치 하러 내원했습니다. 아직 발치시기가 되지 않아 검진만 진행했는데요. 이런 경우 상병명은 어떻게 해야 하나요?

A4 「K00.6 치아맹출의 장애」 관련 상병으로 적용 가능한데, 이 중에서 「K00.63 잔존 유치」가 가장 적절해 보이며, [기본진료]로 청구하시면 됩니다.

Q5 최후방 구치 맹출 중 통증으로 내원했습니다. 해줄 게 없어서 간단히 드레싱만 하고 많이 아프면 진통제 먹으라고 했습니다. 이 때, 상병명은 어떤 걸로 해야 하나요?

A5 「K00.6 치아맹출의 장애」 관련 상병으로 적용 가능하며, 맹출로 인한 통증이라면 「K007. 생치증후군」 상병도 적용 가능합니다.

Q6 신환인데 영구치가 올라오면서 잇몸이 살짝 너덜너덜해져서 통증으로 내원했습니다. 치아가 다 올라올 때까지 기다리기로 하고 당일 드레싱만 하셨는데, 상병명은 어떤 걸로 청구하는 게 좋을까요?

A6 환자의 나이와 진단에 따라 「K00.6 치아맹출의 장애」 관련 상병 또는 「K05.08 기타 명시된 급성 치은염」이나 「K05.22 급성 치관 주위염」 등 치은염 및 치주질환 상병으로도 적용 가능합니다.

Q7 환자분이 오셔서 검진 후 상담만 받고 가셔서 기본진료로 청구하려고 하는데 상병명 좀 알려주세요.

A7 기본진료에 정해진 상병명은 없습니다. 진단결과에 맞는 상병명을 적용하시면 됩니다. 「K02. 치아우식」, 「K05. 치은염 및 치주질환」 등 발견된 질병에 대한 여러가지 상병으로 적용할 수 있습니다. 다만, 비급여 진료에 대한 상담이라면 기본진료는 청구 불가합니다.

Q8 자전거 타다가 넘어져서 아래 앞니를 부딪쳐서 내원한 환자입니다. 이상이 있는지 확인 차 치근단 촬영을 했습니다. 상병명은 어떤 걸로 해야 하나요?

A8 치근단촬영 후 그에 맞는 진단과 연결하여 적절하게 적용하시면 됩니다. 이 경우 「S03.20 치아의 아탈구」가 가장 적절해 보입니다. 그리고 이 상병은 「치아의 진탕」을 포함하고 있습니다.

Q9 소아환자의 보호자분이 영구치 맹출 상태 확인을 원하셔서 파노라마 촬영을 했는데, 보험 청구 가능한가요? 이때 상병명은 뭐로 하는 게 좋을까요?

A9 파노라마 촬영의 산정기준을 보면 맹출 확인을 위한 경우가 있긴 합니다. 다만, 맹출되는 평균 연령을 초과한 경우가 이에 해당이 되니, 소아의 연령을 확인한 후 「K00.68 기타 명시된 치아맹출의 장애」 등의 상병을 적용하여 청구하시면 됩니다.

> 파노라마 촬영은 부분적인 치근단촬영만으로는 진단이 불충분하거나, 소아의 해당치아가 맹출되는 평균 연령을 초과한 경우 등 임상적으로 필요한 경우 인정함.
>
> (고시 제2016-214호 2016.12.1.시행)

Q10 잇몸 염증 C.C로 오셨는데, 보니 ulcer더라구요. 오라메디 도포했는데, 청구를 어떻게 하고 상병은 뭘로 넣는 게 좋을까요?

A10 간단한 연조직 질환 처치는 [기본진료] 청구 가능합니다. 내역설명에 '연고도포'라고 해주시면 더

좋습니다. 이때 사용할 수 있는 상병은 「K12.0 재발성 구강 아프타」, 「K12.1 구내염의 기타 형태」를 넣을 수 있고, 혹시 헤르페스성 입술 염증이 있는 경우라면 「B00.2 헤르페스바이러스 치은구내염」으로 적용하시면 됩니다.

▶ 기본진료 & 약처방 & 방사선

- 기본진료에 특정 상병이 정해져 있지 않기 때문에 어떤 상병을 적용해도 무방
- panorama 청구 시 K05.30, K01.173의 일률적인 상병 지양
- 증상과 처치내역에 맞게 적용
- 통증동반 + 약처방 : 급성 상병 추천
- 기본진료만 청구 시 내역설명 추천

K01.173	하악 제3대구치의 매복	dressing + 약처방
K02.0	에나멜 우식	상담만, 치료 안 해도 되는 경우
K02.1	상아질 우식	생각해 보고 오기로 함, 다음에 약속
K05.22	급성치관주위염	plaque control + 약처방
K05.31	만성 복합치주염	다음에 치주치료 or 발치하기로 함
K12.1	구내염의 기타형태	연고 도포

▶ 보존, 보철

Q1 타치과에서 한 충전물 변색 때문에 폴리싱한 경우 어떤 상병명으로 청구해야 하나요?

A1 일반적으로 충전물연마는 충전한 원인의 상병을 따라가기 때문에 충전부위가 치경부라면 「K03.10 치아의 치약마모」, 「K03.11 치아의 습관성 마모」 등을 적용할 수 있으며 우식으로 인해 충전을 한 경우라면 「K02.1 상아질의 우식」 등을 적용할 수 있습니다. 이때, 내역설명(MX999)을 꼭 넣어주세요. 다만, 충전물이 광중합형 글래스아이노머이거나, 광중합형 레진일 경우 충전물 연마는 청구 불가합니다.

Q2 보철물제거(복잡)할 때 우식상병이 아니어도 되나요? 크라운 포세린이 깨져서 다시 하는 건데 상병을 뭘로 할까요?

A2 우리나라 보험제도는 질병보험 제도입니다. 질병이 있을 경우 보험적용 가능하다고 보시면 됩니다. 단순 심미적인 이유라면 비급여 진료에 포함으로 보시는게 맞습니다. 하지만, 그 깨진 보철물로 인해 제2의 질병이 생겼다면 「T85.6 치과보철물의 파절 및 상실」로 [보철물 제거(복잡)] 청구 가능해 보입니다.

Q3 교합조정 상병명 어떤 거 사용하시나요?

A3 교합조정을 하는 원인의 상병명을 적용하시면 됩니다. 치주가 원인이라면 「K05.31 만성 복합치주염」, 「K05.28 기타명시된 급성 치주염」, 교합의 문제라면 「K07.3 치아위치의 이상」, 「K07.4 상세불명의 부정교합」 등을 적용할 수 있습니다. 간혹 볼이나 입술을 깨물어서 오는 경우도 있는데, 이 경우는 「K13.1 볼 및 입술 씹기」 로도 적용 가능합니다.

Q4 G.I 즉처 청구할 때 주로 「K02.0 법랑질에 제한된 우식」이나 「K02.1 상아질의 우식」을 적용하는데 다른 것도 적용할 수 있나요?

A4 충전을 한 원인에 따라 상병도 적용 가능하지만, 치경부 마모증 충전 시 「K03.10 치아의 치약마모」, 「K03.11 치아의 습관성 마모」도 적용 가능합니다. 또한, 치아 파절로 인해 충전하는 경우는 파절관련 상병 「S02.5~」을 적용하시면 됩니다.

Q5 기존 치경부에 G.I가 일부 탈락되어 수복물제거 후 G.I 충전 시행하였는데 즉처인가요? 상병명은 수복물제거, 충전 둘다 마모 상병 써도 되나요?

A5 네!! 수복물제거 + G.I 즉일충전처치 청구하시고 치경부 마모관련 상병 「K03.10 치아의 치약마모」, 「K03.11 치아의 습관성 마모」도 적용 가능합니다.

Q6 자연치아 날카로운 부위 다듬을 때 보통처치와 교합조정 중 뭘로 넣나요? 상병명도 궁금합니다.

A6 날카로운 부위만 다듬었다면 간단한 경조직 질환 처치로 보고 보통처치로 청구할 수 있지만 지원에 따라 기본진료로 인정되기도 합니다. 파절로 인해 날카로운 부위를 다듬었다면 「S02.~파절상병」, 교모로 인해 날카로운 부위를 다듬었다면 「K03.08 기타 명시된 형태의 치아의 교모」를 적용할 수 있습니다.

교합지를 사용하여 많이 걸리는 부분을 삭제를 하였다면 교합조정도 가능합니다.

▶ 충전치료

- 충전원인에 맞는 상병 적용
- 즉일충전처치 : 당일에 와동형성부터 충전까지 완료한 경우 산정
- 충전 : 전처치(보통처치, 진정처치, 근관치료) 후에 충전완료한 경우
- 충전물 연마는 충전 상병 그대로 적용

구분	상병코드	상병	비고
즉일 충전처치	K02.~	우식상병	우식으로 인한 충전
	K03.~	마모, 교모상병	치경부 마모증 치료시 多
	S02.53	치수침범이 없는 치관파절	
충전처치	K02.~	우식상병	깊은 충치로 인한 전처치가 있는 경우
	K04.~	치수상병	근관치료 한 치아에 충전한 경우
지각과민 처치	K03.0~ K03.2	교모, 마모, 침식	주로 마모관련 상병 多 치주관련 상병과 병행하지 않는다. 치주치료 1주일 경과 후 산정 가능 보철한 치아 산정 불가
	K03.8	민감상아질	주로 마모관련 상병 多 치주관련 상병과 병행하지 않는다. 치주치료 1주일 경과 후 산정 가능 보철한 치아 산정 불가

▶ 근관

Q1 신경치료할 때 비가역적치수염(K04.01)을 너무 일률적으로 적용해서 문제가 될 것 같은데 어떤 상병을 사용할 수 있나요?

A1 치료 시 적용할 수 있는 상병은 많습니다. 충치를 제거하는 중 신경이 노출되는 경우 「K02.5 치수 노출이 있는 우식」, 「K02.8 기타 치아우식」, 오래 전 충격으로 인해 변색된 치아에 진행 시 「K04.1 치수의 괴사」, 통증이 심하여 응급근관치료 시는 「K04.4 치수기원의 급성 근단치주염」, 근단 병소로 재근관치료 시 「K04.5 만성 근단치주염」, 「K04.7 동이 없는 근단주위농양」, fistula로 인해 진행하는 경우에는 「K04.62 구강으로 연결된 동이 있는 근단주위농양」 등, 파절로 신경이 노출되어 근관치료가 진행하는 경우 「S02.54 치수 침범이 있는 치관 파절」 등 원인에 따라 적용되는 상병은 다양하게 적용할 수 있습니다.

Q2 저번달에 비가역적 치수염(K04.01)으로 발수를 시행하였는데 계속 안 오시다 오늘 오셔서 아프시다고 합니다. 예후도 안 좋고… 항생제 처방을 내야 하는데 혹시 상병명을 바꿔도 되나요?

A2 치료 중 상병명 변경 가능합니다. 항생제 처방 시에는 농양관련 상병명으로 변경하는 것이 적절해 보입니다. 「K04.4 치수기원의 급성 근단치주염」, 「K04.5 만성근단치주염」, 「K04.7 동이 없는 근단주위농양」 등이 있습니다.

Q3 아래와 같이 청구했는데, [보통처치 1구강당 1회]라는 내용으로 조정되었습니다. 왜 그런 거죠?

진료구분	초진
처치순번	1 2
진료의사	김영삼
상 병 명	[K04.01] 비가역적 치수염 주상병
내역설명	

	구분	진료항목	회	일	금액
☑	행위	수복물,보철물제거(복잡)	1	1	5,750
☑	행위	응급근관처치	1	1	5,700
☑	행위	전달마취(나) - 하치조신경블록크	1	1	4,610
☑	약재	리도카인(1:10만)(광명)	2	1	712
☑	행위	의약품관리료 1일분 (의원)	1	1	200
☑	행위	치근단 촬영판독	1	1	3,540

수납 **총진료비:** 38,010원 **본인부담금:** 11,400원

A3 응급근관처치는 급성상태의 치수염 상병명을 적용는 것이 적절한데, 「K04.01 비가역적 치수염」 상병으로 적용되었기 때문에 상병명 적용착오로 보통처치로 조정된 경우입니다. 이 경우 원장님께서 응급근관처치를 실제 시행하셨다면 재심사를 통해 조정된 금액을 돌려 받으실 수 있습니다. 참고로, 응급근관처치와 가장 잘 어울리는 상병은 「K04.4 치수기원의 급성 근단치주염」이 있습니다.

Q4 유치의 치근단 염증으로 인해서 발수와 구강내소염술했는데, 구강내소염술이 삭감되었습니다. 「K04.01 비가역적 치수염」 적용하고 약처방했는데, 뭐가 잘못되었나요?

A4 유치일지라도 구강내소염술을 시행했을 경우 상병은 「동이 없는 ~ 」 상병이 적절합니다. 또한 발수와 구강내소염술 100:50으로 적용했는지 확인하시길 바랍니다.

유치 치수절단 시 「K04.00 가역적치수염」, 「K04.01 비가역적 치수염」, 유치 발수 시 성인과 동일하게 「K04.~」으로 적용하시면 됩니다. 구강내소염술 시는 「K04.7 동이 없는 근단주위농양」, 「K05.20 동이 없는 잇몸기원의 치주농양」 상병 적용 가능합니다.

Q5 타치과에서 신경치료 중인 치아가 캐비톤이 탈락되서 캐비톤충전을 하고 보통처치로 청구했는데 상병명은 뭘로 해야 하나요?

A5 일반적으로 근관치료 시 적용하는 상병명은 「K04.~」 관련 상병명이 있습니다. 적절하게 적용하고, [보통처치] 산정 가능합니다.

Q6 전(前)달에 신경치료 마무리하고 이번달에 치관확장술 시행하는데 엔도했던 상병 그대로 이어가도 될까요? 아니면 바꿔야 하나요?

A6 「K04.~ 근관치료 상병」을 그대로 적용하면 됩니다.

Q7 발치 가능성을 고려하고 우선 통증을 없애고자 치수절단을 하였는데 상병명 K04.7 동이 없는 근단주위농양으로 청구했다가 응급근관처치로 조정되었어요. 잘못 청구한 건지... 재심을 넣어봐야 할까요?

A7 근단주위농양이 있는 경우 치수절단의 적응증이 아니므로 응급근관처치로 조정된 듯 합니다. 치수절단을 시행하였다면 「K04.01 비가역적 치수염」이나 우식상병 「K02.2 시멘트질의 우식」, 「K02.8 기타 치아우식」 등을 적용할 수 있습니다. 또한 원장님 진료에 대한 상병 적용착오이니, 재심은 가능한 case입니다. 하지만, 발치 전 통증을 없애기 위한 치료목적인지라 행위자체는 응급근관처치에 가까워 보입니다.

Q8 당일 EPT검사 후 발수 진행 시 둘 다 청구 가능한가요? EPT 검사는 「가역적 치수염」 상병을 적용해도 될까요?

A8 EPT검사와 발수 둘 다 청구 가능합니다. 상병은 근관치료 전 전기치수반응검사의 적응증에 맞는 상병을 적용할 수 있습니다.

Q2. **저희 병원에서는 근관치료 전 전기치수반응검사를 자주 시행하는 편입니다. 모든 경우에 다 가능한 건가요?**

A2. 전기치수반응검사는 아래와 같은 경우에 주로 시행할 수 있으며 그 외에 우식증, 구강연조직질환, 발치, 외과적 관찰 등에는 산정 불가합니다. 또한 진료기록부에 양성, 음성의 경과기록을 반드시 기재해야 합니다.

〈전기치수반응검사의 적응증〉

- 외상으로 치수의 염증 의심
- 치아변색, 치아파절
- 치관수복물에 의한 치수염 의심
- 생활치수 예후 판단, 치수염 감별진단

출처 덴탈포커스 2014.11.20

▶ 근관치료

- 프로그램에 기본 setting되어 있는 K04.01 비가역적 치수염의 일률적인 적용 지양
- 근관치료 중에 항생제 처방필요 시 상병명 변경 가능
- 타치과에서 Endo 중 내원: 해당상병, 내역설명 + 근관확대(2번 가능)부터 산정 가능

K04.00	가역적 치수염	치수복조, 치수절단, 발수
K04.01	비가역적 치수염	치수절단, 발수
K04.1	치수의 괴사, 치수괴저	발수, 재근관치료 (마취 없어도 가능)
K04.4	치수 기원의 급성 근단 치주염	응급근관처치, 발수, 약 처방
K04.5	만성 근단치주염	재근관치료 多, 발수 ,발치
K04.62	구강으로 연결된 동이 있는 근단주위농양	발수, 발치, 구강내소염술 불가
K04.7	동이 없는 근단주위농양	구강내소염술, 발수, 응급근관처치

〈기타〉 K02.2 시멘트질의 우식, K02.5 치수노출이 있는 우식, K02.8 기타치아우식
K04.8 근단 및 외측의 치근낭, S02.54 치수침범이 있는 치관파절, S03.20 아탈구 등

▶ 구강외과

Q1 사랑니 발치 시 매복이 아닌 단순발치인데 상병을 뭘로 해야 할까요?

A1 발치를 하는 원인의 상병을 적용하면 됩니다. 우식으로 발치할 경우 「K02.1 상아질의 우식」, 「K02.2 시멘트질의 우식」, 「K02.8 기타 치아우식」 등의 상병을 적용하면 되고, 치주로는 「K05.22 급성 치관주위염」, 「K05.30 만성 단순치주염」 등을 적용할 수 있습니다.

Q2 난발치를 했는데 삭감되었어요. 기타 치아우식으로 적용하면 안 되는 건가요?

A2 예전에는 「K02.8 기타 치아우식」을 적용하여 난발치를 청구해도 인정이 됐지만 최근에는 「K00.44 절렬」, 「K03.5 치아의 유착증」, 「K00.29 치아의 크기와 형태 이상」 외에는 인정이 안 되는 추세입니다.

Q3 구강내소염술을 했는데 급성 치관주위염으로 해도 상관없겠죠?

A3 구강내소염술은 절개 및 배농을 시행할 때 청구하는 항목이므로 [동이 없는~] 상병을 적용하시는 것이 더 적절해 보입니다.

Q4 신경치료 중 예후가 안 좋아서 발치하는데 신경치료 상병명을 그대로 적용해도 상관없나요?

A4 근관치료상병 그대로 발치 청구 가능합니다. 하지만 비가역적 치수염의 상병으로 근관치료 중 발치를 하게 되는 경우는 거의 없으니, 발치 원인에 맞는 상병 적용을 하길 바랍니다.

Q5 환자분이 상해로 인하여 #26,27,28 치아의 동요도가 보여 잠간고정술 시행했는데 상병명을 뭐라고 해야 할까요?

A5 상해로 인한 동요도 이기 때문에 「S03.21 치아의 함입 또는 탈출」, 「S03.20 치아의 아탈구」가 적절해 보입니다.

Q6 대학병원에서 매복사랑니 발치 후 소독만 받으러 내원하셨어요. 이런 경우 기본진료로 청구하려고 하는데 상병명 및 청구방법 좀 알려주세요.

A6 발치부위 소독을 하셨으니 기본진료가 아닌 [수술 후 처치(가)]로 청구하시면 됩니다. 매복치였다면 해당부위에 따른 「K01.1~ 매복상병」 적용 가능합니다.

Q7 발치와 치근낭적출술을 동시 청구하였으나 조정되었습니다. 만성 복합치주염(K05.31)적용하였는데 상병이 잘못된 걸까요?

A7 치근낭적출술 시 상병은 치근낭 관련 상병을 적용 하셔야 합니다.

치근낭적출술은 「K04.80 근단 및 외측의 치근낭」 상병이 가장 적절해 보입니다.
치근낭적출술과 발치 동시 시행 시 높은 수가 100%, 낮은 수가 50%로 적용하셔야 합니다.

Q8 상악 풀덴쳐 하신 분인데 잇몸에 뭐가 났다고 해서 알고 보니 잇몸이 튀어나온 것을 마취하고 잇몸제거해 드렸는데 이럴 경우 상병명이랑 청구는 어떻게 하나요? 치은판절제인지 치은절제술인지 알려주세요.

A8 이 경우에는 덴쳐로 인한 치은증식으로 [차-64 치은치조부 병소 또는 종양절제술]로 산정하는 것이 적절해 보이며, 상병은 「K06.23 자극성 증식증(의치성 증식증)」, 「K13.6 구강점막의 자극성증식증」을 적용할 수 있습니다.

▶ 발치

- 발치 난이도에 따라 발치 행위 결정(그에 맞는 상병 적용)
- 난발치 이상의 발치 시 X-ray 필수
- 난발치 이상의 발치 시에 Burr(가) 산정 가능

구분	코드	상병명	비고
유치발치	K00.63	잔존유치	유치발치 시 가장 많이 적용
	K00.64	만기맹출 (만기생치)	
단순발치	K02.2	시멘트질의 우식	발치 원인에 맞게 적용한다. (대부분의 상병 가능)
	K04.7	동이 없는 근단주위 농양	
	K05.30	만성단순 치주염	
	K05.31	만성복합 치주염	
	K08.3	잔류치근	
난발치	K00.44	절렬 (만곡치)	지원마다 조금 차이는 있지만 대부분 이 세가지 상병외엔 삭감된다.
	K03.5	치아의 강직	
	K00.2~	치아의 크기와 형태 이상	
매복치	K01.1~	매복치 상병	간단, 복잡, 완전으로 행위구분

• 과잉치 K00.1~각 부위에 맞게 적용 (정중, 소구치, 대구치) 발치 난이도에 따라 단순발치 / 난발치 / 매복치로 구분

▶ 구강내 소염술

- 염증이 빠져 나갈 수 있는 길이 없기 때문에 절개 & 배농을 하는 술식으로 동이 있는 (염증이 빠져나갈 수 있는) 상병은 적절하지 않다.
- 반드시 마취하에 시행

K04.7	동이 없는 근단주위 농양	치수 기원 발수 동시 시행 시 100: 50 응급근관처치와 동시시행시 100:50
K05.20	동이 없는 잇몸기원의 치주농양	치수 기원 초진시 약 처방 가능
K12.2	입의 연조직염(봉와직염) 및 농양	입의 연조직염 의원급에선 거의 적용하지 않음

▶ 치주

Q1 만 19세 미만 환자에게 하악 전치부만 부분 치석제거를 시행하거나 만19세 이상 연1회 스켈링을 할 때 치주염 상병 사용해도 되나요?

A1 나이와 치석제거만으로 치료가 종결될 정도의 상태라면 「K05.10 단순 변연부 만성 치은염」, 「K05.18 기타 명시된 만성 치은염」, 「K05.08 기타 명시된 급성 치은염」 등의 상병이 적절해 보입니다. 하지만, 절대 치주염 상병을 적용해서는 안 된다! 라는 것은 없습니다. 환자의 상태에 따라 적용하시면 될 듯 합니다.

Q2 치주치료 전처치인 치석제거할 때는 치은염 상병으로 하고 치주소파술은 치주염으로 해도 되나요?

A2 치료 중간에 상병명을 변경할 수는 있습니다. 하지만 치주치료까지 진행 예정이라면 굳이 처음 내원하셨을 때 치은염 상병을 적용할 필요는 없어 보입니다. 치주염으로 인해 치주소파술까지 진행할 예정이라면 진료행위에 따라 다르게 적용할 필요 없이 치석제거와 치주소파술 모두 치주염 상병을 적용하시길 추천 드립니다.

Q3 치주소파술이 조정된 이유가 뭘까요? 상병명을 치수기원의 급성근단치주염으로 적용했고 스켈링하고 다다음날 큐렛을 했는데 이 중 뭐가 원인일까요?

A3 치주소파술은 전처치를 시행하고 예후 관찰 후 만성상태에서 시행하는 진료로 보기 때문에 치주 상병 중에서도 만성 상병인 「K05.30 만성 단순치주염」, 「K05.31 만성 복합치주염」을 주로 적용합니다.

선생님이 적용한 「K04.4 치수기원의 급성근단치주염」은 원인이 치수, 즉 신경쪽에 문제가 있고 급성 상태일 때 적용하는 상병명으로 응급근관처치나 발수 시 주로 많이 적용하는 상병명입니다.

Q4 치아가 흔들려 교합조정했는데 치주 상병도 가능한가요?

A4 네~ 치주로 인한 동요도로 교합조정을 시행했다면 치주 상병 적용하시면 됩니다.

「K05.30 만성 단순치주염」, 「K05.31 만성 복합치주염」 적용할 수 있고, 이가 솟은 느낌이라던지 통증 호소를 했을 경우 「K05.2~ 급성 치주염」 상병도 적용 가능합니다.

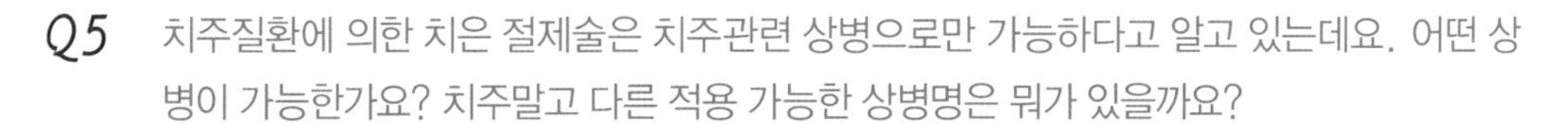

Q5 치주질환에 의한 치은 절제술은 치주관련 상병으로만 가능하다고 알고 있는데요. 어떤 상병이 가능한가요? 치주말고 다른 적용 가능한 상병명은 뭐가 있을까요?

A5 치주로 인한 치은절제술 시행 시 반드시 전처치가 있어야 하며, 「K06.18 기타 명시된 치은비대」을 주로 적용 가능하며, 전처치와 연결하여 그대로 상병 적용을 하셔도 됩니다. 우식으로 인해 치은절제술 시행 시는 전처치 없이도 가능하며, 「K02.2 시멘트질의 우식」, 「K02.8 기타 치아우식」 등을 적용할 수 있습니다.

Q6 크라운을 하려고 하는데 치관길이가 부족해서 치관확장술을 했어요. 청구를 하려고 보니 상병명을 어떻게 해야할 지 모르겠어요.

A6 치관확장술을 시행한 원인상병을 적용하면 됩니다. 일반적으로 근관치료 후 크라운 진행을 하는 경우가 많은데, 그런 경우라면 근관치료 상병 그대로 적용하시면 되고, 「S0. 파절」 상병, 「K02. 우식」 상병 등도 적용할 수 있습니다.

Q7 초진에 RP진행 시 상병은 급성만 할 수 있나요? 책에는 그렇다고 하는데…

A7 꼭 급성만 적용해야 한다는 원칙은 없습니다. 하지만, 치주치료는 단계적 치료가 원칙인데, 초진에 치근활택술을 시행했다는 것은 급성 상태이기 때문에 전치치 없이, 또는 치석제거와 동시에 시행을 하시는 것이겠지요~. 예를들어 타 치과에서 전처치를 했다면, 만성 상병 적용 가능하며, 일반적인 경우라면 초진에 RP를 시행할 때는 만성 상병보다는 급성 상병을 적용하는 것이 좋겠습니다.

Q8 전악 스켈링을 한 후 #24~27 잇몸이 부어 내원하여 치근활택술을 시행했고 상병명은 급성 치주염으로 넣었습니다. 일주일 후 flap 약속 잡고 내원하셔서 치료받았는데 이때 똑같이 급성 치주염으로 가능할까요?

A8 치주소파술 이상의 진료에는 만성 상병을 적용하는 것이 좋습니다. 치은박리소파술이 시행에는 「K05.31 만성 복합치주염」을 주로 적용합니다.

▶ 치주치료

• 청구프로그램의 파노라마 버튼에 셋팅된 K05.30 상병 일률적인 적용 지양
• 치석제거 및 파노라마 촬영 시 구강내에 남아 있는 치아만 선택
• 치주치료(치근활택 또는 치주소파술) 시 정확한 치식챠팅 & 청구

K05.10	단순변연부 만성치은염	연 1회 치석제거 多
K05.20	동이 없는 잇몸 기원의 치주농양	구강내 소염술 多, 치주소파술 (X)
K05.22	급성 치관주위염	사랑니 주변 Dressing 多, 치근활택술 (△), 치주소파술 (X)
K05.30	만성 단순치주염	거의 모든 치주치료에 적용, I & D (X)
K05.31	만성 복합치주염	치주소파술 이상 진료 多, 발치
K05.28	기타 명시된 급성 치주염	초진에 치근활택 급성증상의 치주치료(약처방, Dressing)

Q1 임플란트 픽스처 파절로 제거술(복잡) 시행하였는데 상병명은 어떤 걸로 넣는 것이 좋을까요?

A1 「T85.6 치과보철물의 파절 및 상실」을 적용하며 bur를 사용하였다면 burr.saw(가) 청구 가능합니다.

Q2 임플란트하고 3개월 지나면 자연치아로 인정되어서 홀 충전물 탈락시 충전청구 가능하다고 들었는데 상병명은 보통 어떤걸로 들어가나요?

A2 「T85.6 치과보철물의 파절 및 상실」 상병을 적용하여 충전1면과 충전물연마 청구 가능합니다.

Q3 타치과에서 한 임플란트 abutment 파절로 잇몸 박리하여 파절된 부분을 제거하였습니다. 상병명은 치과보철물의 파절 및 상실 넣고 수복물제거 복잡2로 청구하면 될까요?

A3 「T85.6 치과보철물의 파절 및 상실」 상병명을 적용하고 수복물 제거가 아닌 [악골내고정용금속제거술]이라는 진료행위와 bur나 전용 kit를 사용하였다면 burr.saw(다)를 청구할 수 있습니다. 하지만, 봉합을 했다 하더라도 silk는 따로 산정 불가합니다.

Q4 임플란트 보철 후 잇몸에 염증이 생겨서 치주치료를 하는 경우가 있는데 이럴 때 만성 단순치주염이나 만성 복합치주염을 사용하고 있는데 맞는 건가요?

A4 네! 임플란트 주위염으로 치주치료를 시행한 경우라면, 나이 불문하고 자연치와 동일하게 보험청구하시면 됩니다. 잇몸상태에 따라 「K05. 치주」 상병을 적용 가능합니다.

Q5 틀니 무상유지관리 때와 유상유지관리 때와 상병명이 다른가요? 각각 어떻게 적용해야 하나요?

A5 틀니 무상유지관리에는 틀니의 상병인 「K08.1 사고, 추출 또는 국한성 치주병에 의한 치아상실」과 「Z46.3 치과보철 장치의 부착 및 조정」이 모두 가능은 합니다만, 「Z46.3 치과보철 장치의 부착 및 조정」을 추천 드립니다.

유상유지관리에는 「Z46.3 치과보철 장치의 부착 및 조정」을 적용할 수 있습니다.

Q6 환자분이 보험 임플란트를 식립하고 며칠 뒤 통증으로 오셔서 다시 약처방 나가야 하는데 상병명은 뭘로 해서 어떻게 처방을 나가야 하나요?

A6 상병명은 보험 임플란트 상병인 「K08.1 사고, 발치 또는 국한성 치주병에 의한 치아상실」을 적용하여 진료구분에 '진찰료 없음' 또는 '임플란트/틀니'로 선택하여 보험으로 처방하시면 됩니다.

▶ 임플란트

<table>
<tr><td colspan="4">• 임플란트 제거 술식에 따라 간단과 복잡으로 구분
• Trephine Bur 또는 별도의 전용 제거 Kit를 사용한 경우 Burr(가) 산정 가능</td></tr>
<tr><td>임플란트 식립</td><td>K08.1</td><td>사고, 발치 또는 국한성 치주병에 의한 치아상실</td><td>고정 상병</td></tr>
<tr><td rowspan="2">임플란트 제거술
(간단)</td><td>T85.6</td><td>치과보철물의 파절 및 상실</td><td>가장 많이 쓰는 상병</td></tr>
<tr><td>K05.3~</td><td>만성 단순(복합)치주염</td><td>임플란트 제거 원인에 맞는 상병</td></tr>
<tr><td>임플란트 제거술
(복잡)</td><td>T85.6
K03.5</td><td>치과보철물의 파절 및 상실
치아의 강직증</td><td>복잡하게 발치한 원인 상병</td></tr>
<tr><td>임플란트 홀 충전</td><td>T85.6</td><td>치과보철물의 파절 및 상실</td><td>와동형성1면 + 충전 1면 + 재료대</td></tr>
</table>

2. 상병명 정리 〈참고 자료〉

▶ 작성자 1. 정수오 실장(1급 치과건강보험청구사)

신경치료 적용 추천상병	
비가역적 치수염	자극 없어도 통증 있는 상태
치수의 괴사, 치수괴저	치아변색 있는 상태
치수변성, 상아립, 치수석회화, 치수결석	신경관이 막혀 있는 상태
치수기원의 급성 근단 치주염, 급성 근단 치주염	통증심한 상태
만성 근단치주염, 근단 또는 근단주위 육아종	통증 없는 뿌리 끝 염증
구강으로 연결된 동이 있는 근단주위농양	잇몸으로 고름이 나오는 경우
근단 및 외측의 치근낭	뿌리 끝 치관 1/2크기 염증주머니
"상세불명의~"라는 말이 있는 경우	원인 불명일 때만 적용
치주치료 적용 추천상병	
단순 변연부 만성 치은염	주로 10~20대 급여 SC 시
급성 치관주위염	부종, 출혈 동반하여 SC, RP 시
만성 단순치주염	일반적, 수평적 치조골소 실 비교적 균일한 치주낭 형성
만성 복합치주염	깊고 불규칙한 치주낭 외상성 교합으로 수직적 치조골 소실
만성 치관주위염	사랑니 주변 염증 정도...
증식성 만성치은염	당뇨환자의 증식된 치은염증
박리성치은염	치은발적, 부종, 수포 및 궤양 동반
지각과민처치 적용 추천상병	
치아의 습관성 마모	치아의 치약마모
구강내소염술 적용 추천상병	
동이 없는 잇몸 기원의 치주농양	동이 없는 근단주위농양, 치아농양, 치아치조농양
치은절제술 적용 상병	
기타 명시된 치은비대	
치조골성형술 적용 상병	
불규칙한 치조돌기	기타 치아 및 지지구조의 장애

▶ 작성자 2. 강남레옹치과 총괄실장 김유미

충치치료 & 검진	치주소파 이상의 치주치료 시	치아의 파절 치료 시
K02.0 에나멜에 제한된 우식증	K05.30 만성 단순 치주염	S02.52 법랑질만의 파절
K02.1 상아질의 우식증	K05.31 만성 복합 치주염(치은 박리소파술 시 적용하면 좋을 듯함)	S02.53 치수침범이 없는 파절
K02.2 (시멘트)백악질의 우식증	K05.32 만성 치관 주위염	S02.54 치수침범이 있는 파절 (근관치료 시 적용 가능)
K02.3 정지된 치아우식증	K05.4 치주증	S02.55 치근파절(발거 시 적용 가능)
K02.8 기타 치아우식증	K05.5 기타 치주질환	S02.56 치관-치근파절(파절편 제거시 적용 가능)
근관치료 시	간단한 치주치료 시	치경부 마모 GI 충전 시
K04.00 가역적 치수염 (치수 절단시 주로 적용)	K05.00 급성 연쇄구균 치은 구내염	K03.10 치아의 치약 마모
K04.01 비가역적 치수염	K05.08 기타 명시된 급성 치은염	K03.11 치아의 습관성 마모
K04.1 치수의 괴사	K05.10 단순 변연부 만성 치은염	K03.00 치아의 교모
K04.2 치수변성 (근관 석회화시 적용 가능)	K05.11 증식성 만성 치은염	K03.01 치아의 인접면 마모
K04.4 치수기원의 급성근단성 치주염(응급 근관치료 시 주로 적용)	단순 발치 시	치아 재식술 시
K04.5 만성 근단성 치주염 (재 신경치료 시 주로 적용)	K05.30 만성 단순 치주염 K05.22 급성 치관주위염	근관치료 상병 또는 치아 탈구 관련 상병
K04.6 동이 있는 근단주위 농양	K05.31 만성 복합 치주염	탈구 치아 정복술 시
-60 상악동으로 연결된 동	S02.5 치아의 파절 관련 상병	S03.2 치아의 함입 또는 정출
-61 비강으로 연결된 동	S03.2 치아의 탈구 관련 상병	
-62 구강으로 연결된 동	K02.2 백악질의 우식증	과잉치 발치 시
-63 피부로 연결된 동	K02.8~ 기타 치아 우식증	치아의 위치 및 상태에 따른 과잉된 부위에 따른 선택(예: 11~21 사이 과잉치로 내역 기재 필요)
K04.7 동이 없는 근단주위 농양	K07.38 치아의 위치 이상	
K00.24 치외치(교합면 이상결절)	K00.2 치아의 크기와 형태 이상관련	보철물(제거 및 상실, 재부착)
구강내 소염술 시	난발치 시(내역설명 기재 필요)	T85.6 치과보철물의 파절 및 상실 K02.8 기타 치아우식증
K05.20 동이 없는 잇몸기원의 치주농양	근관치료 시 상병 적용 가능	잠간 고정술 시
	K00.22 치아의 유착	K05.31 만성 복합 치주염
K04.7 동이 없는 근단주위 농양	K00.44 만곡치	S03.2 치아의 탈구 관련 상병 또는 치아 재식술을 겸하는 경우
	S02.5 치아파절 관련 상병	지각과민 처치 시
		K03.11 치아의 습관성 마모
유치발치		K03.10 치아의 치약 마모
K00.60 선천치		K03.80 과민성 상아질
K00.61 신생치		K06.00 국소적 치은 퇴축
K00.62 치아의 조기 맹출	매복치 발치 시	토러스 제거 시
K00.63 잔존[지속성]유치[젖니]	치아의 위치및 상태에 따른 매복 상병 선택(내역설명 기재 필요)	K10.0 악골발육성 장애
K00.64 만기생치	턱관절장애 시	발치와재소파술 시
K00.65 유치[젖니]의 조기탈락	K07.60 턱관절 내장증	K10.3 턱의 치조염(내역설명 기재 필요)
K00.68 기타 명시된 맹출장애	K07.61 턱관절 잡음	
교합조정술 시(교합지 사용 내역 기재)	K07.62 턱관절의 재발성 탈구 및 아탈구	
K07.4 상세불명의 부정교합	K07.63 달리 분류되지 않은 턱관절의 통증	
K07.2 치열궁 관계이상 관련	K07.66 저작근의 장애	
K00.24 치외치(교합면 이상결절)	K07.68 기타 명시된 턱관절 장애	
K05.31 만성 복합치주염